응용 왕수학

왕수학연구소
박 명 전

5 학년

MATHEMATICS

수학 왕을 꿈꾸는 어린이들에게

수학자 가우스가 초등 학교에 다니던 때 하루는 선생님께서 학생들에게 1부터 100까지 자연수를 모두 더하는 문제를 내셨습니다. 모든 학생들이 끙끙대며 1부터 더하기를 해나가고 있는데 가우스만이 문제를 받자마자 아무런 풀이 과정 없이 정답이 5050이라고 제출해 선생님을 깜짝 놀라게 했다고 합니다.

가우스는 $1+2+3+\cdots+98+99+100$을 단지 $100+1=101$, $99+2=101$, $98+3=101$ 등으로 계산하면 50개의 쌍이 나오므로 답은 50×101, 즉 5050이라고 암산하였던 것이지요.
이 일화는 가우스의 천재적인 계산 능력을 보여 줄 뿐만 아니라 수학을 대하는 우리들의 자세를 일깨어 주고 있습니다.

수학은 단순히 공식을 암기하거나 사칙연산만을 다루는 학문이 아닙니다. 오히려 여러 가지 방법으로 문제를 분석하고 해석하여 새로운 풀이에 접근해 보는 보다 활동적인 학문임을 염두해 두어야 합니다. 난이도가 높은 문제일수록 더더욱 이러한 창의적인 사고력과 문제해결력을 보다 요구하게 되지요. 응용왕수학은 바로 이러한 요구에 발맞추고자 노력하여 맺은 열매입니다.

이 책에는 제가 20여년 동안 교육 일선에서 수학경시반을 이끌어 오면서 11년 연속으로 수학왕을 지도, 배출한 노하우가 고스란히 담겨져 있습니다.
난이도 높은 문제를 보다 다양하고 쉬운 방법으로 해결해 나가는 획기적인 과정을 다루어 수학에 대한 흥미를 유발하게 하였습니다. 또 다양한 문제를 실어 어린이들이 폭넓고 깊이 있는 해결능력을 배양하는 데 보탬이 되고자 하였습니다.

수학의 영재를 꿈꾸는 어린이들이 이 책을 통해 꿈에 가까이 다가갈 수 있기를 바라는 마음뿐입니다.

이 책의 특징과 구성

1. 교육과정 개정에 따라 학년별 교과 내용을 영역으로 나누어 문제를 편성, 수록하였습니다.
2. 교과서의 수준을 뛰어 넘는 난이도 높은 문제들을 수록하여 전국경시대회, 과학고, 영재고 등과 같은 시험에 대비하는 데 부족함이 없도록 준비하였습니다.
3. 해결 방법을 쉽게 이해할 수 있도록 체계적이고 논리적인 해설을 자세히 실었습니다.

핵심내용

교과 내용 중 핵심적인 내용이 정리되어 있습니다. 공부할 내용을 미리 알고 요점을 정리해 놓으면 문제 해결에 많은 도움이 될 것입니다.

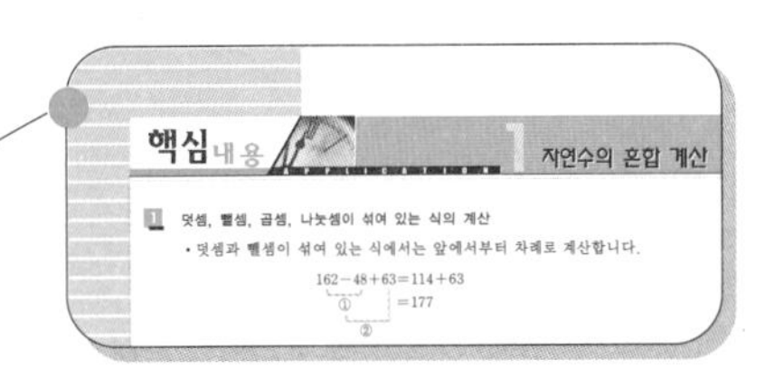

탐 구

단원에 관련된 문제를 유형별로 간추려 그 해법을 따라가 보았습니다. 유형을 익혀 놓으면 뒤의 왕문제, 왕중왕문제를 풀 때 보다 쉽게 접근할 수 있을 것입니다.

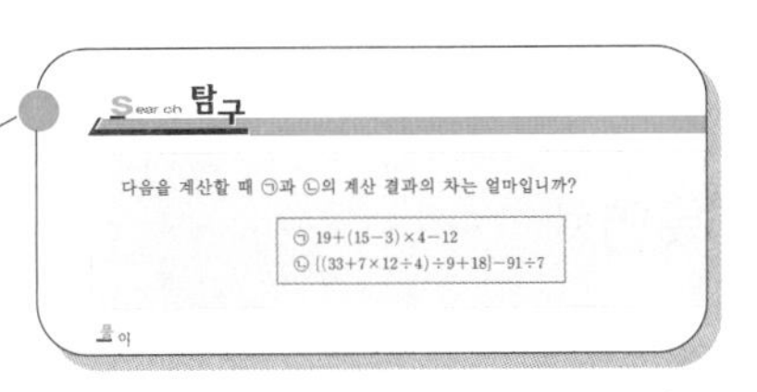

연습문제

탐구에서 찾아낸 해결 방법을 연습함으로써 어려운 문제의 해결 방안을 익힐 수 있게 하였습니다.

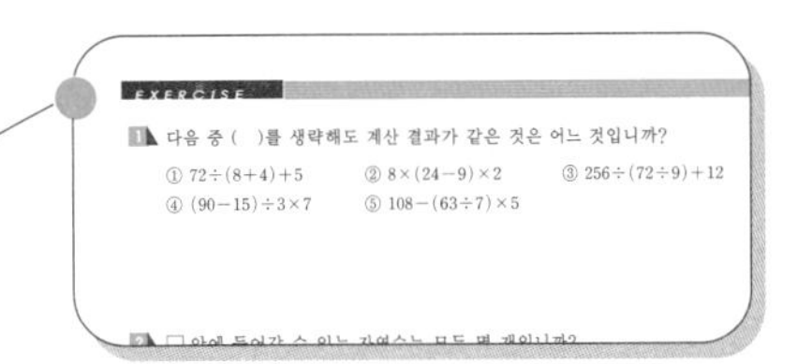

왕문제

본격적으로 적절한 해결 방법을 생각해 문제를 풀어 봄으로써 응용력과 문제해결력을 키워 나가는 단계입니다. 각각의 문제를 최선을 다하여 풀다 보면 사고력과 응용력이 높아질 것입니다.

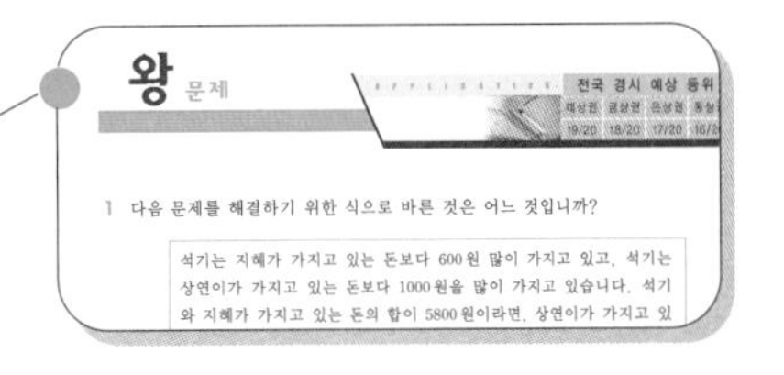

왕중왕문제

전국경시대회, 영재 교육원, 특목고를 대비할 수 있는 문제들을 수록하였습니다. 꾸준히 도전하면 중, 고등 괴정과도 접목할 수 있는 풍부한 실력을 갖출 수 있게 될 것입니다.

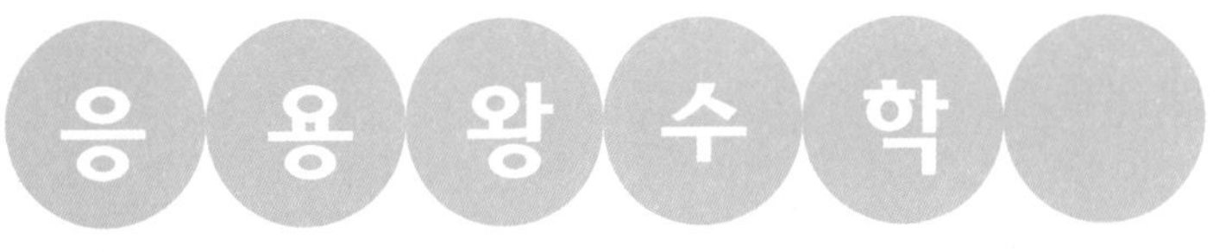

APPLICATION

CONTENTS

차례

5학년

I 수와 연산

1. 자연수의 혼합 계산
2. 약수와 배수
3. 약분과 통분
4. 분수의 덧셈과 뺄셈
5. 분수의 곱셈
6. 소수의 곱셈

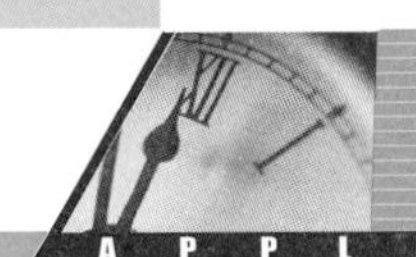

1 덧셈, 뺄셈, 곱셈, 나눗셈이 섞여 있는 식의 계산

• 덧셈과 뺄셈이 섞여 있는 식에서는 앞에서부터 차례로 계산합니다.

$$162-48+63=114+63$$
$$=177$$

(① $162-48$, ② $114+63$)

• 곱셈과 나눗셈이 섞여 있는 식에서는 앞에서부터 차례로 계산합니다.

$$68\div4\times3=17\times3$$
$$=51$$

(① $68\div4$, ② 17×3)

• 덧셈, 뺄셈, 곱셈, 나눗셈이 섞여 있는 식에서는 곱셈, 나눗셈을 먼저 계산합니다.

$$3\times6+91\div7-19=18+13-19$$
$$=31-19$$
$$=12$$

(① 3×6, ② $91\div7$, ③ $18+13$, ④ $31-19$)

2 (   )가 있는 식의 계산

(   )가 있는 식에서는 (   ) 안을 먼저 계산합니다.

$$50-(42+54)\div6=50-96\div6$$
$$=50-16$$
$$=34$$

(① $42+54$, ② $96\div6$, ③ $50-16$)

3 (   )와 {   }가 있는 식의 계산

(   )와 {   }가 있는 식에서는 (   ) 안을 먼저 계산하고, 다음에 {   } 안을 계산합니다.

$$50-\{(12+18)-10\times2\}\div5=50-(30-20)\div5$$
$$=50-10\div5$$
$$=50-2$$
$$=48$$

(① $12+18$, ② 10×2, ③ $30-20$, ④ $10\div5$, ⑤ $50-2$)

Search 탐구

다음을 계산할 때 ㉠과 ㉡의 계산 결과의 차는 얼마입니까?

㉠ $19+(15-3)\times4-12$
㉡ $\{(33+7\times12\div4)\div9+18\}-91\div7$

풀이

㉠ $=19+(15-3)\times4-12$
$=19+\square\times4-12$
$=19+\square-12$
$=\square-12$
$=\square$

㉡ $=\{(33+7\times12\div4)\div9+18\}-91\div7$
$=(\square\div9+18)-\square$
$=\square-\square$
$=\square$

따라서 ㉠－㉡$=\square-\square=\square$입니다.

답 $\square$

EXERCISE

1 다음 중 (   )를 생략해도 계산 결과가 같은 것은 어느 것입니까?

① $72\div(8+4)+5$
② $8\times(24-9)\times2$
③ $256\div(72\div9)+12$
④ $(90-15)\div3\times7$
⑤ $108-(63\div7)\times5$

2 $\square$ 안에 들어갈 수 있는 자연수는 모두 몇 개입니까?

$9\times\square<6\times12-36\div4$

전국 경시 예상 등위			
대상권	금상권	은상권	동상권
19/20	18/20	17/20	16/20

1 다음 문제를 해결하기 위한 식으로 바른 것은 어느 것입니까?

> 석기는 지혜가 가지고 있는 돈보다 600원 많이 가지고 있고, 석기는 상연이가 가지고 있는 돈보다 1000원을 많이 가지고 있습니다. 석기와 지혜가 가지고 있는 돈의 합이 5800원이라면, 상연이가 가지고 있는 돈은 얼마입니까?

① $(5800-600)\div2-1000$
② $(5800-600)\div2+1000$
③ $(5800+600)\div2-1000$
④ $(5800+600)\div2+1000$
⑤ $(5800-600)\times2+1000$

2 □ 안에 알맞은 수를 구하시오.

(1) $250-\{72-(58-\square)\div7\}\times3=52$

(2) $\{18-(\square-6)\}\times(20-8\div2)=192$

(3) $(560\div\square+3\times8-64\div8)-24\div6=19$

3 A※B=A×A+2×B일 때, 3※5=3×3+2×5=19입니다. □ 안에 알맞은 수를 써넣으시오.

(1) 5※7=□ (2) 5※□=41 (3) □※8=25

4 □ 안에 들어갈 수 있는 자연수는 모두 몇 개입니까?

$$59+98\div7>12+\square\times6$$

5 $\begin{vmatrix} ㄱ & ㄴ \\ ㄷ & ㄹ \end{vmatrix}$ = ㄱ × ㄹ − ㄴ × ㄷ이라고 약속할 때, 다음을 계산하시오.

$$\begin{vmatrix} 24 & 3 \\ 9 & 5 \end{vmatrix} - \begin{vmatrix} 16 & 9 \\ 6 & 8 \end{vmatrix}$$

6 ㉮ * ㉯ = ㉮ × 4 + ㉯라고 약속할 때 9 * {(1 * 1) * 3}의 값은 얼마입니까?

7 등식이 성립하도록 ( )로 묶어 보시오.

$$52 + 153 \div 17 - 4 + 28 = 29$$

8 식이 성립하도록 □ 안에 들어가 수 있는 자연수는 모두 몇 개입니까?

$\square \times 4 \div 7 < (49-25) \div 3 + 2 \times 4$

9 식에 ( )를 한 번 넣어 계산할 때 계산 결과가 가장 큰 값은 얼마입니까?

$32+3\times4+15\div5$

10 주어진 수 카드를 한 번씩 사용하여 계산 결과가 가장 큰 자연수가 되도록 식을 만들어 계산하면 얼마가 됩니까?

12 5 8 7 ➔ $(\square+\square)\times\square\div\square$

11 ○ 안에 +, −, ×, ÷를 한 번씩 써넣고, ( )를 한 번 사용하여 등식이 성립하도록 하시오.

25 ○ 4 ○ 18 ○ 54 ○ 6 = 73

12 상연이는 문방구점에서 12자루에 3120원 하는 연필 8자루와 한 권에 540원인 공책 9권을 사고, 10000원을 내었습니다. 상연이는 거스름돈으로 얼마를 받아야 합니까?

13 7○[6○{5○(4○3)}]의 ○ 중 2곳에 +, 나머지 2곳에 ×를 넣어 계산했을 때, 나올 수 있는 가장 큰 계산 결과와 가장 작은 계산 결과의 차를 구하시오.

14 다음과 같이 약속을 할 때 주어진 식을 계산하시오.

㉮★㉯＝(㉮＋㉯)＋(㉮－㉯) ㉮◆㉯＝(㉮×㉯)－(㉮＋㉯)

(25★13)◆16

15 어떤 수와 14의 합을 3배 한 후에 2를 빼고 5로 나누었더니 17이 되었습니다. 어떤 수를 구하시오.

16 기호 ★의 계산 방법을 다음과 같이 약속할 때 12★(8★4)를 계산해 보시오.

㉠★㉡$=$㉠$\times$(㉠$+1$)$-3\times$(㉡$+4$)

17 □ 안에 2, 4, 6, 8, 10을 한 번씩 써넣어 계산한 값이 자연수일 때, 가장 큰 값을 구하시오.

$$(\square+\square)\div\square+\square\times\square$$

18 □ 안에 들어갈 수 있는 자연수는 모두 몇 개입니까?

$$102-39\div3\times4-25<\square\div5+13<24+56\div8+4$$

19 무게가 똑같은 책 8권을 상자에 넣고 무게를 재어 보니 2 kg 70 g이었습니다. 이 상자에 똑같은 무게의 책 4권을 더 넣고 무게를 재어 보니 3 kg 30 g이었습니다. 상자만의 무게는 몇 g입니까?

20 유승이는 가지고 있는 구슬을 한 봉지에 72개씩 넣으려면 32개가 부족하고, 한 봉지에 63개씩 넣으면 346개가 남는다고 합니다. 유승이가 가지고 있는 구슬은 모두 몇 개입니까?

전국 경시 예상 등위			
대상권	금상권	은상권	동상권
18/20	16/20	14/20	12/20

1 나눗셈에서 나머지가 3보다 클 때, □ 안에 들어갈 가장 큰 수와 가장 작은 수의 합을 구하시오.

$\square \div 74 = 20 \cdots (\quad)$

2 30000원을 유승, 지혜, 효근 세 사람이 나누어 가졌습니다. 유승이는 지혜의 2배보다 4000원 적게 갖고, 효근이는 지혜보다 2000원 많이 가졌다면 유승이가 가진 돈은 얼마입니까?

3 다음의 수를 □ 안에 써넣어 계산식을 완성하시오.

24, 38, 55, 47

$\square + \square \times (\square - \square) = 519$

4 말 4마리가 5일 동안 360 kg의 건초를 먹는다고 합니다. 말 32마리가 9216 kg의 건초를 먹는데는 며칠이나 걸리겠습니까? (단, 말 한 마리가 1일 동안 먹는 건초의 양은 일정합니다.)

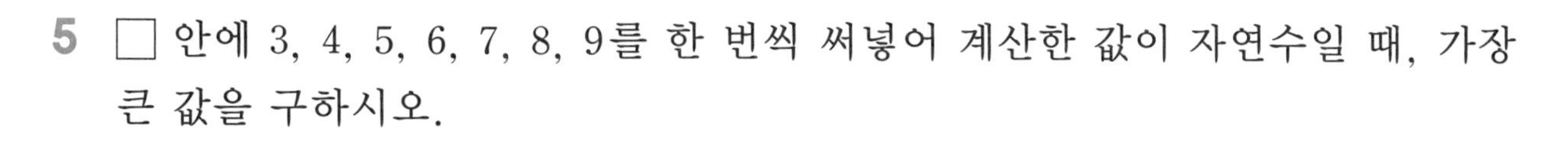

5 □ 안에 3, 4, 5, 6, 7, 8, 9를 한 번씩 써넣어 계산한 값이 자연수일 때, 가장 큰 값을 구하시오.

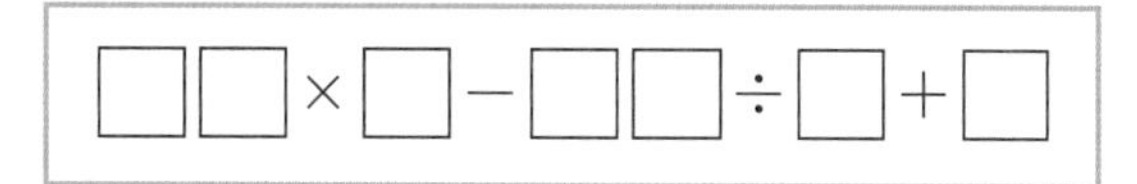

$\square\square \times \square - \square\square \div \square + \square$

6 사과 10개와 귤 7개를 사면 7760원이고, 같은 사과 30개와 귤 14개를 사면 22720원입니다. 사과와 귤은 각각 1개에 얼마씩입니까?

7 길이가 85 m인 기차가 4초에 140 m씩 달리고 있습니다. 이 기차가 터널에 들어가기 시작한 지 18초 만에 완전히 통과하였다면, 이 터널의 길이는 몇 m입니까?

8 가★나=(가×6+나×7)−8이라고 약속할 때, □ 안에 알맞은 수를 구하시오.

(□★5)★4=470

9 예슬이네 학교 5학년 학생은 체육 시간에 14명씩 짝짓기놀이를 하였는데 짝을 짓지 못한 학생은 13명이었습니다. 5학년은 8개 반이 있으며 학생 수가 가장 많은 반은 25명이고 가장 적은 반은 21명이라고 합니다. 예슬이네 학교 5학년 학생 수는 최대 몇 명이고, 최소 몇 명이 됩니까?

10 어느 도시의 34769명의 어린이 중 수학을 좋아하는 어린이는 26409명, 국어를 좋아하는 어린이는 23786명, 국어와 수학을 모두 싫어하는 어린이는 1986명이라고 합니다. 국어와 수학을 모두 좋아하는 어린이는 몇 명입니까?

11 다음을 보고 알맞은 규칙을 찾아 주어진 식을 계산하시오.

2 ∗ 3=5	3◆2=6	3●5=24
4 ∗ 3=7	4◆3=12	2●9=22
5 ∗ 4=9	7◆8=56	4●3=28

8●{(9◆12) ∗ 15}

12 30분 동안 한 대를 빌려 타는 데 2000원씩인 자전거가 있습니다. 5명이 이 자전거 4대를 빌려 2시간 30분 동안 탄 후 1대를 더 빌려서 5대를 30분 동안 더 탔습니다. 5명이 똑같이 돈을 낸다면 한 사람이 얼마씩 내야 합니까?

13 규형이네 집에서 서점까지의 거리는 3 km입니다. 규형이는 집에서 서점까지 가는 데 1분에 72 m를 가는 빠르기로 걸어가고, 규형이가 출발한 지 13분 후에 규형이의 동생이 자전거를 타고 1분에 189 m를 가는 빠르기로 규형이를 따라간다면 두 사람이 만나는 곳은 서점으로 부터 몇 m 떨어진 곳입니까?

14 다음과 같은 방법으로 계산한다고 약속할 때 □ 안에 알맞은 수를 구하시오.

• $1 * 2 = 1 + 2 + 2 \times 1 \times 2 = 7$ • $2 * 3 = 2 + 3 + 2 \times 2 \times 3 = 17$

$$6 * \square = 175$$

15 달걀 600개를 한 개에 120원씩 주고 사 오다가 50개를 깨뜨리고 나머지는 한 개에 160원씩 팔았습니다. 달걀을 팔아 생긴 이익금을 몇 명이 나누어 가졌을 때 한 사람이 4000원씩 갖게 되었다면, 모두 몇 명이 이익금을 나누어 가진 것입니까?

16 한별이와 영수 두 사람의 지난달까지의 저금액의 합은 248400원이었습니다. 두 사람은 이번달 1일부터 매일 같은 금액을 저금하기로 하였습니다. 저금을 시작한 지 9일째 되는 날에 저금을 하고 나서 두 사람의 저금액을 합해 보니 279000원이었고, 한별이의 저금액이 영수의 저금액의 2배가 되었습니다. 한별이가 지난달까지 저금한 금액은 얼마입니까?

17 □ 안에 1부터 9까지의 수를 한 번씩 넣어 가로와 세로의 계산을 하려고 합니다. ㉠과 ㉡에 알맞은 수를 찾아 합을 구하시오.

□	×	□	+	□	=	60
+		×		÷		
㉠	÷	□	−	□	=	2
×		−		+		
□	+	□	×	□	=	㉡
‖		‖		‖		
25		19		10		

18 어떤 수를 23으로 나누어야 할 것을 잘못하여 34로 나누었더니 몫과 나머지가 바뀌었습니다. 어떤 수가 될 수 있는 수 중 가장 작은 자연수를 구하시오.

19 지혜는 용돈을 지난 달에 8000원, 이번 달에 10200원을 받았습니다. 효근이의 이번 달 용돈은 지혜가 두 달 동안 받은 용돈의 3배보다 18500원이 더 적고, 용희의 이번 달 용돈은 효근이의 이번 달 용돈의 2배보다 45000원이 더 적습니다. 이번 달 용희의 용돈은 얼마입니까?

20 어느 지역의 어린이는 24901명입니다. 농구, 축구, 야구를 좋아하는 어린이는 각각 8749명, 10224명, 9215명입니다. 농구와 야구를 좋아하는 어린이는 2396명, 야구와 축구를 좋아하는 어린이는 2547명, 농구와 축구를 좋아하는 어린이는 2621명입니다. 농구, 축구, 야구를 모두 좋아하는 어린이가 989명일 때, 농구, 축구, 야구를 모두 좋아하지 않는 어린이 수를 구하시오.

핵심내용

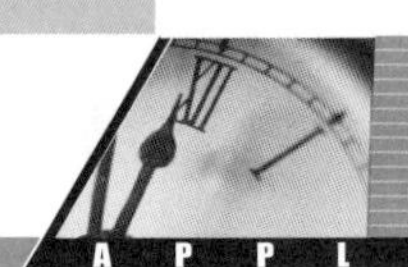

2 약수와 배수

1 약수

어떤 수를 나누었을 때, 나누어떨어지게 하는 수를 어떤 수의 약수라고 합니다.

예 6의 약수 : 1, 2, 3, 6

8의 약수 : 1, 2, 4, 8

2 배수

어떤 수를 1배, 2배, 3배, … 한 수를 어떤 수의 배수라고 합니다.

예 3의 배수 : 3, 6, 9, 12, 15, …

4의 배수 : 4, 8, 12, 16, 20, …

3 배수와 약수의 관계

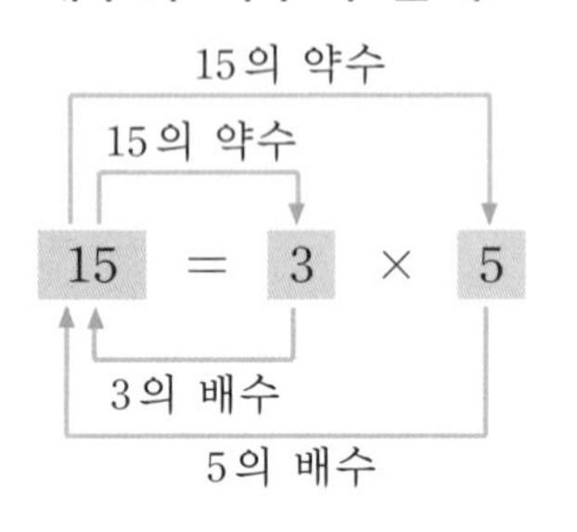

15는 3과 5의 배수입니다.
3과 5는 15의 약수입니다.

4 짝수와 홀수

자연수 중에서 2의 배수인 수를 짝수라고 하고, 짝수가 아닌 수를 홀수라고 합니다.

5 공약수와 최대공약수

(1) 공약수 : 어떤 수들의 공통인 약수

(2) 최대공약수 : 공약수 중에서 가장 큰 수

예 12의 약수 : 1, 2, 3, 4, 6, 12

18의 약수 : 1, 2, 3, 6, 9, 18

12와 18의 공약수 : 1, 2, 3, 6

12와 18의 최대공약수 : 6

6 최대공약수 구하기

$18 = 2 \times 3 \times 3$ $\quad 42 = 2 \times 3 \times 7$

(2×3) = 6 → 18과 42의 최대공약수

18과 42의 공약수 ← 2) 18 42
9와 21의 공약수 ← 3) 9 21
3 7

$2 \times 3 = 6$ → 18과 42의 최대공약수

7 공배수와 최소공배수

(1) 공배수 : 어떤 수들의 공통인 배수

(2) 최소공배수 : 공배수 중에서 가장 작은 수

예 4의 배수 : 4, 8, 12, 16, 20, 24, 28, …

6의 배수 : 6, 12, 18, 24, 30, 36, …

4와 6의 공배수 : 12, 24, …

4와 6의 최소공배수 : 12

8 최소공배수 구하기

$12=2\times2\times3$　　$40=2\times2\times2\times5$

$2\times2\times3\times2\times5=120$ → 12와 40의 최소공배수

$$\begin{array}{r|rr} 2 & 12 & 40 \\ 2 & 6 & 20 \\ \hline & 3 & 10 \end{array}$$

$2\times2\times3\times10=120$ ← 12와 40의 최소공배수

9 최대공약수와 최소공배수의 관계

• 두 수 ㉮와 ㉯의 최대공약수를 ㉰, 최소공배수를 ㉱라 할 때
㉮ × ㉯ = ㉰ × ㉱입니다.

예 12와 40의 최대공약수는 4, 최소공배수는 120이므로
$12\times40=4\times120=480$입니다.

10 특별한 수의 배수 판별법

배수	배수 찾는 방법
2의 배수	일의 자리의 숫자 → 0, 2, 4, 6, 8
3의 배수	각 자리의 숫자의 합 → 3의 배수
4의 배수	끝의 두 자리 수 → 00 또는 4의 배수
5의 배수	일의 자리의 숫자 → 0, 5
6의 배수	각 자리의 숫자의 합이 3의 배수이면서 짝수인 수
8의 배수	끝의 세 자리 수 → 8의 배수
9의 배수	각 자리의 숫자의 합 → 9의 배수
11의 배수	홀수 자리의 합과 짝수 자리의 합의 차가 0이거나 11의 배수인 수

Search 탐구

다음 수의 최대공약수와 최소공배수를 각각 구하시오.

$2\times2\times3\times5 \qquad 2\times3\times3\times5$

풀이

최대공약수는 두 곱셈식에서 공통으로 있는 □, □, □를 곱한 수입니다.

➔ □×□×□=□

최소공배수는 두 곱셈식에서 공통으로 있는 □, □, □를 곱한 수에 나머지 수 □와 □을 곱한 수입니다. ➔ □×□×□×□×□=□

답 최대공약수 : □, 최소공배수 : □

EXERCISE 1

1 다음 수들의 최소공배수를 구하시오.

(1) (12, 30)

(2) (24, 27, 54)

(3) ($2\times3\times3\times5$, $2\times2\times3\times3\times3\times7$, $2\times2\times2\times3\times3\times11$)

2 $A=3\times7\times11$일 때 A의 약수를 모두 구하시오.

3 $2\times2\times3\times5$, $2\times5\times5$의 공배수가 될 수 없는 것은 어느 것입니까?

① $2\times2\times3\times5$
② $2\times2\times3\times5\times5$
③ $2\times2\times2\times3\times5\times5$
④ $2\times2\times3\times3\times5\times5$
⑤ $2\times2\times3\times5\times5\times5$

Search 탐구

가로가 150 cm, 세로가 270 cm인 직사각형 모양의 벽에 남는 부분이 없이 될 수 있는 대로 큰 정사각형 모양의 타일을 붙이려고 합니다. 타일의 한 변의 길이를 몇 cm로 하면 되겠습니까? 또, 타일은 몇 장이 필요하겠습니까?

풀이

될 수 있는 대로 큰 모양의 타일로 붙이는 것은 타일의 개수를 될 수 있는 대로 적게 사용하는 것과 같은 뜻입니다. 타일이 정사각형 모양이므로 가로와 세로의 길이가 같고 한 변의 길이는 150과 270의 공약수가 됩니다. 그런데, 될 수 있는 대로 큰 타일이어야 하므로 최대공약수를 구하면 됩니다.

```
10)150  270
 3) 15   27
     5    9
```

최대공약수는 □×□=□이므로 타일의 한 변의 길이는 □ cm이고, 가로로 150÷□=□(장), 세로 270÷□=□(장)이 필요하므로 전체 벽을 붙이는 데 필요한 타일 수는 □×□=□(장)입니다.

답 □ cm, □장

EXERCISE 2

1 연필 84자루와 공책 70권을 될 수 있는 대로 많은 사람들에게 남김없이 똑같이 나누어 주려고 합니다. 몇 명까지 나누어 줄 수 있습니까?

2 가로가 48 cm, 세로가 32 cm인 직사각형의 모양의 종이를 남김없이 잘라서 같은 크기의 정사각형을 될 수 있는 대로 크게 만들려고 합니다. 한 변의 길이를 몇 cm로 하면 됩니까?

3 사과 45개, 배 27개, 감 36개가 있습니다. 이것을 될 수 있는 대로 많은 사람들에게 남김없이 똑같이 나누어 주려고 합니다. 몇 명까지 나누어 줄 수 있으며, 사과, 배, 감은 각각 몇 개씩 나누어 주면 됩니까?

Search 탐구

어느 역에서 한 열차는 12분마다, 다른 열차는 20분마다 출발한다고 합니다. 두 열차가 오전 7시에 동시에 출발했다면, 다음 번 동시에 출발하는 시각을 구하시오.

풀이

두 열차가 다음 번에 동시에 출발하는 시각은 오전 7시부터 ☐와 ☐의 최소공배수의 시간만큼 지난 후가 됩니다.

$4\,\underline{)\,12\quad 20}$
$\quad\;\; 3\quad\; 5$

☐와 ☐의 최소공배수를 구하면

☐×☐×☐=☐(분)

따라서 오전 7시부터 ☐분 후인 오전 ☐시에 동시에 출발합니다.

답 오전 ☐시

EXERCISE 3

1 가로가 3 cm, 세로가 9 cm인 직사각형 모양의 카드를 늘어놓아 될 수 있는 대로 가장 작은 정사각형을 만들려고 합니다. 이 정사각형의 한 변의 길이를 몇 cm로 하면 됩니까?

2 길이가 500 mm인 테이프 위에 처음부터 시작하여 빨간색 점은 21 mm 간격으로 검은색 점은 28 mm 간격으로 찍어 나갔습니다. 두 색깔의 점이 같이 찍힌 곳은 몇 군데입니까? (단, 처음 시작할 때는 점을 찍지 않았습니다.)

3 가로가 8 cm, 세로가 6 cm, 높이가 10 cm인 직육면체를 쌓아 가장 작은 정육면체를 만들려고 합니다. 모두 몇 개의 직육면체가 필요합니까?

왕 문제

전국 경시 예상 등위			
대상권	금상권	은상권	동상권
19/20	18/20	17/20	16/20

1 5부터 연속되는 5의 배수 25개의 합은 4부터 연속되는 4의 배수 25개의 합보다 얼마나 큽니까?

2 다음은 2의 배수는 98부터, 6의 배수는 6부터 시작하여 차례대로 나열한 것입니다. 물음에 답하시오.

2의 배수 :	98	100	102	104	…
6의 배수 :	6	12	18	24	…

(1) 18번째에 있는 두 수의 차는 얼마입니까?

(2) 두 수가 같아지는 것은 몇 번째입니까?

3 물음에 답하시오.

(1) 2개의 자연수의 곱이 210이 되는 경우는 (1, 210)을 제외하면 모두 몇 가지입니까?

(2) A, B, C 세 자연수는 어느 것도 1이 아니고, 이 세 수의 곱은 210입니다. 또, A와 B의 곱은 C보다 1 큽니다. A가 가장 작은 수일 때, B는 얼마입니까?

4 [ㄱ]은 ㄱ의 약수의 개수를 나타냅니다. 다음의 값을 구하시오.

([18]+[22])÷[7]

5 1부터 100까지의 짝수 중에서 4로 나누어도 나누어떨어지지 않고, 6으로 나누어도 나누어떨어지지 않는 수는 몇 개 있습니까?

6 세 자리 수 중 2에서 6까지의 어느 자연수로 나누어도 나누어떨어지는 수는 몇 개 있습니까?

7 세 자리 수가 있습니다. 이 수에서 90을 빼면 65로도 나누어떨어지고, 91로도 나누어떨어집니다. 세 자리 수를 구하시오.

8 어떤 수를 2로 나누면 1이 남고, 3으로 나누면 2가 남고, 4로 나누면 3이 남고, 5로 나누면 4가 남습니다. 물음에 답하시오.

(1) 어떤 수 중에서 가장 작은 수를 구하시오.

(2) 어떤 수 중에서 450에 가장 가까운 수를 구하시오.

9 두 자연수 a, b의 최대공약수를 $[a,\ b]$, 최소공배수를 $(a,\ b)$라고 약속할 때, $[(5,\ 10),\ \square]=1$을 만족하는 10보다 작은 자연수 중에서 □ 안에 알맞은 수를 모두 구하시오.

10 가로가 45 cm, 세로가 63 cm인 직사각형 모양의 종이가 있습니다. 이 종이를 될 수 있는 대로 큰 정사각형으로 잘라내고 남은 종이에서 또 될 수 있는 대로 큰 정사각형으로 잘라냅니다. 이것을 반복하면, 모두 몇 장의 정사각형이 만들어 집니까?

11 오른쪽 그림의 직육면체에서 꼭짓점 ㄱ에서 만나는 세 개의 직사각형의 넓이가 144 cm^2, 216 cm^2, 96 cm^2일 때, 모서리 ㄱㄴ의 길이는 몇 cm입니까?

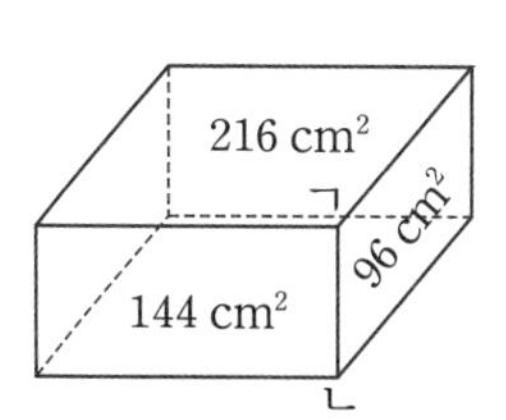

12 100원짜리 동전 43개와 50원짜리 동전 58개가 있습니다. 될 수 있는 대로 많은 사람들에게 동전을 똑같이 나누어 주려고 했더니 100원짜리 동전은 7개가 남고, 50원짜리 동전은 2개가 부족하였습니다. 한 사람에게 얼마씩 주려고 하였습니까?

13 117을 어떤 수로 나누면 9가 남고, 183을 어떤 수로 나누면 3이 남는다고 합니다. 어떤 수 중에서 가장 작은 수를 구하시오.

14 다음 숫자 카드 중에서 2장을 골라 2번씩 사용하여 네 자리 수를 만들 때 만들 수 있는 15의 배수는 모두 몇 개입니까?

0 1 2 3 4 5 6

15 두 자리 수 a, b의 공약수 중에서 가장 큰 수는 10입니다. a를 5배 한 수와 b의 3배에 10을 더한 수가 같을 때, $(a,\ b)$를 모두 구하시오.

16 가로가 7 cm, 세로가 15 cm인 직사각형 모양의 종이를 겹쳐지는 부분이 1 cm가 되도록 붙여 될 수 있는 대로 작은 정사각형을 만들려고 합니다. 몇 장의 종이가 필요하고, 이 정사각형의 한 변의 길이는 몇 cm가 되겠습니까?

17 59, 140, 194를 각각 어떤 수로 나누면 나머지가 모두 5가 됩니다. 어떤 수를 모두 구하시오.

18 공책 52권, 연필 54자루, 지우개 36개를 될 수 있는 대로 많은 사람들에게 똑같이 나누어 주려고 했더니 공책은 4권이 남았고, 연필은 6자루가 부족했으며, 지우개는 알맞았습니다. 몇 명에게 나누어 주려고 하였습니까?

19 오른쪽 그림과 같은 모양의 널빤지에 크기가 같은 정사각형 모양의 타일을 빈틈없이 붙이려고 합니다. 타일 수를 될 수 있는 대로 적게 사용하려고 할 때 타일의 한 변의 길이를 몇 cm로 해야 합니까?

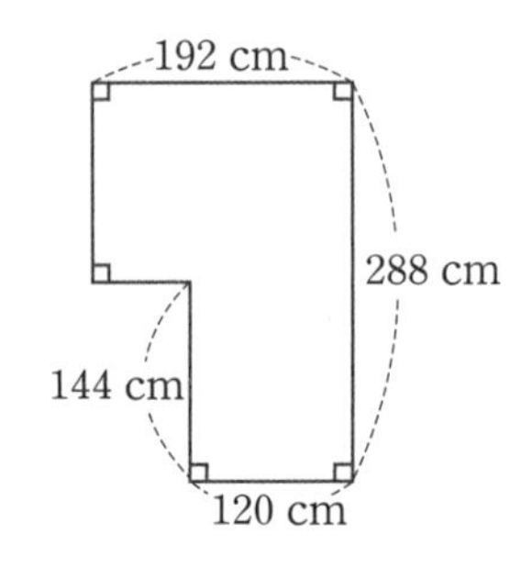

20 네 변이 96 m, 160 m, 192 m, 224 m인 사각형 모양의 토지의 둘레에 같은 간격으로 말뚝을 박아 울타리를 만들려고 합니다. 네 모퉁이에는 반드시 말뚝을 박아야 하고, 말뚝의 개수는 될 수 있는 한 적게 하려고 할 때, 말뚝은 모두 몇 개가 필요합니까? (단, 말뚝과 말뚝 사이는 20 m를 넘으면 안 됩니다.)

1 세 자리 수 중에서 약수의 개수가 3개인 수는 모두 몇 개입니까?

2 ㄱ, ㄴ, ㄷ, ㄹ은 서로 다른 숫자를 나타냅니다. ㄱ, ㄴ, ㄷ, ㄹ에 알맞은 숫자를 구하시오.

ㄱ × ㄴㄷㄹ = ㄱㄴ × ㄷㄹ = 2925

3 백의 자리의 숫자가 4인 세 자리 자연수 a가 있습니다. $a+9$는 7의 배수이고, $a-7$은 9의 배수입니다. 세 자리 자연수 a를 구하시오.

4 자연수를 다음과 같이 차례로 늘어놓고 2의 배수와 3의 배수를 모두 지웠습니다. 남은 수 중에서 500번째에 있는 수를 구하시오.

1, 2, 3, 4, 5, 6, 7, 8, ……

㉮, ㉯, ㉰ 세 개의 전구가 있습니다. 스위치를 넣으면 ㉮ 전구는 3초간 켜진 후 3초간 꺼지고, ㉯ 전구는 4초간 켜진 후 4초간 꺼지며, ㉰ 전구는 5초간 켜진 후 5초간 꺼집니다. 3개의 전구가 이것을 반복할 때, 물음에 답하시오. (**5~6**)

5 스위치를 넣은 후부터 1분 동안에 두 개의 전구 ㉮, ㉯가 동시에 2초 동안 켜지는 경우는 몇 번 있습니까?

6 스위치를 넣은 후부터 6분 동안에 전구 ㉮, ㉯, ㉰가 모두 동시에 2초간 켜지는 경우는 몇 번입니까?

7 지우개 26개, 공책 92권, 연필 158자루가 있습니다. 이것을 될 수 있는 대로 많은 학생들에게 똑같이 나누어 주고, 어느 것이나 같은 수량씩 남게 하려고 합니다. 몇 명의 학생에게 나누어 주면 됩니까?

8 파란색 공이 68개, 흰색 공이 109개, 빨간색 공이 232개가 있습니다. 몇 명의 학생들에게 파란색 공, 흰색 공, 빨간색 공을 똑같이 나누어 주었더니 파란색 공, 흰색 공, 빨간색 공이 차례로 4개, 13개, 8개가 남았습니다. 또, 남은 25개의 공을 1개씩 모두에게 나누어 주어도 몇 개가 남았을때, 학생 수를 구하시오.

9 1부터 100까지의 서로 다른 수가 각각 적힌 카드가 100장 있습니다. 이 카드를 A군, B군, C군의 순서로 다음과 같이 뽑았습니다. 물음에 답하시오.

- A군은 3의 배수 카드를 모두 뽑았습니다.
- B군은 4의 배수 카드를 모두 뽑았습니다.
- C군은 5의 배수 카드를 모두 뽑았습니다.

(1) C군은 몇 장의 카드를 뽑았습니까?
(2) C군이 뽑는 것이 끝났을 때, 카드는 몇 장 남아 있습니까?

10 석기와 규형이는 어느 회사에서 4월 1일부터 시작하여 다음과 같이 일을 하기로 하였습니다. 4월 1일부터 7월 31일까지 며칠이나 함께 일하게 됩니까?

석기 : 3일간 일하고 3일간 쉽니다.
규형 : 4일간 일하고 4일간 쉽니다.

11 다음 조건을 만족하는 가장 큰 자연수 A를 구하시오.

① A와 60의 최대공약수는 12입니다.
② A와 40의 최대공약수는 8입니다.
③ A는 140보다 작습니다.

12 직사각형 모양의 종이가 있습니다. 이 종이에서 될 수 있는 대로 큰 정사각형을 잘라내고, 남은 종이에서 또 될 수 있는 대로 큰 정사각형을 잘라냅니다. 이것을 반복할 때, 마지막에 잘라내는 정사각형의 한 변의 길이를 구하시오. (단, 종이의 크기는 다음과 같습니다.)

(1) 세로 24 cm, 가로 51 cm인 직사각형 모양인 경우

(2) 세로 429 cm, 가로 924 cm인 직사각형 모양인 경우

13 가, 나 두 자연수의 최대공약수는 8이고 최소공배수는 1408입니다. 또, 두 자연수의 차는 40입니다. 두 자연수 가, 나를 구하시오. (단, 가 < 나입니다.)

14 A와 B의 2개의 단체를 각 조의 인원 수가 같도록 조를 나누려고 합니다. A 단체는 60명이고, B 단체는 70명과 100명 사이입니다. 6명씩 조를 나누었더니 남은 사람이 없었습니다. 물음에 답하시오.

(1) 생각할 수 있는 B 단체의 인원 수는 몇 명인지 모두 구하시오.

(2) 7명 이상의 조로 나누었더니 A 단체는 남는 사람이 없었으나 B 단체는 몇 명이 남았습니다. B 단체의 인원 수는 몇 명입니까?

15 형과 동생이 같은 계단을 올라가는데, 한 걸음에 형은 3계단씩, 동생은 2계단씩 오르고, 한 걸음에 1초씩 걸립니다. 동생이 오르기 시작한 뒤 10초 후에 형이 오르기 시작하여 형과 동생이 동시에 꼭대기에 도착했습니다. 물음에 답하시오.

(1) 계단은 모두 몇 계단입니까?
(2) 형도 동생도 밟지 않은 계단은 몇 계단입니까?

16 자연수 ㉠이 있습니다. (㉠+2)는 4의 배수이고, (㉠−2)는 7의 배수일 때 ㉠ 중에서 500에 가장 가까운 수는 얼마입니까?

17 한별이네 학교의 학생 전원이 운동장에 나열된 긴 의자에 앉았습니다. 학생들이 긴 의자 1개에 4명씩 앉았더니 의자가 부족하였습니다. 그래서 의자 수를 10개 늘렸더니 모두 앉았고 남은 긴 의자는 없었습니다. 3명씩 앉기 위해 긴 의자 수를 66개 더 늘렸더니 남은 좌석이 없이 꼭맞았습니다. 전체 학생 수가 5의 배수일 때 운동장에 처음 놓인 긴 의자 수와 학생 수를 각각 구하시오.

18 오른쪽 그림과 같이 갑은 ㄱ에서, 을은 ㄴ에서, 병은 ㄷ에서 동시에 출발하여 매분 각각 105 m, 126 m, 210 m의 빠르기로 화살표 방향으로 돕니다. 세 사람이 출발하고 나서 다시 처음으로 출발 지점에 있게 되는 때는 출발한 지 몇 분 후입니까?

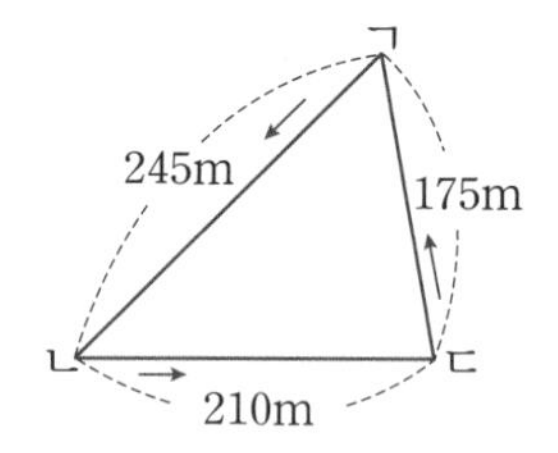

19 오른쪽 그림과 같이 세로가 134 cm, 가로가 90 cm인 직사각형 모양의 널빤지에 같은 크기의 정사각형 모양의 타일 96장을 널빤지 끝과 타일, 타일과 타일 사이의 간격을 모두 같게 하여 붙였습니다. 이때, 타일의 한 변의 길이는 몇 cm입니까?

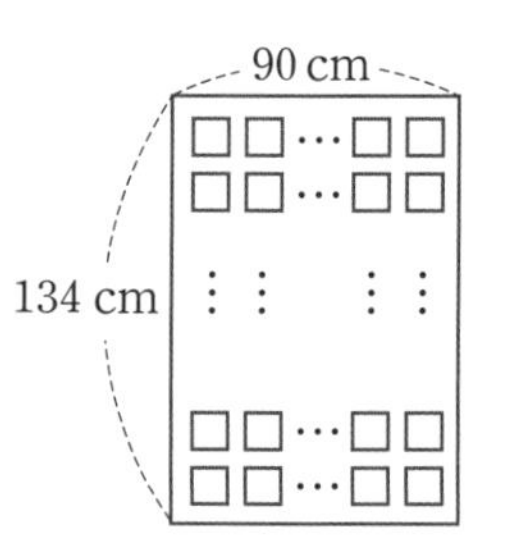

20 세 수의 합이 100과 200 사이인 세 자연수 A, B, C가 있습니다. A와 B의 합은 C의 5배와 같고, A와 B의 합은 4로 나누어떨어지며, C는 3으로 나누어떨어집니다. A와 B의 최대공약수가 12일 때, 세 수 A, B, C를 구하시오. (단, A>B>C)

1 크기가 같은 분수

분수의 분모와 분자에 0이 아닌 같은 수를 곱하거나 나누어도 크기는 변하지 않습니다.

$$\frac{1}{4}=\frac{1\times2}{4\times2}=\frac{1\times3}{4\times3}=\frac{1\times4}{4\times4}=\frac{1\times5}{4\times5}=\cdots$$

$$\frac{36}{48}=\frac{36\div2}{48\div2}=\frac{36\div3}{48\div3}=\frac{36\div4}{48\div4}=\frac{36\div6}{48\div6}=\frac{36\div12}{48\div12}$$

2 분수의 약분

(1) 분수의 분모와 분자를 그들의 공약수로 나누는 것을 약분한다고 합니다.

$$\frac{12}{18}=\frac{12\div3}{18\div3}=\frac{4}{6} \qquad \frac{24}{40}=\frac{24\div8}{40\div8}=\frac{3}{5}$$

(2) 분모와 분자의 공약수가 1뿐인 분수를 기약분수라고 합니다. 분수의 분모와 분자를 그들의 최대공약수로 나누면 기약분수가 됩니다.

$$\frac{20}{32}=\frac{20\div4}{32\div4}=\frac{5}{8} \qquad \frac{18}{48}=\frac{18\div6}{48\div6}=\frac{3}{8}$$

3 분수의 통분

분모가 다른 분수들의 분모를 같게 하는 것을 통분한다고 하며, 통분한 분모를 공통분모라고 합니다.

$$\left(\frac{1}{4}, \frac{2}{3}\right) \Rightarrow \left(\frac{1\times3}{4\times3}=\frac{3}{12}, \frac{2\times4}{3\times4}=\frac{8}{12}\right) \Rightarrow \left(\frac{3}{12}, \frac{8}{12}\right)$$

4 분수의 크기 비교하기

분모가 다른 두 분수의 크기를 비교할 때는 두 분수를 통분한 후 비교합니다.

$$\left(\frac{5}{7}, \frac{3}{4}\right) \Rightarrow \left(\frac{20}{28}, \frac{21}{28}\right) \Rightarrow \frac{5}{7}<\frac{3}{4}$$

Search 탐구

$\frac{1}{6}$, $\frac{2}{6}$, $\frac{3}{6}$, …, $\frac{49}{6}$, $\frac{50}{6}$의 50개의 분수 중 약분할 수 없는 분수는 모두 몇 개입니까?

풀이

분모 6은 2×3이므로 분자가 ☐ 또는 ☐의 배수이면 약분이 됩니다.

분자 중 ☐ 또는 ☐의 배수의 개수는 25+16−8=☐(개)이므로

약분할 수 없는 분수는 50−☐=☐(개)입니다. 답 ☐개

EXERCISE 1

1 다음 분수 중 약분이 되는 분수는 모두 몇 개입니까?

$\frac{1}{80}$, $\frac{2}{80}$, $\frac{3}{80}$, …, $\frac{78}{80}$, $\frac{79}{80}$

2 분수는 어떤 규칙에 의해 나열된 것입니다. 약분하여 $\frac{2}{5}$가 되는 분수는 몇 번째입니까?

$\frac{6}{30}$, $\frac{7}{31}$, $\frac{8}{32}$, $\frac{9}{33}$, $\frac{10}{34}$, …

3 분모와 분자의 합이 330이고, 약분하면 $\frac{5}{17}$가 되는 분수를 구하시오.

Search 탐구

$\frac{1}{2}$과 $\frac{4}{5}$ 사이의 분수 중 분자가 8인 기약분수를 모두 구하시오.

풀이

$\frac{1}{2}<\frac{8}{■}<\frac{4}{5}$ ➡ $\frac{8}{\square}<\frac{8}{■}<\frac{8}{\square}$

식을 만족시키는 ■ 안의 수는 $\square$, $\square$, $\square$, $\square$, $\square$이고, 이 중 기약분수가 되는 경우는 $\frac{8}{\square}$, $\frac{8}{\square}$, $\frac{8}{\square}$입니다.

답 $\frac{8}{\square}$, $\frac{8}{\square}$, $\frac{8}{\square}$

EXERCISE 2

1 $\frac{2}{7}$보다 크고 $\frac{6}{7}$보다 작은 분수 중에서 분모가 9인 기약분수를 모두 구하시오.

2 $\square$ 안에 들어갈 수 있는 자연수는 모두 몇 개입니까?

$$\frac{3}{13}<\frac{11}{\square}<1$$

3 $\frac{7}{9}$과 $\frac{5}{6}$ 사이에 있는 분수 중 분자가 15인 분수를 구하시오.

Search 탐구

분수 중 가장 큰 수와 가장 작은 수를 각각 찾아보시오.

$3\frac{5}{8}$, $4\frac{3}{7}$, $4\frac{3}{10}$, $3\frac{3}{4}$, $3\frac{5}{6}$, $4\frac{3}{5}$

풀이

대분수의 크기 비교는 자연수 부분의 크기를 먼저 비교하고, 자연수 부분이 같으면 분모를 통분하여 분자를 비교합니다.

가장 큰 분수는 $4\frac{3}{7}$, $4\frac{3}{10}$, $4\frac{3}{5}$ 중 $4\frac{3}{\square}$ 입니다.

가장 작은 분수는 $3\frac{5}{8}$, $3\frac{3}{4}$, $3\frac{5}{6}$ 중 $3\frac{5}{\square}$ 입니다.

답 가장 큰 분수 : $\square$, 가장 작은 분수 : $\square$

EXERCISE 3

1 분수를 가장 큰 순서대로 나열하시오.

$2\frac{4}{5}$, $1\frac{3}{5}$, $2\frac{3}{4}$, $3\frac{2}{3}$, $\frac{13}{3}$

2 학교에서 서점까지는 $90\frac{5}{8}$ m, 문방구점까지는 $90\frac{1}{2}$ m, 약국까지는 $90\frac{3}{4}$ m 입니다. 학교에서 가장 먼 곳부터 차례대로 쓰시오.

3 가에서 라까지 가려고 합니다. 나를 거쳐 가는 것과 다를 거쳐 가는 것 중 어디를 거쳐 가는 것이 더 가깝습니까?

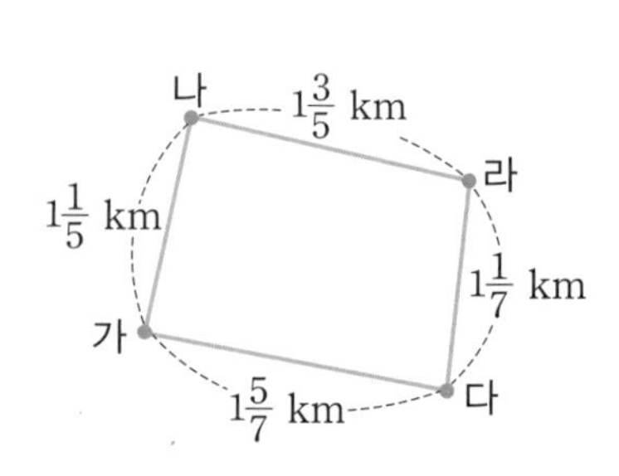

왕문제

APPLICATION

전국 경시 예상 등위			
대상권	금상권	은상권	동상권
19/20	18/20	17/20	16/20

1 나열된 수 중에서 $\frac{158}{316}$과 크기가 같은 분수는 모두 몇 개입니까?

$$\frac{1}{1},\ \frac{1}{2},\ 1,\ \frac{1}{3},\ \frac{2}{3},\ 1,\ \frac{1}{4},\ \frac{2}{4},\ \frac{3}{4},\ 1,\ \frac{1}{5},\ \cdots,\ \frac{199}{200},\ 1$$

2 분수를 기약분수로 나타낼 때, 분모와 분자를 어떤 수로 나누어야 합니까?

$$\frac{9\times12+2\times2\times7}{(11+3\times4)\times5+89}$$

3 $\frac{11}{147}$의 분자에 자연수 가를 더하면 $\frac{10}{21}$이 되고, 분모에서 자연수 나를 빼면 $\frac{1}{12}$이 됩니다. 가와 나의 합을 구하시오.

4 어떤 분수의 분자에 1을 더하면 $\frac{2}{3}$가 되고, 분자에서 1을 빼면 $\frac{1}{2}$이 되는 분수를 구하시오.

5 $\frac{99}{㉮-㉯}=㉮+㉯$일 때, ㉮, ㉯는 서로 다른 두 자리 자연수입니다. ㉮와 ㉯의 값을 모두 구하시오.

6 $\frac{15}{11}$부터 시작하여 분모에는 4씩, 분자에는 3씩을 더하여 분수를 나열할 때, 처음부터 100번째까지의 분수 중 약분이 되는 분수는 모두 몇 개입니까?

7 3보다 크고 7보다 작은 분수 중 분모가 10인 기약분수의 합을 구하시오.

8 다음과 같이 분수가 나열되어 있습니다. 물음에 답하시오.

$$\frac{1}{56},\ \frac{2}{56},\ \frac{3}{56},\ \frac{4}{56},\ \cdots,\ \frac{54}{56},\ \frac{55}{56}$$

(1) 약분되지 않는 분수는 모두 몇 개입니까?

(2) 약분하면 분자가 1이 되는 분수는 $\frac{1}{56}$을 포함하여 모두 몇 개입니까?

9 다음과 같이 나열된 분수 중 약분할 수 없는 분수는 모두 몇 개입니까?

$$\frac{5}{72},\ \frac{6}{72},\ \frac{7}{72},\ \cdots,\ \frac{53}{72},\ \frac{54}{72}$$

10 $\frac{1}{7}$과 $\frac{1}{5}$ 사이에 5개의 기약분수를 넣어 통분하였더니 7개의 분수의 분자가 연속된 자연수가 되었습니다. 5개의 기약분수를 구하시오.

11 물음에 답하시오.

(1) $\frac{5700}{7980}$을 기약분수로 나타내시오.

(2) 분자와 분모의 합이 56이고 약분하면 $\frac{3}{5}$이 되는 분수를 구하시오.

(3) 분자와 분모의 차가 52이고 약분하면 $\frac{3}{7}$이 되는 분수를 구하시오.

12 $\dfrac{나}{가 \times 가 \times 가} = \dfrac{1}{256}$ 입니다. 가와 나에 알맞은 가장 작은 자연수를 구하시오.

13 분수 $\dfrac{가}{나}$ 는 분모에서 16, 분자에서 52를 빼도 그 크기는 변하지 않습니다. 가와 나의 최소공배수가 572일 때, 자연수 가, 나를 구하시오.

14 다음 중 세 번째로 큰 분수를 찾아 쓰시오.

$\dfrac{11}{483}$, $\dfrac{1}{42}$, $\dfrac{6}{251}$, $\dfrac{8}{339}$, $\dfrac{2}{99}$

15 다음 관계가 성립하도록 □ 안에 알맞은 자연수를 구하시오.

(1) $\frac{1}{6}<\frac{\square}{40}<\frac{1}{5}$

(2) $\frac{4}{13}<\frac{\square}{20}<\frac{5}{13}$

(3) $\frac{11}{31}<\frac{11}{\square}<\frac{3}{8}$

(4) $\frac{10}{21}<\frac{\square}{140}<\frac{12}{25}$

16 $\frac{5}{6}$보다 크고 $\frac{6}{7}$보다 작은 분수 중 분모가 가장 작은 분수를 구하시오.

17 영수는 ㉮ 상점에서 가지고 있던 돈의 $\frac{1}{12}$을 썼고, ㉯ 상점에서는 ㉮ 상점에서 쓰고 남은 돈의 $\frac{3}{13}$을 썼습니다. ㉰ 상점에서 ㉮, ㉯ 상점에서 쓰고 남은 돈의 $\frac{4}{5}$를 썼다면, 영수가 돈을 가장 많이 쓴 상점은 어느 상점입니까?

18 어떤 분수의 분자에 3을 더하면 $\frac{5}{6}$가 되고, 분자에서 7을 빼면 $\frac{5}{12}$가 됩니다. 어떤 분수를 구하시오.

19 다음 분수를 소수로 나타낼 때, 소수 몇 자리 수가 됩니까?

$$\frac{945}{\underbrace{2\times2\times\cdots\times2}_{63개}\times3\times3\times\underbrace{5\times5\times\cdots\times5}_{27개}}$$

20 □ 안에 공통으로 들어갈 수 있는 분수 중 분모가 9인 분수를 구하시오.

$$\frac{1}{15}<\square<\frac{3}{17} \qquad \frac{1}{10}<\square<\frac{1}{2}$$

왕중왕 문제

APPLICATION

전국 경시 예상 등위			
대상권	금상권	은상권	동상권
18/20	16/20	14/20	12/20

1 $\frac{8}{9}$보다 크고 $\frac{12}{13}$보다 작은 분수 중 분자가 35인 분수의 분모를 모두 구하시오.

2 수직선에서 선분 ㄱㄷ의 길이는 선분 ㄱㄴ의 길이의 2배이고, 점 ㄱ에는 $\frac{2}{\triangle}$, 점 ㄴ에는 $1\frac{1}{\triangle}$이 대응되고 있습니다. 점 ㄷ에 대응되는 수를 구하시오.

ㄱ ㄴ ㄷ

$\frac{2}{\triangle}$ $1\frac{1}{\triangle}$

3 [2], [3], [4], [5] 4장의 숫자 카드로 $\frac{\square\square}{\square\square}$인 분수를 만들 때, 만들어진 분수 중 기약분수는 모두 몇 개입니까?

4 $\frac{A}{33333333}$를 약분하면 단위분수가 됩니다. A가 두 자리 수일 때, A가 될 수 있는 수를 모두 구하시오.

5 수직선에서 $\frac{1}{2}$과 $\frac{7}{12}$ 사이를 6등분 하였을 때 ★에 알맞은 분수를 기약분수로 나타내시오.

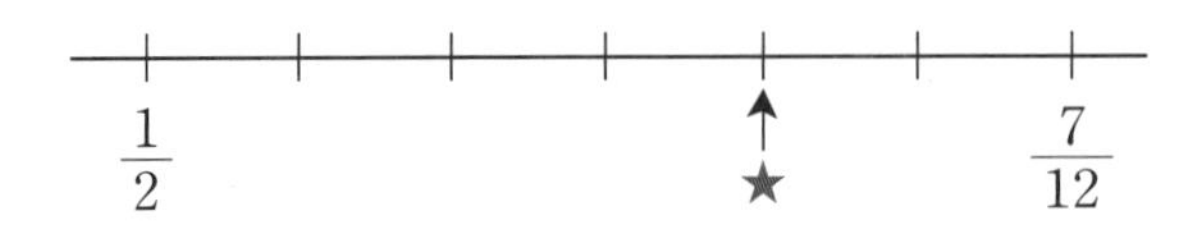

6 다음과 같이 분수를 나열할 때 기약분수는 모두 몇 개입니까?

$$\frac{9}{140},\ \frac{10}{140},\ \frac{11}{140},\ \frac{12}{140},\ \frac{13}{140},\ \cdots\cdots,\ \frac{119}{140},\ \frac{120}{140}$$

7 $\frac{11\times8}{ㄱ625ㄴ4}$을 기약분수로 나타내면 단위분수가 된다고 합니다. 서로 다른 자연수 ㄱ, ㄴ(ㄱ$<$ㄴ)에 대하여 ㄱ$+$ㄴ의 값을 구하시오.

8 분수 $\frac{B}{A}$가 있습니다. 분자에 11을 더하면 $\frac{1}{4}$과 같은 분수가 됩니다. 또, 분자에서 1을 빼고 분모에서 108을 빼면 $\frac{2}{3}$와 같은 분수가 됩니다. 이러한 분수 $\frac{B}{A}$를 구하시오.

9 $\frac{3}{5}$과 16.7 사이에 있는 분수 중 분모가 12인 분수에 대하여 물음에 답하시오.

(1) 약분하여 자연수가 되지 않는 분수는 모두 몇 개입니까?

(2) 기약분수는 모두 몇 개입니까?

10 $\frac{2}{30}$, $\frac{5}{32}$, $\frac{8}{34}$, $\frac{11}{36}$, …과 같이 규칙적으로 분수를 나열하였습니다. 처음으로 1보다 크게 되는 분수는 몇 번째 분수입니까?

11 다음 식을 만족시키는 자연수 ■와 ●에 대하여 순서쌍 (■, ●)를 모두 구하시오.

$$\frac{4+6\times ■}{12}\times ●=10$$

12 다음 조건을 모두 만족하는 분수의 합을 구하시오.

- $\frac{1}{3}$보다 크고 $1\frac{7}{10}$보다 작습니다.
- $\frac{2}{5}$보다 크고 2.5보다 작습니다.
- 분모가 15인 분수입니다.

13 A는 자연수입니다. 다음 식에서 A의 값을 구하시오.

$$\frac{A+A+5}{A\times A}=\frac{6}{10}$$

14 □ 안에 알맞은 수를 구하시오.

$$\frac{7}{ABABAB}=\frac{1}{AB}\times\frac{2}{13}\times\frac{1}{\square}$$

15 수직선에서 선분 OD의 중점은 점 A입니다. 선분 AB, 선분 BC, 선분 CD의 길이가 서로 같을 때, 점 B, C에 해당하는 단위분수를 각각 구하시오.

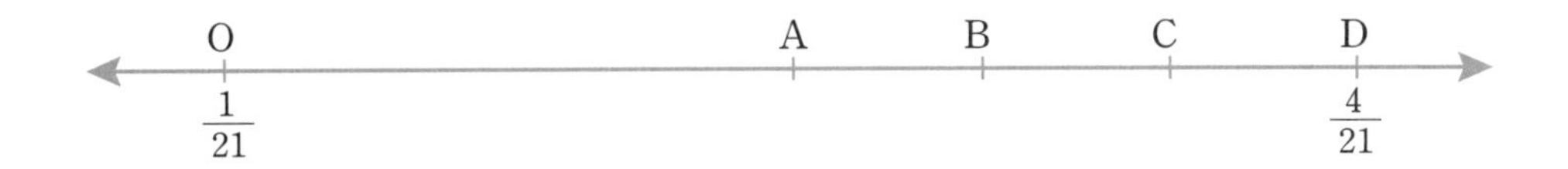

16 다음 분수는 어떤 규칙에 따라 늘어놓은 것입니다. 약분하여 $\frac{13}{22}$이 되는 분수는 몇 번째 분수입니까?

$$\frac{7}{34},\ \frac{8}{35},\ \frac{9}{36},\ \frac{10}{37},\ \frac{11}{38},\ \cdots$$

17 A와 B의 최대공약수를 [A, B], A와 B의 최소공배수를 (A, B)라고 약속할 때 □ 안에 알맞은 수를 모두 구하시오.

$$\frac{([16,\ 24],\ [15,\ 18])}{([50,\ 35],\ \square)}=\frac{3}{5}$$

18 분자와 분모의 곱이 27720인 진분수가 있습니다. 이 진분수의 분모와 분자를 각각 3으로 나누어 기약분수로 고쳤더니 분모와 분자의 합이 123이 되었습니다. 처음 진분수를 구하시오.

19 ㄱ, ㄴ에 알맞은 수를 구하시오.

> 분수를 소수로 나타내어 소수 셋째 자리에서 반올림하였을 때, 0.03이 되는 분수는 많이 있습니다. 그중에서 분자가 1인 분수 중 가장 작은 분수는 $\frac{1}{\boxed{ㄱ}}$이고, 가장 큰 분수는 $\frac{1}{\boxed{ㄴ}}$입니다.

20 $\frac{11}{80}$을 단위분수 4개의 합으로 나타내시오.

핵심내용

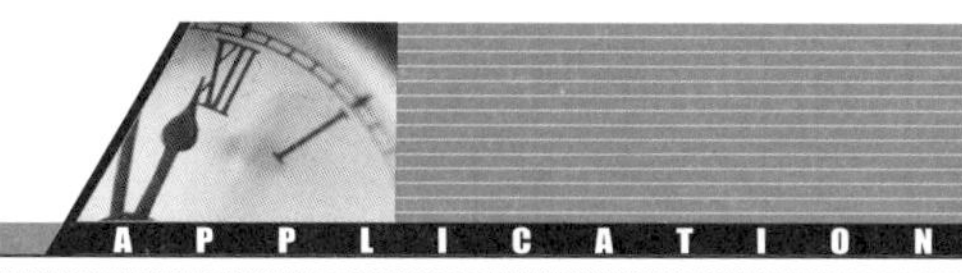

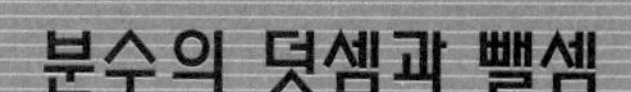

4 분수의 덧셈과 뺄셈

1 분모가 다른 진분수의 덧셈과 뺄셈

분모를 통분하여 분모를 같게 한 다음 분자끼리 더하거나 뺍니다.

$$\frac{5}{6}+\frac{3}{4}=\frac{10}{12}+\frac{9}{12}=\frac{19}{12}=1\frac{7}{12}$$

$$\frac{1}{6}-\frac{1}{9}=\frac{3}{18}-\frac{2}{18}=\frac{1}{18}$$

2 분모가 다른 대분수의 덧셈과 뺄셈

분모를 통분한 후 자연수는 자연수끼리, 분수는 분수끼리 계산합니다.
대분수의 덧셈에서 분자가 분모보다 크면 자연수로 받아올림하고, 대분수의 뺄셈에서 분수끼리 뺄 수 없을 경우에는 자연수에서 1을 분수로 받아내림하여 계산합니다.

$$3\frac{2}{5}+4\frac{1}{2}=3\frac{4}{10}+4\frac{5}{10}=(3+4)+\left(\frac{4}{10}+\frac{5}{10}\right)=7+\frac{9}{10}=7\frac{9}{10}$$

$$4\frac{2}{3}-1\frac{1}{4}=4\frac{8}{12}-1\frac{3}{12}=(4-1)+\left(\frac{8}{12}-\frac{3}{12}\right)=3+\frac{5}{12}=3\frac{5}{12}$$

$$2\frac{6}{7}-1\frac{7}{8}=2\frac{48}{56}-1\frac{49}{56}=1\frac{104}{56}-1\frac{49}{56}=(1-1)+\left(\frac{104}{56}-\frac{49}{56}\right)=\frac{55}{56}$$

3 분모가 다른 세 분수의 덧셈과 뺄셈

분모가 다른 세 분수의 계산은 앞에서부터 차례로 두 분수씩 통분하여 계산합니다.

$$\frac{1}{3}+\frac{1}{4}+\frac{2}{5}=\left(\frac{1}{3}+\frac{1}{4}\right)+\frac{2}{5}=\left(\frac{4}{12}+\frac{3}{12}\right)+\frac{2}{5}$$

$$=\frac{7}{12}+\frac{2}{5}=\frac{35}{60}+\frac{24}{60}=\frac{59}{60}$$

$$\frac{3}{4}-\frac{1}{8}+\frac{5}{6}=\left(\frac{3}{4}-\frac{1}{8}\right)+\frac{5}{6}=\left(\frac{6}{8}-\frac{1}{8}\right)+\frac{5}{6}=\frac{5}{8}+\frac{5}{6}$$

$$=\frac{15}{24}+\frac{20}{24}=\frac{35}{24}=1\frac{11}{24}$$

Search 탐구

한초의 몸무게는 $38\frac{1}{4}$ kg입니다. 석기의 몸무게는 한초의 몸무게보다 $1\frac{3}{5}$ kg 더 무겁고, 영수의 몸무게는 석기의 몸무게보다 $2\frac{5}{6}$ kg 더 무겁습니다. 물음에 답하시오.

(1) 석기의 몸무게는 몇 kg입니까?
(2) 영수의 몸무게는 몇 kg입니까?

풀이

(1) $38\frac{1}{4}+1\frac{3}{5}=38\frac{\square}{20}+1\frac{\square}{20}=\square$ (kg)

(2) $39\frac{17}{20}+2\frac{5}{6}=39\frac{\square}{60}+2\frac{\square}{60}=41\frac{\square}{60}=\square$ (kg)

답 (1) $\square$ kg (2) $\square$ kg

EXERCISE 1

1 분수 중 가장 큰 분수와 가장 작은 분수의 합을 구하시오.

$\frac{2}{3}$ $1\frac{3}{5}$ $\frac{5}{6}$ $1\frac{3}{4}$ $\frac{5}{7}$ $1\frac{1}{6}$

2 물탱크에 들어 있는 물 중 $28\frac{1}{4}$ L를 사용하였더니 $13\frac{3}{5}$ L가 남았습니다. 처음에 물탱크에 들어 있던 물의 양은 몇 L입니까?

3 예슬이는 놀이공원에 가는 데 $20\frac{3}{4}$ km는 지하철로 가고, $\frac{4}{5}$ km는 걸어서 갔습니다. 예슬이가 간 거리는 모두 몇 km입니까?

Search 탐구

오른쪽 수직선을 보고 물음에 답하시오.

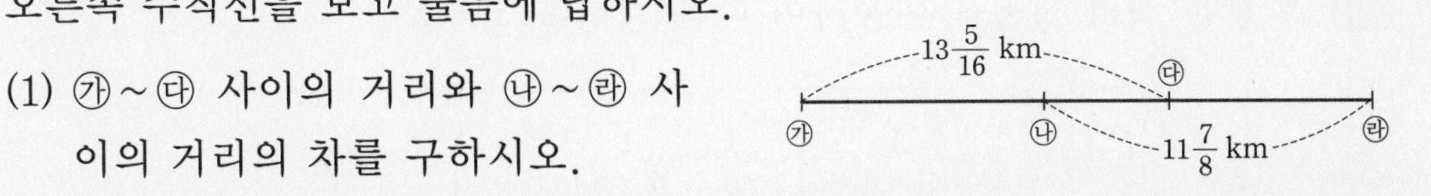

(1) ㉮~㉰ 사이의 거리와 ㉯~㉱ 사이의 거리의 차를 구하시오.

(2) ㉯~㉰ 사이의 거리가 $4\frac{3}{4}$ km라면 ㉮~㉱ 사이의 거리는 몇 km입니까?

풀이

(1) $13\frac{5}{16}-11\frac{7}{8}=13\frac{\square}{16}-11\frac{\square}{16}=12\frac{\square}{16}-11\frac{\square}{16}=\square$(km)

(2) (㉮~㉰)+(㉯~㉱)를 하면 (㉯~㉰)를 한 번 더 더하게 되므로

(㉮~㉱)$=13\frac{5}{16}+11\frac{7}{8}-4\frac{3}{4}=13\frac{\square}{16}+11\frac{\square}{16}-4\frac{\square}{16}=\square$(km)입니다.

답 (1) $\square$ km (2) $\square$ km

EXERCISE 2

1 한별이네 집에서는 하루에 $2\frac{1}{5}$ L씩 우유를 마십니다. 동생이 $\frac{1}{4}$ L를 마시고, 형이 $1\frac{5}{8}$ L를 마시고, 아버지께서 나머지를 모두 마십니다. 아버지께서 마시는 우유는 몇 L입니까?

2 효근이네 반에서 가, 나 두 신문을 보는 가구를 조사하였습니다. 가 신문을 보는 가구는 전체의 $\frac{11}{12}$, 나 신문을 보는 가구는 전체의 $\frac{8}{9}$이고, 가, 나 두 신문을 모두 보는 가구는 전체의 $\frac{5}{6}$였습니다. 가, 나 어느 신문도 보지 않는 가구는 전체의 얼마입니까?

Search 탐구

보기 와 같은 식의 성질을 이용하여 다음 계산을 하시오.

보기

$\frac{1}{3}-\frac{1}{4}=\frac{1}{3\times4}$, $\frac{1}{4}-\frac{1}{5}=\frac{1}{4\times5}$, $\frac{1}{5}-\frac{1}{6}=\frac{1}{5\times6}$

$$\frac{1}{6\times7}+\frac{1}{7\times8}+\frac{1}{8\times9}+\frac{1}{9\times10}+\frac{1}{10\times11}$$

풀이

$\frac{1}{6\times7}=\frac{1}{6}-\frac{1}{7}$, $\frac{1}{7\times8}=\frac{1}{7}-\frac{1}{8}$, $\frac{1}{8\times9}=\frac{1}{8}-\frac{1}{9}$, $\frac{1}{9\times10}=\frac{1}{9}-\frac{1}{10}$, $\frac{1}{10\times11}=\frac{1}{10}-\frac{1}{11}$

이므로

(주어진 식)$=\frac{1}{\square}-\frac{1}{\square}+\frac{1}{\square}-\frac{1}{\square}+\frac{1}{\square}-\frac{1}{\square}+\frac{1}{\square}-\frac{1}{\square}+\frac{1}{\square}-\frac{1}{\square}$

$=\frac{1}{\square}-\frac{1}{\square}=\frac{\square-\square}{\square}=\frac{\square}{\square}$

답 $\square$

EXERCISE 3

다음을 계산하시오. (**1**~**3**)

1 $\frac{1}{4}+\frac{1}{16}+\frac{1}{64}+\frac{1}{256}+\frac{1}{1024}+\frac{1}{4096}$

2 $3\frac{1}{2}+1\frac{2}{5}+4\frac{5}{8}+5\frac{5}{6}+4\frac{3}{5}+3\frac{2}{3}+\frac{3}{8}$

3 $\frac{1}{6}+\frac{1}{12}+\frac{1}{20}+\frac{1}{30}+\frac{1}{42}+\frac{1}{56}+\frac{1}{72}+\frac{1}{90}+\frac{1}{110}$

왕문제

전국 경시 예상 등위			
대상권	금상권	은상권	동상권
19/20	18/20	17/20	16/20

1 물통에 물을 가득 채우면 그 무게가 15 kg이라고 합니다. 물통에 가득 채워진 물의 절반을 사용한 후 무게를 달아 보니 $8\frac{5}{8}$ kg이었습니다. 물통만의 무게는 얼마인지 구하여 기약분수로 나타내시오.

2 어떤 일을 하는 데 한별이는 1시간 40분이 걸리고, 한솔이는 50분이 걸린다고 합니다. 이 일을 두 사람이 함께 한다면 몇 분 만에 끝낼 수 있겠습니까?

3 3과 9 사이에 있는 분수 중 분모가 6인 기약분수의 합을 구하시오.

4 오른쪽 그림과 같이 상자를 끈으로 묶었을 때, 사용된 끈의 길이는 모두 몇 cm입니까? (단, 매듭을 묶는 데 사용한 끈의 길이는 생각하지 않습니다.)

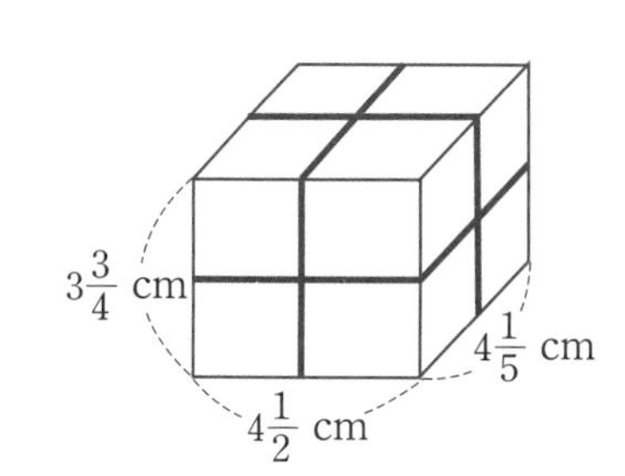

5 학교로부터 한별이네 집은 서쪽으로 $2\frac{3}{4}$ km, 경찰서는 동쪽으로 $1\frac{1}{2}$ km, 소방서는 동쪽으로 $4\frac{4}{5}$ km 떨어져 있습니다. 이러한 길을 한별이가 집을 출발하여 소방서까지 가서 다시 경찰서로 돌아올 때까지 걸은 거리는 몇 km입니까?

6 다음 분수에 대하여 물음에 답하시오.

$\frac{1}{91}$, $\frac{2}{91}$, $\frac{3}{91}$, $\cdots$, $\frac{88}{91}$, $\frac{89}{91}$, $\frac{90}{91}$

(1) 약분할 수 있는 분수는 몇 개입니까?

(2) 약분해서 분모가 한 자리 수가 되는 분수의 합을 구하시오.

7 다음을 계산하시오.

(1) $\frac{1}{2}-\frac{1}{3}+\frac{1}{3\times4}+\frac{1}{20}+\frac{1}{30}+\frac{1}{42}$

(2) $\frac{1}{3\times5}+\frac{1}{5\times7}+\frac{1}{7\times9}+\frac{1}{9\times11}$

8 그림에서 ㉮의 길이를 구하시오.

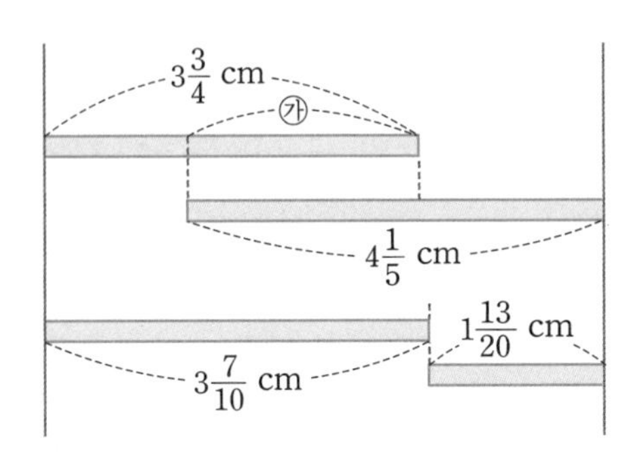

9 3개의 수 중 두 수는 $2\frac{1}{3}$과 $\frac{4}{5}$입니다. 3개의 수의 평균이 2일 때, 나머지 한 수는 얼마입니까?

10 계산 결과가 가장 크게 되도록 주어진 세 분수를 □ 안에 한 번씩 써넣으면 계산 결과는 얼마인지 대분수로 나타내시오.

$\frac{7}{6}$ $\frac{8}{7}$ $\frac{9}{8}$

□+□−□

11 다음과 같이 나열된 분수 중 약분하여 자연수가 되는 분수를 제외한 분수들의 합을 구하시오.

$\frac{1}{5}$, $\frac{2}{5}$, $\frac{3}{5}$, $\frac{4}{5}$, …, $\frac{26}{5}$, $\frac{27}{5}$

12 어느 학교 전체 학생에 대하여 충치와 근시를 조사하였습니다. 충치가 있는 학생은 전체의 $\frac{9}{16}$이고, 근시가 있는 학생은 전체의 $\frac{7}{20}$이었습니다. 또, 충치도 없고 근시도 없는 학생은 전체의 $\frac{3}{10}$이었습니다. 이때, 충치도 있고 근시도 있는 학생은 전체의 얼마입니까?

13 □ 안에 공통으로 들어갈 수 있는 수를 구하시오.

$$\frac{\square}{4}+\frac{1}{5}+\frac{\square}{6}+\frac{2}{3}+\frac{\square}{8}=2\frac{59}{120}$$

14 1분 동안 수도관 ㉮에서는 $4\frac{3}{5}$ L, 수도관 ㉯에서는 $2\frac{2}{5}$ L의 물이 채워지고, 수도관 ㉰로는 1분 동안 $1\frac{1}{2}$ L의 물이 빠져 나갑니다. 3개의 수도관을 3분 동안 동시에 열어 놓으면 모두 몇 L의 물을 받을 수 있습니까?

15 다음과 같은 규칙으로 기약분수를 늘어놓았습니다. 30번째 분수와 50번째 분수의 차를 구하시오.

$$\frac{1}{3},\ \frac{1}{2},\ \frac{3}{5},\ \frac{2}{3},\ \frac{5}{7},\ \frac{3}{4},\ \cdots\cdots$$

16 ㉮, ㉯, ㉰ 세 권의 백과 사전이 있습니다. ㉮와 ㉯의 무게의 합은 $4\frac{11}{20}$ kg, ㉯와 ㉰의 무게의 합은 $5\frac{9}{20}$ kg, 세 권의 무게의 합은 $8\frac{1}{4}$ kg입니다. ㉮, ㉯, ㉰의 무게를 각각 구하시오.

17 ㄱ, ㄴ, ㄷ에 알맞은 자연수를 모두 구하시오. (단, 같은 수를 넣을 수도 있고 각각 다른 수를 넣을 때는 작은 수부터 순서대로 넣습니다.)

$$\frac{1}{\boxed{ㄱ}}+\frac{1}{\boxed{ㄴ}}+\frac{1}{\boxed{ㄷ}}=1$$

18 보기 를 보고 $<\quad>$의 규칙을 찾아 다음을 계산하시오.

> 보기
>
> $<45>=20$　　$<125>=10$　　$<234>=24$

$$\frac{<51>}{<23>}+\frac{<64\div 2>}{<3\times 8>}-\frac{<11\times 11+1>}{<14\times 3-1>}$$

19 세 분수 가, 나, 다가 있습니다. 가＋나＝$1\frac{1}{18}$, 나＋다＝$1\frac{5}{36}$, 가＋다＝$1\frac{3}{4}$ 일 때, 가, 나, 다를 각각 구하시오.

20 석기는 과학관에 가려고 집을 나섰습니다. 집에서 800 m 떨어진 역에 걸어서 도착한 후 집에서 과학관까지의 거리의 $\frac{2}{5}$는 지하철로 갔고, 또 집에서 과학관까지의 거리의 $\frac{1}{3}$은 버스를 탔으며 마지막 400 m는 걸어서 갔습니다. 집에서 과학관까지의거리는 몇 km 입니까?

전국 경시 예상 등위			
대상권	금상권	은상권	동상권
18/20	16/20	14/20	12/20

1 □ 안에 알맞은 수를 써넣으시오.

$$7\div9=\frac{1}{4}+\frac{1}{\square}+\frac{1}{\square}$$

2 서로 다른 두 수 a, b에 대하여 $[a, b]$는 a, b 중 작은 수를 나타냅니다. 예를 들면 $[3, 2]=2$입니다. 다음에서 ㉠의 값을 구하시오.

$$\left[\frac{㉠}{5}-1,\ \frac{㉠}{4}+\frac{2}{3}\right]=2\frac{4}{5}$$

3 다음 수의 합을 구하시오.

(1) $A=\frac{1}{3}+\frac{1}{9}+\frac{1}{27}+\frac{1}{81}+\frac{1}{243}+\cdots$

(2) $B=3+\frac{3}{4}+\frac{3}{16}+\frac{3}{64}+\frac{3}{256}+\cdots$

4 어떤 일을 혼자서 하면 한솔이는 8일, 한별이는 4일, 석기는 16일이 걸린다고 합니다. 이 일을 한솔, 한별, 석기 순으로 번갈아 한다면 며칠 만에 끝낼 수 있겠습니까?

5 다음을 계산하시오.

$$\frac{1}{2}+\frac{1}{4}+\frac{1}{8}+\frac{1}{16}+\frac{1}{32}+\cdots+\frac{1}{512}+\frac{1}{1024}$$

6 다음 계산 결과를 이용하여 □ 안에 알맞은 수를 써넣으시오.

$$1-\frac{1}{2}+\frac{1}{3}-\frac{1}{4}+\frac{1}{5}-\frac{1}{6}+\frac{1}{7}-\frac{1}{8}+\frac{1}{9}=\frac{1879}{2520}$$

$$\frac{1}{2}-\frac{1}{3}+\frac{1}{4}-\frac{1}{5}+\frac{1}{6}-\frac{1}{7}+\frac{1}{8}-\frac{1}{9}+\frac{1}{10}=\square$$

7 사탕이 몇 개 있습니다. 사탕을 A는 전체의 $\frac{1}{4}$보다 6개 적게 갖고, B는 전체의 $\frac{1}{6}$보다 2개 더 많이 갖고, C는 A보다 4개 더 많이 가졌습니다. 남아 있는 사탕이 22개일 때, B가 가진 사탕은 몇 개입니까?

8 A, B, C는 모두 자연수이고, $\frac{A}{3}+\frac{B}{5}+\frac{C}{7}=1\frac{31}{105}$입니다. $A \times B \times C$를 구하시오.

9 □ 안에 [2], [3], [4], [5]의 숫자 카드를 한 번씩만 사용하여 다음 식을 계산할 때 계산 결과가 자연수가 되도록 하려고 합니다. 계산 결과가 될 수 있는 자연수를 모두 찾아 합을 구하시오.

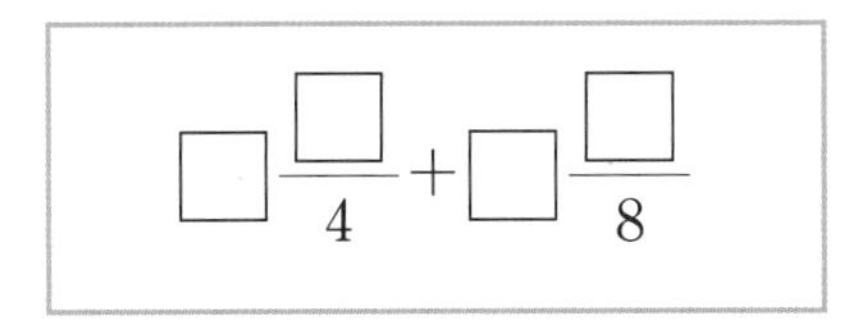

10 다음과 같은 규칙으로 수가 나열되어 있습니다. 처음부터 100번째 수까지의 합을 구하시오.

$1,\ \frac{1}{2},\ 1,\ \frac{1}{3},\ \frac{2}{3},\ 1,\ \frac{1}{4},\ \frac{2}{4},\ \frac{3}{4},\ 1,\ \frac{1}{5},\ \cdots$

11 다음 조건을 만족하는 진분수 중에서 가장 큰 수와 가장 작은 수의 합을 구하시오.

- 기약분수가 아닌 진분수입니다.
- 분모와 분자의 차는 77입니다.
- 기약분수로 나타낼 때 분모와 분자의 합은 15입니다.

12 보기 를 보고 물음에 답하시오.

보기

$$\frac{1}{3\times5}-\frac{1}{5\times7}=\frac{㉠}{3\times5\times7} \qquad \frac{1}{3\times5\times7}=\frac{1}{㉠}\times\left(\frac{1}{3\times5}-\frac{1}{5\times7}\right)$$

(1) ㉠에 알맞은 수를 구하시오.

(2) 보기 를 이용하여 다음을 계산하시오.

$$\frac{1}{3\times5\times7}+\frac{1}{5\times7\times9}+\frac{1}{7\times9\times11}+\frac{1}{9\times11\times13}+\frac{1}{11\times13\times15}$$

13 다음 식에서 ㉠, ㉡, ㉢은 서로 다른 자연수이고 $\frac{㉠}{9}$, $\frac{㉡}{9}$, $\frac{㉢}{9}$은 모두 기약분수입니다. 더하는 순서만 다른 식은 같은 것으로 생각할 때, 만들 수 있는 식은 모두 몇 개입니까?

$$\frac{㉠}{9}+\frac{㉡}{9}+\frac{㉢}{9}=3$$

14 $\frac{1}{2\times3}=\frac{1}{2}-\frac{1}{3}=\frac{1}{6}$을 이용하여 다음을 계산하시오.

$$\frac{1}{24}+\frac{1}{40}+\frac{1}{60}+\frac{1}{84}+\frac{1}{112}$$

15 2, 3, 4, 5, 6, 7, 8의 7개의 수 중에서 두 개의 수를 골라, 그 두 개의 수로 진분수를 만들려고 합니다. 물음에 답하시오.

(1) 만들 수 있는 진분수 중 약분되지 않는 분수는 모두 몇 개 있습니까?

(2) 위 (1)번의 분수들 중 가장 큰 분수와 가장 작은 분수의 차를 구하시오.

16 다음을 계산하시오.

$$1\frac{1}{10}+3\frac{1}{40}+5\frac{1}{88}+7\frac{1}{154}+9\frac{1}{238}+11\frac{1}{340}$$

17 영수와 석기는 같은 개수의 구슬을 가지고 있었습니다. 구슬치기를 하여 영수는 가지고 있던 구슬의 $\frac{4}{5}$를 잃은 후 18개를 땄고, 석기는 가지고 있던 구슬의 $\frac{2}{7}$를 잃은 후 다시 18개를 더 잃었습니다. 현재 두 사람이 가지고 있는 구슬 수가 같다면 처음에 두 사람이 가지고 있던 구슬은 몇 개씩이었습니까?

18 한별이는 3일 동안 1권의 책을 읽었습니다. 첫째 날은 전체의 $\frac{1}{2}$보다 10쪽 적게 읽었고, 둘째 날은 전체의 $\frac{2}{5}$보다 8쪽 더 읽었습니다. 마지막 날에 30쪽을 읽었다면, 이 책의 전체 쪽수는 몇 쪽입니까?

19 $\frac{1}{6}$과 $\frac{1}{5}$ 사이에 3개의 기약분수를 작은 수부터 차례로 넣은 후, 5개의 분수를 모두 통분하였더니 분자가 연속되는 자연수가 되었습니다. 넣은 세 분수의 합을 구하시오.

20 $2!=2\times1$, $3!=3\times2\times1$, $4!=4\times3\times2\times1$, $\cdots$ 을 뜻합니다. 이때, 다음 식의 값을 구하시오.

$$\frac{12!+11!}{3!\times9!}+\frac{10!-9!}{4!\times10!}$$

핵심내용  APPLICATION

5 분수의 곱셈

1 (분수)×(자연수), (자연수)×(분수)

• 분수의 분모는 그대로 두고, 분자와 자연수를 곱하여 계산합니다.
이때, 분수가 대분수인 경우는 가분수로 고쳐서 계산합니다.

• 약분하는 방법에 따라서 여러 가지 방법으로 계산할 수 있습니다.

예 $\frac{1}{5}\times3=\frac{1}{5}+\frac{1}{5}+\frac{1}{5}=\frac{1\times3}{5}=\frac{3}{5}$ $\quad$ $\frac{2}{\cancel{9}_3}\times\cancel{6}^2=\frac{2\times2}{3}=\frac{4}{3}=1\frac{1}{3}$

$\cancel{8}^4\times\frac{5}{\cancel{6}_3}=\frac{4\times5}{3}=\frac{20}{3}=6\frac{2}{3}$ $\quad$ $4\times2\frac{5}{6}=\cancel{4}^2\times\frac{17}{\cancel{6}_3}=\frac{2\times17}{3}=\frac{34}{3}=11\frac{1}{3}$

2 (단위분수)×(단위분수)

단위분수끼리의 곱셈에서는 분자는 그대로 두고, 분모끼리 곱해서 계산합니다.

3 (진분수)×(진분수)

분모는 분모끼리, 분자는 분자끼리 계산합니다. 이때, 약분이 되면 곱하기 전에 약분하는 것이 편리합니다.

예 $\frac{\cancel{3}^1}{5}\times\frac{4}{\cancel{9}_3}=\frac{1\times4}{5\times3}=\frac{4}{15}$

4 (대분수)×(대분수)

대분수를 가분수로 고친 후 분모는 분모끼리, 분자는 분자끼리 곱해서 계산합니다.
이때, 약분이 되면 곱하기 전에 약분하는 것이 편리합니다.

예 $4\frac{1}{3}\times2\frac{1}{4}=\frac{13}{\cancel{3}_1}\times\frac{\cancel{9}^3}{4}=\frac{13\times3}{4}=\frac{39}{4}=9\frac{3}{4}$

5 세 분수의 곱셈

세 분수의 곱셈은 앞에서부터 차례로 계산하거나 분모는 분모끼리, 분자는 분자끼리 곱해서 계산합니다.

예 $\frac{2}{5}\times1\frac{1}{4}\times15=\frac{\cancel{2}^1}{\cancel{5}_1}\times\frac{\cancel{5}^1}{\cancel{4}_2}\times15=\frac{15}{2}=7\frac{1}{2}$

Search 탐구

아버지의 몸무게는 72 kg이고, 어머니의 몸무게는 아버지의 몸무게의 $\frac{2}{3}$이며 예슬이의 몸무게는 어머니의 몸무게의 $\frac{5}{6}$입니다. 물음에 답하시오.

(1) 예슬이의 몸무게는 아버지의 몸무게의 얼마가 되겠습니까?

(2) 예슬이의 몸무게는 몇 kg입니까?

풀이

(1) 아버지의 몸무게를 1이라 하면, 예슬이의 몸무게는 아버지의 몸무게의

$1\times\frac{\overset{1}{\cancel{2}}}{3}\times\frac{5}{\underset{3}{\cancel{6}}}=\frac{\square}{\square}$ 입니다.

(2) 예슬이의 몸무게는 아버지의 몸무게의 $\frac{\square}{\square}$이므로 $72\times\frac{\square}{\square}=\square$(kg)입니다.

답 (1) $\square$ (2) $\square$ kg

EXERCISE

1 철근 1m의 무게가 $5\frac{1}{4}$ kg이라고 합니다. 같은 굵기의 철근 $3\frac{1}{5}$ m의 무게는 몇 kg입니까?

2 한별이는 오늘 통장에 있는 돈의 $\frac{2}{5}$를 찾았습니다. 그리고 내일은 오늘 찾고 난 나머지의 $\frac{1}{3}$을 찾으려고 합니다. 내일 찾을 돈은 전체의 얼마입니까?

3 한솔이는 5월에 4월의 저금한 돈의 $1\frac{3}{4}$배를 저금했으며, 6월에는 5월의 저금한 돈의 $1\frac{1}{2}$배를 저금했습니다. 4월의 저금한 돈이 1000원이면 6월의 저금한 돈은 얼마입니까?

왕 문제

APPLICATION

전국 경시 예상 등위			
대상권	금상권	은상권	동상권
19/20	18/20	17/20	16/20

1 사람의 혈액은 몸무게의 $\frac{1}{13}$이고, 혈액의 $\frac{1}{3}$이 출혈되면 생명이 위독하다고 합니다. 한 사람이 자신의 몸무게의 얼마를 출혈하게 되면 생명이 위독하겠습니까?

2 어떤 수에 $2\frac{1}{2}$을 곱해야 하는데 잘못하여 $2\frac{1}{2}$로 나누었더니 50이 되었습니다. 바르게 계산하면 얼마입니까?

3 예슬이는 동화책을 어제는 전체의 $\frac{1}{5}$을 읽었고, 오늘은 남은 양의 $\frac{3}{4}$을 읽고, 내일은 나머지를 모두 읽으려고 합니다. 내일 읽을 양이 48쪽이라면 동화책은 모두 몇 쪽입니까?

4 물통에 물이 $21\frac{1}{2}$ L 있습니다. 하루에 $2\frac{3}{4}$ L씩 일주일 동안 사용하였다면 물통에 남은 물의 양은 몇 L입니까?

5 시계가 1시 45분을 가리키고 있을 때, 긴바늘과 짧은바늘이 이루고 있는 작은 쪽의 각의 크기는 몇 도입니까?

6 넓이가 324 cm^2인 정사각형이 있습니다. 정사각형의 가로를 $\frac{2}{5}$만큼 늘이고, 세로를 $\frac{1}{4}$만큼 줄여 직사각형을 만들 때 직사각형의 넓이는 몇 cm^2입니까?

7 다음을 계산하시오.

$$1\frac{1}{5}\times1\frac{1}{6}\times1\frac{1}{7}\times1\frac{1}{8}\times1\frac{1}{9}\times\cdots\times1\frac{1}{99}\times1\frac{1}{100}$$

8 지구 표면적의 $\frac{7}{10}$은 바다이고, 바다의 $\frac{4}{7}$는 남반구에 있습니다. 북반구의 육지 면적은 지구 표면적의 몇 분의 몇입니까?

9 공을 똑바로 떨어뜨리면 떨어진 높이의 $\frac{4}{5}$만큼 튀어 오른다고 합니다. 1 m 높이에서 공을 떨어뜨려서 두 번 튀어 오른 후 다시 땅에 떨어질 때까지 공이 움직인 거리를 구하시오.

10 가 > 나일 때, 가 $*$ 나 $=\frac{가\times 나}{가-나}$, 가 = 나 또는 가 < 나일 때, 가 $*$ 나 $=\frac{가\times 나}{가+나}$입니다. 다음을 계산하시오.

$$(6*2)*(4*12)$$

11 한초네 집의 밭의 넓이는 4500 m^2입니다. 밭 전체의 $\frac{1}{3}$에는 배추를 심고, 남은 넓이의 $\frac{2}{5}$에는 무를 심었습니다. 배추와 무 중 어느 것을 얼마나 더 많이 심었습니까?

12 유승이는 길이가 같은 끈 2개를 각각 사용하여 가장 큰 정삼각형과 정사각형을 한 개씩 만들었습니다. 정삼각형의 한 변의 길이가 $8\frac{4}{5}$ cm이면 정사각형의 넓이는 몇 cm^2입니까?

13 다음과 같이 분수를 일정한 규칙으로 늘어놓을 때, 10번째 분수와 21번째 분수의 곱을 구하시오.

$$\frac{1}{3},\ \frac{2}{5},\ \frac{3}{7},\ \frac{4}{9},\ \frac{5}{11},\ \cdots\cdots$$

14 1분에 각각 $1\frac{4}{5}$ km와 $1\frac{1}{4}$ km를 달리는 두 자동차가 있습니다. 이와 같은 빠르기로 같은 장소에서 출발하여 같은 방향으로 12분 24초 동안 달렸다면 두 자동차 사이의 거리는 몇 km가 되겠습니까?

15 석기네 학교 5학년 학생 84명 중에서 짜장면을 좋아하는 학생은 전체의 $\frac{3}{7}$, 피자를 좋아하는 학생은 전체의 $\frac{1}{2}$, 짜장면과 피자를 모두 좋아하는 학생은 전체의 $\frac{4}{21}$입니다. 짜장면과 피자를 모두 좋아하지 않는 학생은 몇 명입니까?

16 □ 안에 1 초과 10 미만의 수를 써넣어 식을 만들 때 계산 결과가 가장 큰 수와 가장 작은 수의 곱은 얼마입니까?

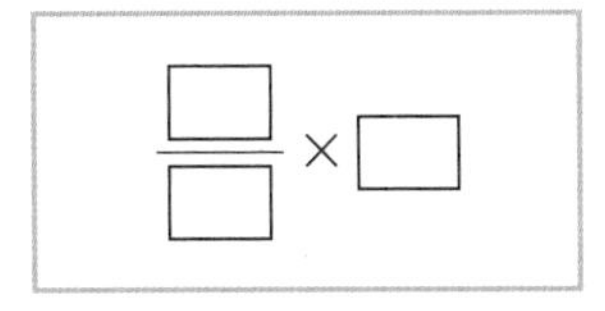

17 수직선에서 $\frac{1}{3}$과 $\frac{7}{8}$ 사이를 7등분 하였을 때 ㉮에 알맞은 수를 기약분수로 나타내시오.

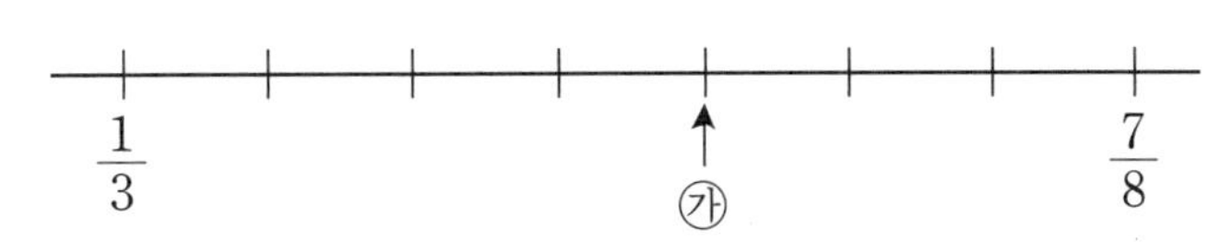

18 한별이네 학교의 어린이 신문의 지면은 가로 60 cm, 세로 42 cm인 직사각형 모양입니다. 지면의 $\frac{1}{5}$은 뉴스면이고, 나머지의 $\frac{2}{7}$는 문화면입니다. 문화면과 뉴스면의 차이는 몇 cm^2입니까?

19 직육면체 모양의 얼음을 물에 넣으면 얼음의 높이의 $\frac{1}{10}$ 만큼 물 위로 떠오른다고 합니다. 어떤 얼음을 물에 넣어 물 위에 떠 있는 부분을 잘라 내고 다시 물에 넣었더니 18 cm만큼 물 위에 떠올랐습니다. 처음 얼음의 높이는 얼마입니까?

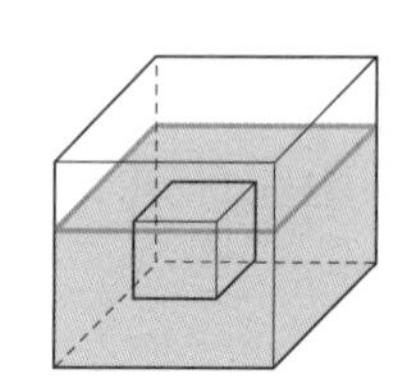

20 어느 학교의 남학생은 전체 학생의 $\frac{7}{12}$이고, 여학생보다 52명이 더 많습니다. 이 학교의 여학생은 모두 몇 명입니까?

왕중왕문제

APPLICATION

전국 경시 예상 등위			
대상권	금상권	은상권	동상권
18/20	16/20	14/20	12/20

1 상자에 구슬이 들어 있었습니다. 처음에 전체의 $\frac{4}{7}$보다 48개 많이 꺼내고, 다음에 나머지의 $\frac{2}{3}$를 꺼냈더니 남은 구슬은 전체의 $\frac{1}{14}$이었습니다. 처음에 구슬은 몇 개 들어 있었습니까?

2 동민이네 학교의 학생 수를 조사했더니 5년 전과 비교해서 남학생은 $\frac{2}{25}$가 늘고 여학생은 $\frac{1}{20}$이 늘어 전체적으로 72명이 늘어났습니다. 현재의 학생 수가 1092명이면 남학생과 여학생은 각각 몇 명입니까?

3 $2\frac{5}{8}$를 곱해도 자연수가 되고, $2\frac{1}{28}$을 곱해도 자연수가 되는 분수 중에서 두 번째로 작은 분수를 구하시오.

4 A, B, C 세 수가 있습니다. B는 A의 $\frac{3}{4}$, C는 B의 $\frac{2}{3}$이고, $A+B+C=180$입니다. A는 얼마입니까?

5 세 분수 $\frac{4}{9}$, $\frac{16}{25}$, $\frac{8}{15}$에 각각 어떤 분수를 곱하였더니 모두 자연수가 되었습니다. 어떤 분수 중 세 번째로 작은 분수를 대분수로 나타내시오.

6 오른쪽 그림에서 색칠한 부분의 넓이는 삼각형 ㄱㄴㄷ의 넓이의 몇 분의 몇입니까?

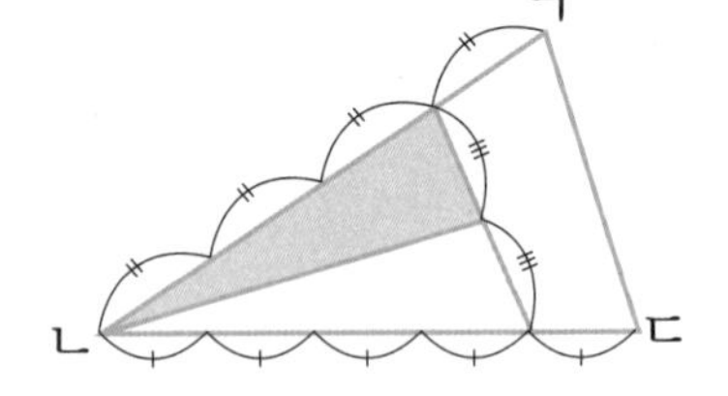

7 ㉮ $\times\frac{1}{3}=$ ㉯ $\times\frac{1}{24}$, ㉯ $\times 3=$ ㉰ $\times 2$일 때, ㉰는 ㉮의 몇 배입니까?

8 석기는 집에서 할아버지댁에 가는데 전체 거리의 $\frac{3}{10}$은 지하철로, 나머지 거리의 $\frac{1}{3}$은 버스로, 버스로 간 거리의 반과 지하철로 간 거리를 합한 만큼은 자전거로 갔는데, 아직도 800 m를 더 가야 합니다. 석기네 집에서 할아버지댁까지는 몇 m입니까?

9 연못의 깊이를 재려고 길이가 20 cm 차이나는 막대 2개를 준비하였습니다. 두 개의 막대를 깊이가 같은 연못에 수직으로 세웠더니, 큰 막대의 $\frac{2}{3}$와 작은 막대의 $\frac{4}{5}$가 물에 잠겼습니다. 물음에 답하시오.

(1) 연못의 깊이는 몇 cm 입니까?

(2) 준비한 두 막대의 길이는 각각 몇 cm 입니까?

10 한솔이네 마을의 5학년 학생은 전체 학생의 $\frac{5}{22}$이고, 5학년 남학생은 5학년 학생의 $\frac{5}{11}$입니다. 그런데, 5학년 학생들 중 남학생의 $\frac{2}{5}$, 여학생의 $\frac{3}{5}$이 충치를 가지고 있습니다. 이 마을의 전체 학생이 4840명이라면 5학년 학생 중 충치가 없는 학생은 몇 명입니까?

11 오른쪽 그림과 같이 정삼각형, 정육각형, 직사각형이 겹쳐 있습니다. 색칠한 부분의 넓이는 정육각형 넓이의 $\frac{1}{4}$이고, 직사각형의 넓이의 $\frac{3}{8}$입니다. 직사각형 넓이가 16 cm^2일 때, 정삼각형의 넓이를 구하시오.

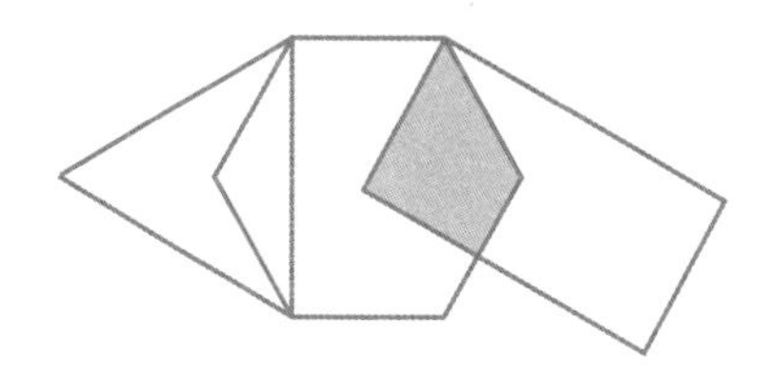

12 ㉮는 한 변이 $8\frac{1}{2}$ m인 정사각형이고, ㉯는 한 변이 $4\frac{1}{4}$ m인 정사각형입니다.
㉮ 넓이의 $\frac{4}{7}$와 ㉯ 넓이의 $\frac{4}{5}$를 비교해 볼 때 어느 것이 얼마나 더 넓습니까?

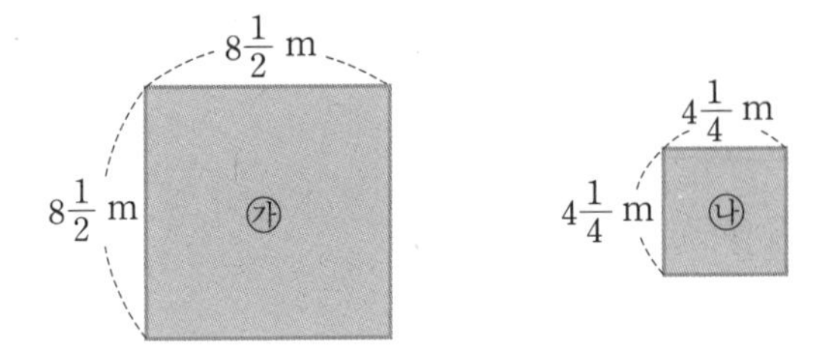

13 가로가 세로의 $\frac{3}{5}$이고, 둘레가 $94\frac{2}{5}$ m인 직사각형 모양의 밭이 있습니다.
이 밭의 넓이는 몇 m^2입니까?

14 오른쪽 표에서 가로줄, 세로줄, 대각선의 5개의 수의 곱은 모두 같습니다. ㉮×㉯의 값은 얼마입니까?

	$\frac{3}{5}$	$3\frac{1}{2}$		$1\frac{3}{4}$
$3\frac{1}{4}$		㉮	$1\frac{2}{3}$	
	$1\frac{1}{2}$			$3\frac{1}{8}$
	$1\frac{3}{5}$	㉯		$4\frac{1}{2}$
$\frac{3}{4}$		$1\frac{2}{5}$		

15 직사각형 ㄱㄴㄷㄹ을 그림과 같이 9개의 작은 직사각형으로 나누었습니다. 작은 직사각형 안의 수가 그 직사각형의 넓이라고 할 때 ㉮와 ㉯의 곱은 얼마입니까?

ㄱ ㄹ

1	3	㉮
	8	15
	㉯	12

ㄴ ㄷ

16 유승이는 어떤 일을 시작하여 4일 동안 전체의 $\frac{3}{10}$을 하였고, 남은 일을 9일과 2시간 동안 더하여 모두 끝냈습니다. 유승이가 일한 시간은 모두 몇 시간입니까? (단, 유승이는 일정한 빠르기로 일을 하고, 하루에 일하는 시간은 같습니다.)

17 상연이와 예슬이는 연못의 둘레를 같은 지점에서 출발하여 반대 방향으로 일정한 빠르기로 돌고 있습니다. 연못의 둘레를 한 바퀴 도는 데 상연이는 8분 걸리고, 상연이와 예슬이는 $4\frac{4}{5}$분마다 만난다고 합니다. 예슬이가 연못을 한 바퀴 도는데 걸리는 시간은 몇 분입니까?

18 다음 식에서 ㉠은 20보다 작은 자연수이고, ㉡은 100보다 작은 자연수일 때 ㉡이 될 수 있는 수는 모두 몇 개입니까? (단, ★은 자연수입니다.)

$$462\times\frac{★}{㉠}=㉡$$

19 물이 가득 들어 있는 물통이 있습니다. 들어 있는 물의 $\frac{2}{7}$를 버리고 물통의 무게를 재었더니 7.2 kg이었습니다. 또, 나머지 물의 $\frac{2}{3}$를 버리고 물통의 무게를 재었더니 처음 무게의 $\frac{1}{3}$이었습니다. 처음에 물은 몇 kg 들어 있었습니까?

20 효근이와 석기가 가지고 있던 돈은 모두 합하여 8200원입니다. 그런데 효근이가 가지고 있던 돈의 $\frac{2}{5}$와 석기가 가지고 있던 돈의 $\frac{5}{6}$로 책을 샀더니 남은 돈은 모두 2580원이 되었습니다. 처음에 석기가 가지고 있던 돈은 얼마입니까?

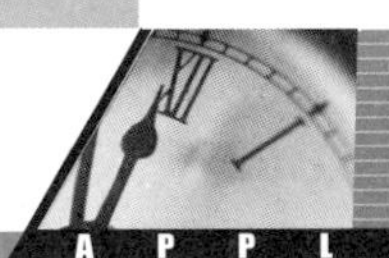

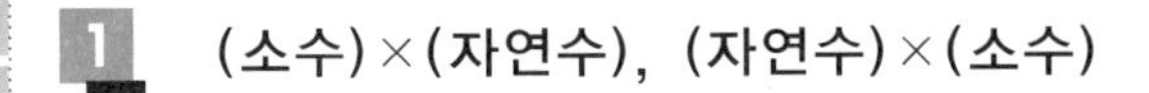

1 (소수)×(자연수), (자연수)×(소수)

(1) 소수를 분수로 고쳐서 계산하기

$0.7\times6=\frac{7}{10}\times6=\frac{42}{10}=4.2$　　　$4\times1.3=4\times\frac{13}{10}=\frac{52}{10}=5.2$

(2) 자연수의 곱과 비교하여 계산하기

$$\begin{array}{r}7\\ \times\ 6\\ \hline 42\end{array}\ \Rightarrow\ \begin{array}{r}0.7\\ \times\ 6\\ \hline 4.2\end{array}\qquad\qquad \begin{array}{r}4\\ \times 13\\ \hline 52\end{array}\ \Rightarrow\ \begin{array}{r}4\\ \times 1.3\\ \hline 5.2\end{array}$$

2 곱의 소수점의 위치

① 곱의 소수점 아래 자릿수는 곱하는 수와 곱해지는 수의 소수점 아래의 자릿수를 합한 것과 같게 곱의 소수점을 찍습니다.

$$\begin{array}{r}0.45\\ \times\ 3\\ \hline \end{array}\ \Rightarrow\ \begin{array}{r}45\\ \times\ 3\\ \hline 135\end{array}\ \Rightarrow\ \begin{array}{r}0.45\\ \times\ 3\\ \hline 1.35\end{array}$$

0.45 ← (소수점 아래 두 자리)
1.35 ← (소수점 아래 두 자리)

② 곱의 소수점 아래의 자릿수가 모자라면 0을 더 채워 쓰고 소수점을 찍습니다.

$$\begin{array}{r}8\\ \times 0.003\\ \hline \end{array}\ \Rightarrow\ \begin{array}{r}8\\ \times\ 3\\ \hline 24\end{array}\ \Rightarrow\ \begin{array}{r}8\\ \times 0.003\\ \hline 0.024\end{array}$$

×0.003 ← (소수점 아래 세 자리)
0.024 ← (소수점 아래 세 자리)

3 (소수)×(소수)

(1) 소수를 분수로 고쳐서 계산하기

$0.03\times0.5=\frac{3}{100}\times\frac{5}{10}=\frac{15}{1000}=0.015$　　　$1.5\times1.7=\frac{15}{10}\times\frac{17}{10}=\frac{255}{100}=2.55$

(2) 자연수의 곱과 비교하여 계산하기

$$\begin{array}{r}3\\ \times\ 5\\ \hline 15\end{array}\ \Rightarrow\ \begin{array}{r}0.03\\ \times\ 0.5\\ \hline 0.015\end{array}\qquad\qquad \begin{array}{r}15\\ \times 17\\ \hline 255\end{array}\ \Rightarrow\ \begin{array}{r}1.5\\ \times 1.7\\ \hline 2.55\end{array}$$

Search 탐구

한별이는 100 m를 걸어가는 데 0.92분이 걸립니다. 집에서 학교까지의 거리가 743 m라면 한별이가 집에서 학교까지 걸어가는 데 걸리는 시간은 몇 분입니까?

풀이

743 m는 100 m의 ☐배이므로 집에서 학교까지 걸어가는 데 걸리는 시간은 ☐ × 0.92 = ☐(분)입니다.

☐
× 0.92
☐
☐
☐

답 ☐분

EXERCISE

1 예슬이네 집에서는 밥을 짓는 데 하루에 쌀 1.42 kg이 필요합니다. 4주일 동안 밥을 짓는 데 필요한 쌀은 몇 kg입니까?

2 형의 몸무게는 48.5 kg이고 아버지의 몸무게는 형의 몸무게의 1.6배라고 합니다. 아버지의 몸무게는 몇 kg입니까?

3 어떤 수에 1.6을 곱해야 할 것을 잘못하여 1.6을 더하였더니 5.6이 되었습니다. 바르게 계산한 값을 구하시오.

왕문제

APPLICATION

전국 경시 예상 등위			
대상권	금상권	은상권	동상권
19/20	18/20	17/20	16/20

1 ㉠과 ㉡의 곱은 얼마입니까?

$0.25\times$ ㉠ $=75$, $5.8\times$ ㉡ $=0.058$

2 1분에 0.57 L씩 물이 나오는 수도꼭지가 있습니다. 이 수도꼭지로 4분 48초 동안에는 몇 L의 물을 받을 수 있습니까?

3 0.7을 200번 곱하였을 때, 소수 199째 번 자리의 숫자는 무엇입니까?

4 주어진 수를 □ 안에 한 번씩 써넣어 계산할 때, 가장 큰 값을 구하시오.

0.3, 0.8, 0.5, 1.4, 0.24 ➔ $(\square\times\square-\square\times\square)\times\square$

5 □ 안에 4장의 숫자 카드 3, 5, 8, 9 를 한 번씩 써넣어 곱셈식을 만들 때 가장 큰 곱과 가장 작은 곱의 차를 구하시오.

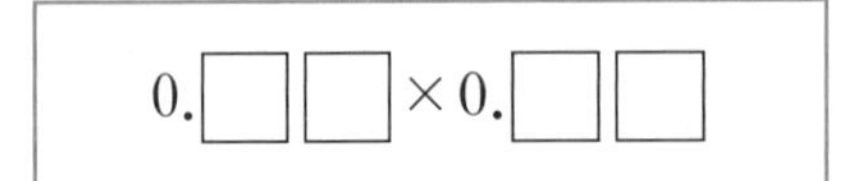

6 어떤 8개의 자연수의 평균을 구하는 문제가 있습니다. 영수가 구한 답은 16.24인데 정답과 비교해 보았더니 맨 마지막 숫자가 틀렸습니다. 문제의 바른 정답을 구하시오.

7 한 시간에 70.6 km씩 달리는 자동차가 있습니다. 이 자동차는 1 km를 달리는데 0.8 L의 휘발유가 필요합니다. 이 자동차가 1시간 15분 동안 달리는 데 필요한 휘발유의 양은 몇 L입니까?

8 직사각형 모양의 꽃밭이 있습니다. 이 꽃밭의 가로의 길이는 10.8 m이고 세로의 길이는 가로의 길이의 1.5배입니다. 꽃밭의 넓이는 몇 m^2입니까?

9 ㉮는 ㉯의 몇 배입니까?

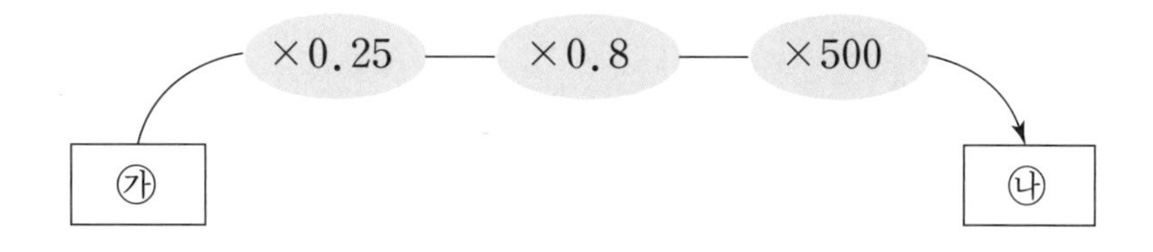

10 1초에 32.4 m를 달리는 기차가 있습니다. 이 기차가 2.2 km의 터널을 완전히 통과하는 데 1분 12초가 걸렸습니다. 이 기차의 길이는 몇 m입니까?

11 아버지의 몸무게는 72 kg이고, 어머니의 몸무게는 아버지의 몸무게의 $\frac{3}{4}$이며, 효근이의 몸무게는 어머니의 몸무게의 0.75입니다. 효근이의 몸무게는 몇 kg입니까?

12 직사각형 ㄱㄴㄷㄹ에서 색칠한 부분의 넓이는 몇 cm^2입니까?

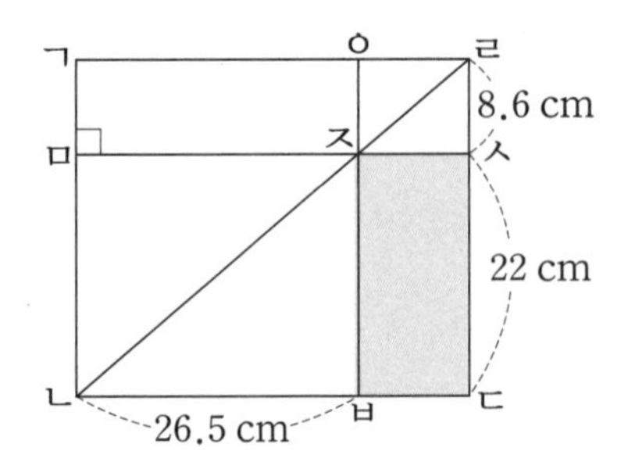

13 가로가 23.6 m, 세로가 15 m인 직사각형 모양의 땅이 있습니다. 이 땅의 세로를 5 m 늘이면, 가로를 몇 m 줄여야 처음 넓이와 같아집니까?

14 오른쪽 식에서 C는 B의 3배인 숫자입니다. A, B, C에 알맞은 숫자를 구하시오.

$$\begin{array}{rrrrr}
 & & \boxed{A}. & \boxed{B} & \boxed{B} \\
\times & & \boxed{A} & \boxed{A}. & \boxed{B} \\
\hline
 & & \boxed{B} & \boxed{C} & \boxed{C} \\
 & \boxed{A} & \boxed{B} & \boxed{B} & \\
\boxed{A} & \boxed{B} & \boxed{B} & & \\
\hline
\boxed{A} & 5. & 0 & 2 & \boxed{C}
\end{array}$$

15 다음을 계산하시오.

$$3.31+3.34+3.37+\cdots+6.64+6.67$$

16 가로 22 cm, 세로 24 cm인 직사각형 모양의 종이로 오른쪽 그림과 같은 봉투를 만들려고 합니다. 가장 큰 봉투를 만들 때, 봉투의 한쪽 면의 넓이는 몇 cm^2입니까?

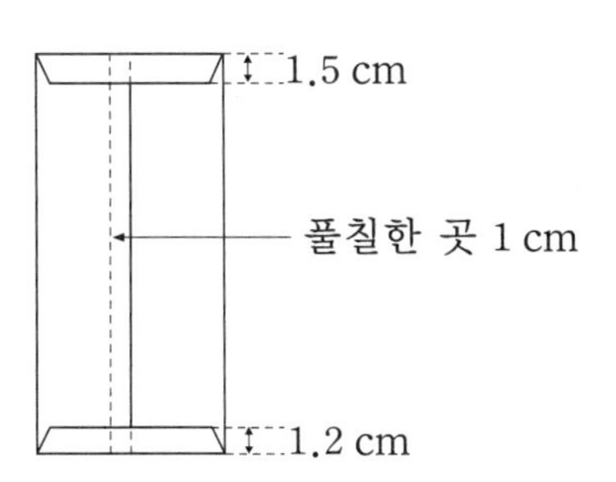

17 □ 안에 알맞은 숫자를 써넣으시오.

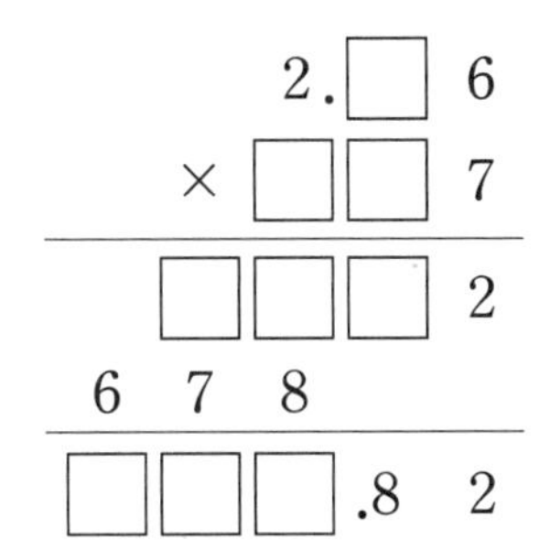

18 예슬이의 한 걸음의 폭은 0.58 m이고, 1분에 75걸음씩 걷습니다. 집에서 학교까지 가는 데 15분 24초가 걸렸다면, 예슬이 집에서 학교까지의 거리는 몇 m입니까?

19 ㉮, ㉯, ㉰ 세 종류의 물건이 있습니다. ㉮의 무게는 ㉯의 무게의 2.5배보다 10 kg이 가볍고, ㉰의 무게의 3.2배보다 5.6 kg이 무겁다고 합니다. ㉰의 무게가 42 kg이라면, ㉯의 무게는 몇 kg입니까?

20 복숭아 450개를 810000원에 사 와서 보니 전체의 0.2가 썩어 있었습니다. 썩지 않은 복숭아를 팔아서 사온 값의 0.2만큼 이익을 얻으려면 복숭아 한 개의 값으로 얼마에 팔아야 합니까?

전국 경시 예상 등위			
대상권	금상권	은상권	동상권
18/20	16/20	14/20	12/20

1 어떤 정사각형에서 가로를 2.4 m, 세로를 1.6 m만큼 늘여 직사각형을 만들면 넓이가 처음보다 27.84 m^2 더 늘어난다고 합니다. 처음 정사각형의 한 변의 길이는 몇 m입니까?

2 다음 식에서 같은 모양은 같은 숫자를 나타냅니다. 각 모양이 나타내는 숫자를 구하시오. (단, ▲는 0이 아닙니다.)

$$\begin{array}{r} ★.7▲ \\ \times\ ★.★6 \\ \hline ★.★▲▲▲ \end{array}$$

3 어머니의 몸무게는 57.6 kg이고 효근이는 어머니 몸무게의 $\frac{18}{25}$, 한별이는 효근이 몸무게의 0.9라고 합니다. 세 명의 몸무게를 모두 합하면 몇 kg인지 소수로 나타내시오.

4 1에 0.4를 70번 곱한 수를 ㉮라 하고, 1에 0.5를 70번 곱한 수를 ㉯라 할 때 ㉮×㉯의 값의 소수 70째 자리 숫자는 무엇입니까?

5 다음과 같은 규칙으로 수가 놓여 있을 때 첫 번째 수부터 차례로 8개의 수의 곱을 구해보시오.

250	50	10	2	0.4	0.08	…

6 기온이 15℃일 때 소리는 1초에 340 m씩 가고, 기온이 20℃일 때 소리는 1초에 343 m씩 갑니다. 기온이 올라감에 따라 소리가 일정하게 빨라진다면 기온이 28 ℃일 때의 소리는 1초에 몇 m씩 갑니까?

7 소수 두 자리 수 ㉮와 ㉯가 있습니다. ㉮와 ㉯의 합은 11.07이고 ㉮에서 ㉯를 뺄 때 ㉮의 소수점을 빠뜨리고 계산하여 832.28이 되었습니다. ㉮와 ㉯의 곱은 얼마입니까?

8 어떤 자연수를 7로 나눈 몫을 소수 첫째 자리에서 반올림하면 4가 되고, 3으로 나눈 몫을 소수 첫째 자리에서 반올림하면 8이 됩니다. 어떤 자연수를 구하시오.

9 어떤 소수 두 자리 수의 소수점을 오른쪽으로 한 자리 옮긴 수를 ㉮라 하고, 왼쪽으로 한 자리 옮긴 수를 ㉯라고 할 때, ㉮와 ㉯의 차는 23.265입니다. ㉮와 ㉯의 곱은 얼마입니까?

10 두 수 가, 나가 있습니다. 가와 나의 0.5배의 합은 11이고, 가보다 0.5 작은 수는 나의 1.5배와 같습니다. 가와 나를 각각 구하시오.

11 A, B, C 세 사람의 몸무게를 각각 재어 두 사람씩 몸무게의 평균을 구했더니 38.5 kg, 41.4 kg, 43.3 kg이었습니다. 가장 무거운 사람과 가장 가벼운 사람의 몸무게를 각각 구하시오.

12 어떤 수를 자연수 부분과 소수 부분으로 나누어 자연수 부분을 A, 소수 부분을 B라고 놓습니다. 예를 들어, 어떤 수가 27.13일 때, $A=27$, $B=0.13$이 됩니다. $3\times A+4\times B=15$에서 B가 0이 아니라면 이 수는 얼마입니까?

13 다음을 만족하는 ㉠, ㉡, ㉢, ㉣은 1부터 9까지의 숫자 중에서 서로 다른 숫자입니다. ㉠.㉡+㉢.㉣의 값은 얼마입니까?

- ㉠.㉡ × ㉢.㉣ = 11.4
- ㉠.㉡ − ㉢.㉣ = 6.1

14 가, 나, 다, 라 네 수가 있습니다. 가를 나로 나누면 0.15, 나를 다로 나누면 1.2, 다를 라로 나누면 0.16이 된다고 합니다. 가를 라로 나눈 값을 구하시오.

15 두 종류의 막대 ㉮, ㉯가 있습니다. ㉮와 ㉯ 막대를 각각 4개씩 겹쳐지지 않게 이어 붙였더니 총 길이가 5.6 m가 되었습니다. ㉮ 막대의 길이가 ㉯ 막대 길이의 0.25배일 때, ㉮ 막대 100개의 길이는 몇 m입니까?

16 무게가 각각 같은 사과와 배가 여러 개 있습니다. 개수를 다르게 하여 저울에 올려 놓고 무게를 재었더니 다음과 같았습니다. 배 10개는 몇 kg입니까?

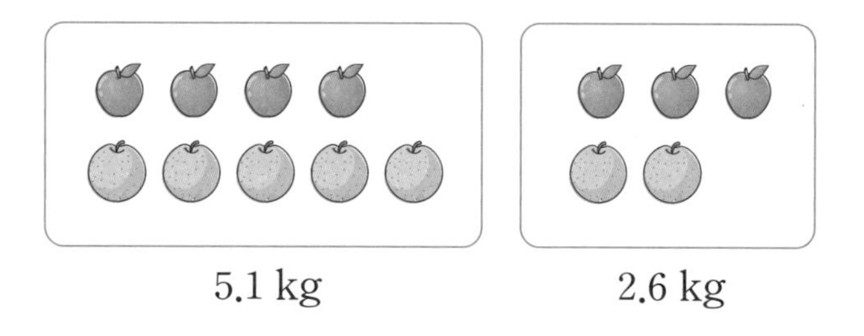

17 1.1부터 다음과 같이 규칙을 정해 나타낼 때, 2.3을 둘러싸고 있는 6개의 수의 합은 14입니다. 어떤 수를 둘러싸고 있는 6개의 수의 합이 각각 21.2, 129.2가 되는 두 수가 있습니다. 이 두 수를 찾아 두 수의 곱을 구하시오.

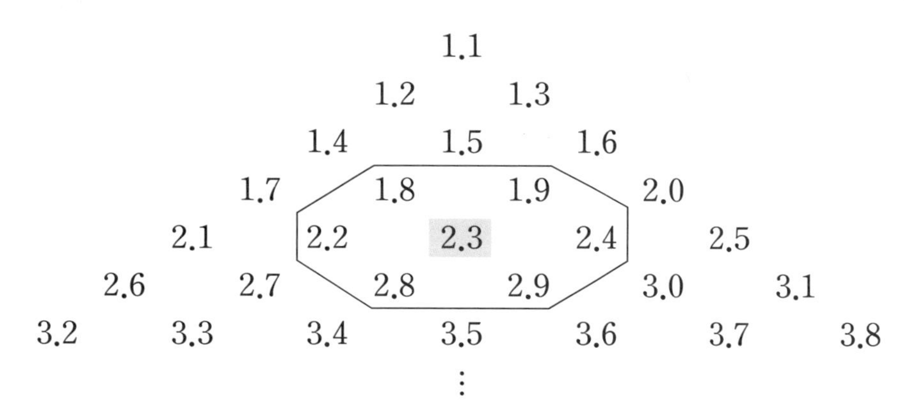

18 연속하는 세 개의 소수 한 자리 수를 곱한 값이 2□□.□3일 때, 세 개의 소수의 합은 얼마입니까?

19 보기 에서 □ 안에는 200보다 크고 250보다 작은 어떤 세 자리의 자연수가 들어가고, ◇ 안에는 1보다 큰 소수 한 자리 수가 들어갑니다. 이때 □ 안에 들어갈 수는 얼마입니까?

> 보기
>
> 493.5÷□=◇

20 오른쪽 그림과 같이 한 변의 길이가 36 cm인 정사각형 모양의 색종이를 일정한 간격으로 50장 포개어 놓았습니다. 정확히 4장만 겹쳐지는 부분의 넓이는 몇 cm^2입니까?

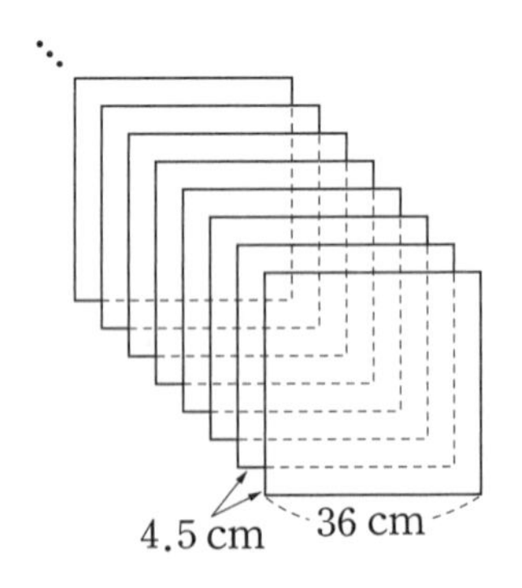

Ⅱ 도형

1. 합동과 대칭
2. 직육면체

APPLICATION

응용왕수학

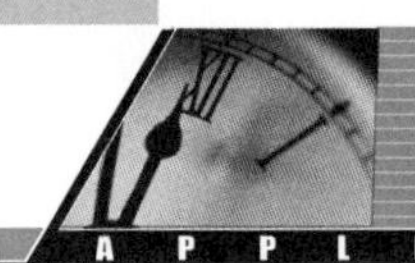

1 합동인 도형

모양과 크기가 같아서 완전히 포개어지는 두 도형을 서로 합동이라고 합니다.

2 합동인 도형의 성질

① 합동인 두 두형을 완전히 포개었을 때, 겹쳐지는 꼭짓점을 대응점, 겹쳐지는 변을 대응변, 겹쳐지는 각을 대응각이라고 합니다.
② 합동인 두 도형에서 대응변의 길이와 대응각의 크기는 각각 같습니다.

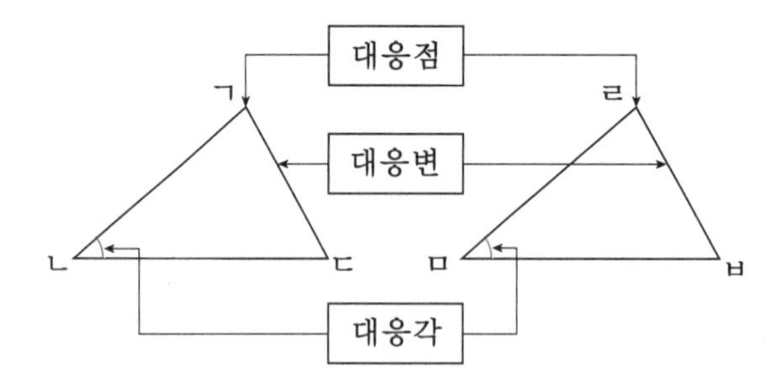

3 선대칭도형

① 어떤 직선으로 접어서 완전히 겹쳐지는 도형을 선대칭도형이라고 합니다. 그리고 그 직선을 대칭축이라 합니다.
② 선대칭도형은 대응변의 길이와 대응각의 크기가 서로 같습니다. 또, 대응점을 이은 선분은 대칭축에 의하여 수직으로 이등분됩니다.

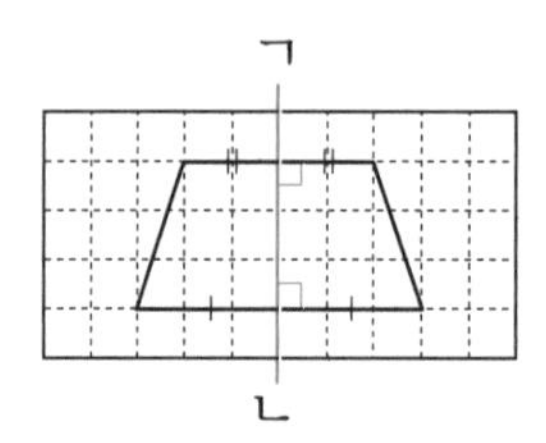

4 점대칭도형

① 한 점을 중심으로 180° 돌렸을 때, 처음 도형과 완전히 겹쳐지는 도형을 점대칭도형이라 하고, 그 점을 대칭의 중심이라고 합니다.
② 점대칭도형은 대응변의 길이와 대응각의 크기가 서로 같습니다. 또, 대응점을 이은 선분은 대칭의 중심에 의해 이등분됩니다.

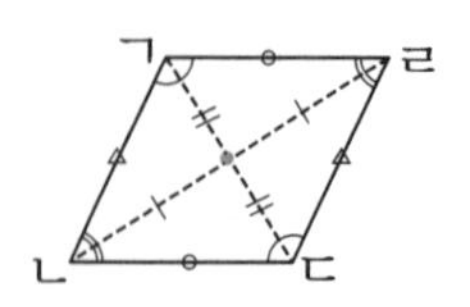

Search 탐구

다음에서 주어진 조건대로 삼각형을 그릴 수 있는 경우를 모두 고르시오.

① (변 ㄱㄴ)=3 cm, (변 ㄴㄷ)=9 cm, (변 ㄷㄱ)=5 cm
② (각 ㄴㄱㄷ)=50°, (변 ㄱㄴ)=5 cm, (변 ㄱㄷ)=4.5 cm
③ (변 ㄱㄴ)=8 cm, (각 ㄴㄱㄷ)=50°, (각 ㄱㄴㄷ)=30°
④ (변 ㄱㄴ)=6 cm, (각 ㄴㄱㄷ)=60°, (각 ㄱㄴㄷ)=120°

풀이

① 짧은 두 변의 길이의 합이 가장 긴 변의 길이보다 길어야 합니다. (×)
② 두 변과 그 사이의 각을 알면 합동인 삼각형을 그릴 수 있습니다. (○)
③ 한 변과 양 끝각의 크기를 알면 합동인 삼각형을 그릴 수 있습니다. (□)
④ 양 끝각의 합이 180° 보다 작아야 합니다. (□)

답 □, □

EXERCISE 1

1 보기 의 삼각형과 합동인 삼각형을 모두 찾아보시오.

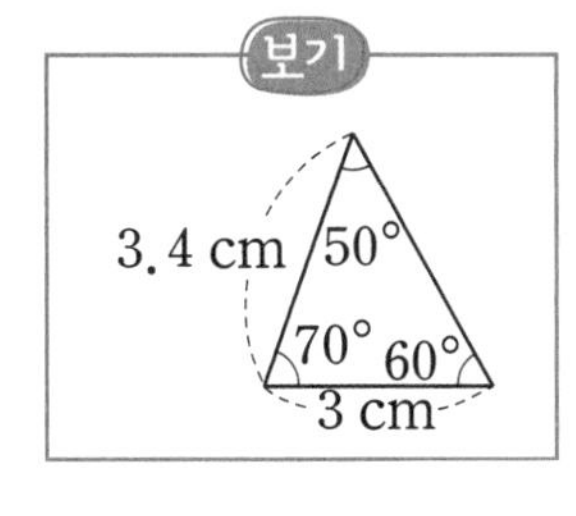

①
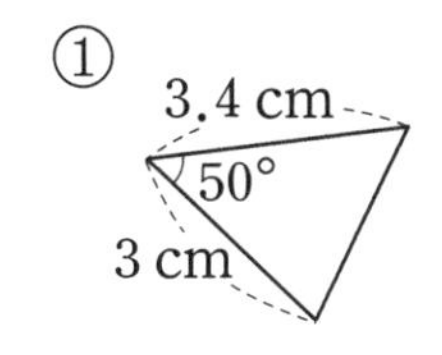

②
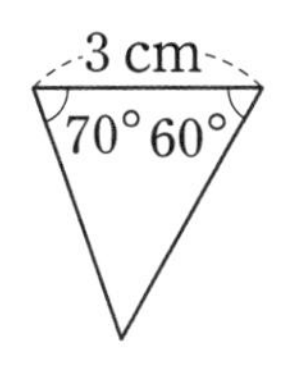

③
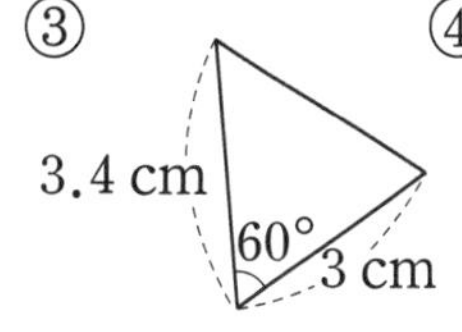

④
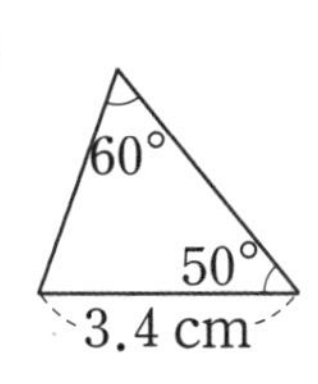

2 오른쪽 도형에서 삼각형 ㄱㄴㄷ과 삼각형 ㄷㄹㅁ은 서로 합동입니다. 물음에 답하시오.

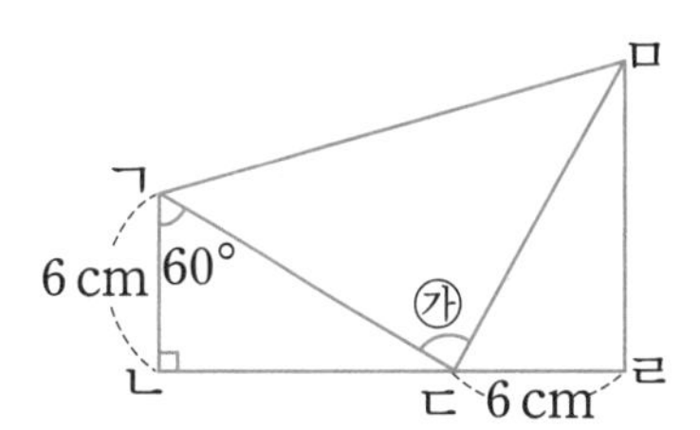

(1) 사각형 ㄱㄴㄹㅁ은 어떤 사각형이 됩니까?
(2) 각 ㄴㄱㄷ의 대응각을 쓰시오.
(3) 각 ㉮의 크기를 구하시오.

Search 탐구

문자 도형에 대하여 물음에 답하시오.

R O T E G H K I

(1) 선대칭도형은 몇 개입니까?

(2) 점대칭도형은 몇 개입니까?

(3) 선대칭도형이면서 점대칭도형은 어느 것입니까?

풀이

(1) 대칭축을 중심으로 접어서 완전히 겹쳐지는 도형은 □, □, □, □, □입니다.

(2) 대칭의 중심을 중심으로 180° 돌렸을 때, 완전히 겹쳐지는 도형은 □, □, □입니다.

(3) 선대칭도형이면서 점대칭도형인 것은 □, □, □입니다.

답 (1) □개 (2) □개 (3) □, □, □

EXERCISE 2

1 오른쪽 도형은 선분 ㄱㄴ을 대칭축으로 하는 선대칭도형입니다. 각 ㄷㅂㅅ의 크기는 몇 도입니까?

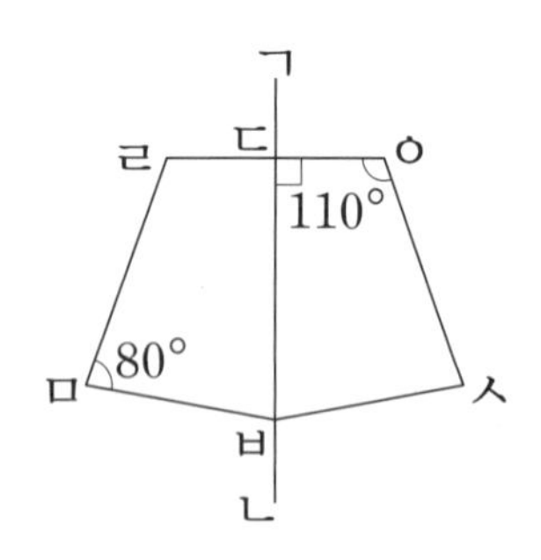

2 직사각형에서 점 ㅁ과 점 ㅂ은 각각 선분 ㄱㄴ과 선분 ㄱㄹ을 이등분 하는 점입니다. 점 ㅁ과 점 ㅂ을 대칭의 중심으로 하여 각각 점대칭도형을 완성했을 때, 완성된 두 도형의 둘레의 차는 몇 cm입니까?

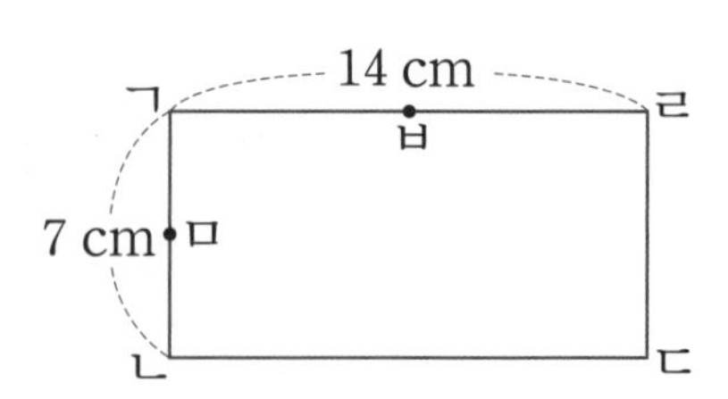

왕 문제

1 다음에 주어진 조건으로 특정한 삼각형 ㄱㄴㄷ을 그릴 수 없는 것을 모두 고르시오.

① (변 ㄱㄴ)=8cm, (변 ㄴㄷ)=12cm, (변 ㄷㄱ)=17cm
② (변 ㄱㄴ)=8cm, (변 ㄴㄷ)=9cm, (각 ㄱㄴㄷ)=65°
③ (변 ㄱㄴ)=8cm, (변 ㄱㄷ)=9cm, (각 ㄱㄷㄴ)=100°
④ (변 ㄱㄴ)=8cm, (각 ㄴㄱㄷ)=50°, (각 ㄱㄴㄷ)=110°
⑤ (각 ㄴㄱㄷ)=40°, (각 ㄱㄴㄷ)=30°, (각 ㄱㄷㄴ)=110°

2 도형의 합동에 대한 설명으로 옳지 않은 것을 모두 고르시오.

① 대응변의 길이가 각각 같습니다.
② 대응각의 크기가 각각 같습니다.
③ 모양과 크기가 같아서 완전히 포개어집니다.
④ 넓이가 같은 두 도형은 합동입니다.
⑤ 둘레의 길이가 같은 두 도형은 합동입니다.

3 오른쪽 삼각형 ㄱㄴㄷ과 삼각형 ㄹㅁㅂ은 서로 합동입니다. 겹쳐진 부분의 넓이를 구하시오.

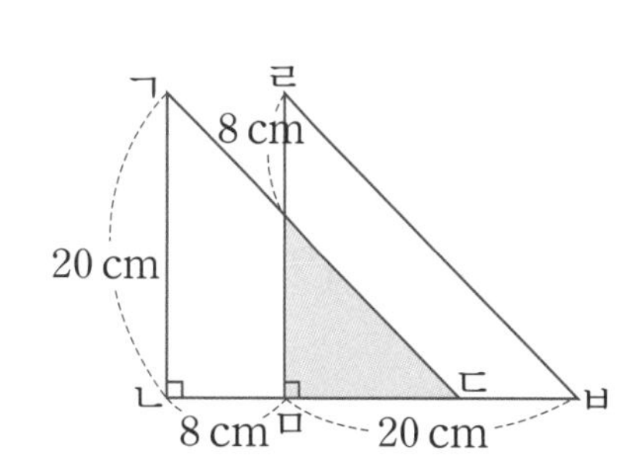

4 오른쪽 그림에서 삼각형 ㄱㄴㄷ과 ㄱㄴㅁ, 삼각형 ㄴㄹㄷ과 ㄴㄹㅂ은 서로 합동입니다. 각 ㄱㄴㄷ은 20°, 각 ㅁㄴㅂ은 70°일 때, 각 ㄷㄴㄹ의 크기를 구하시오.

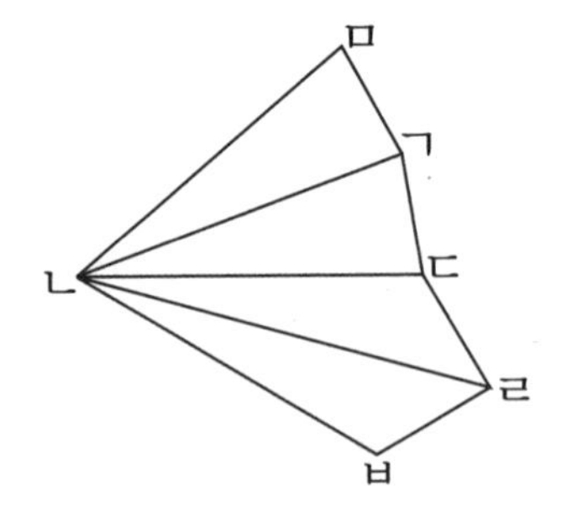

5 오른쪽 그림과 같이 직사각형 ㄱㄴㄷㄹ을 선분 ㄴㄹ을 따라 접었을 때, 각 ㉮와 각 ㉯의 크기를 각각 구하시오.

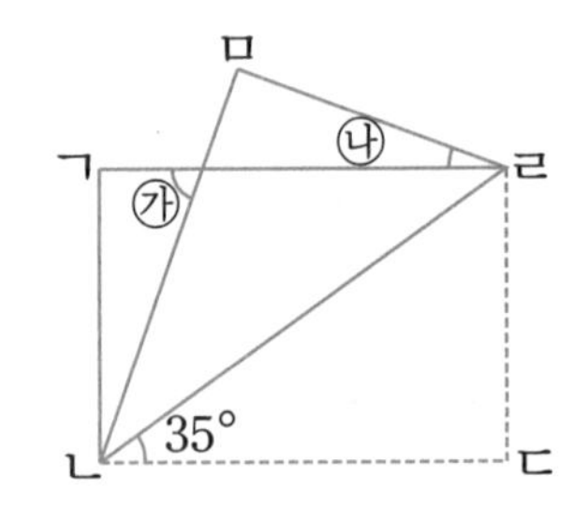

6 오른쪽 이등변삼각형을 꼭짓점 ㄷ을 중심으로 겹치지 않고 여러 개를 빈틈없이 붙여 놓으면 어떤 도형이 되겠습니까?

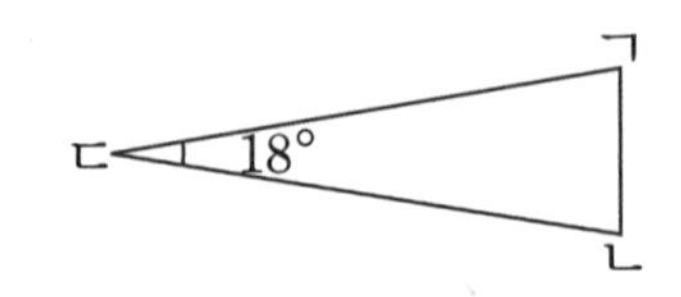

7 도형에 대하여 물음에 답하시오.

① 정삼각형	② 직각삼각형	③ 평행사변형	④ 직사각형	⑤ 반원
⑥ 이등변삼각형	⑦ 사다리꼴	⑧ 마름모	⑨ 정오각형	⑩ 원

(1) 선대칭도형만 되는 것은 어느 것입니까?
(2) 점대칭도형만 되는 것은 어느 것입니까?
(3) 점대칭도형이면서 선대칭도형은 어느 것입니까?

8 다음 도형은 점 ㅅ을 대칭의 중심으로 하는 점대칭도형이고, 선분 ㄴㄷ은 20 cm, 선분 ㄷㅅ은 4 cm입니다. 이때, 선분 ㄴㅂ의 길이를 구하시오.

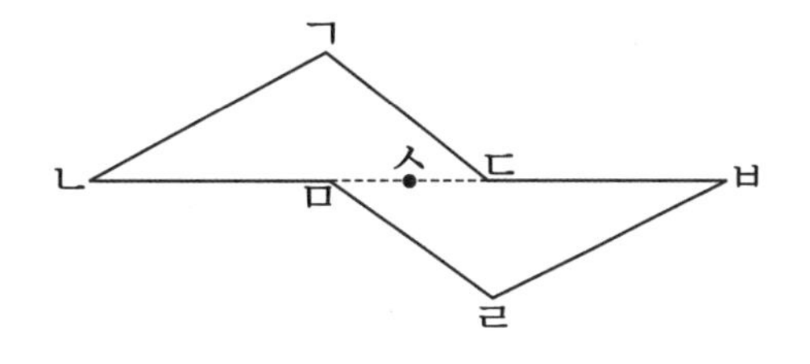

9 도형에서 점대칭도형을 모두 찾고, 점대칭도형의 대칭의 중심을 그려 넣으시오.

①  
② 
③ 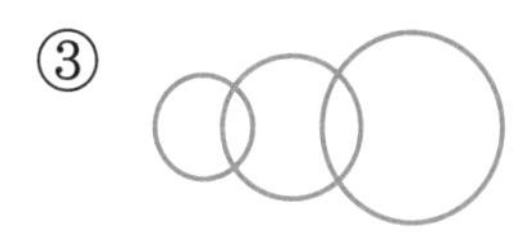
④ 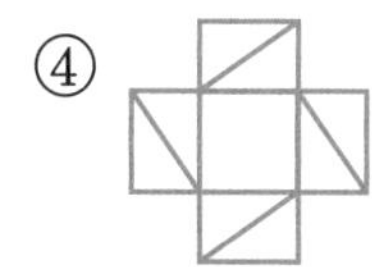
⑤ 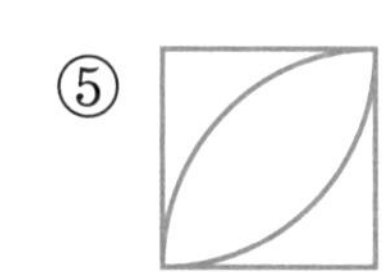
⑥ 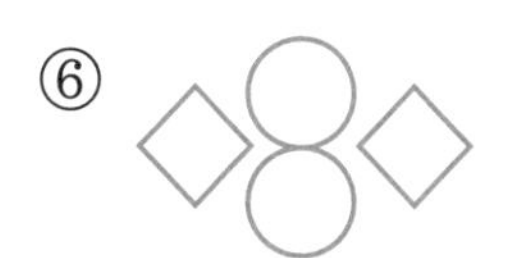

10 오른쪽 그림은 직각삼각형 ㄱㄴㄷ을 꼭짓점 ㄷ을 고정시키고 화살표 방향으로 이동시킨 도형입니다. 이때, 변 ㄴㄷ과 변 ㄹㅁ은 서로 평행합니다. 물음에 답하시오.

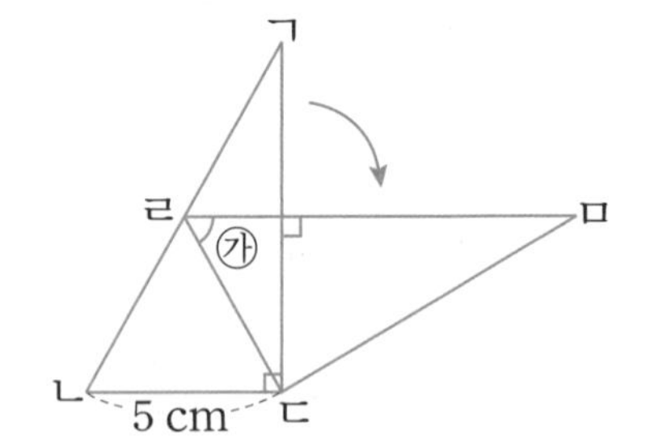

(1) 각 ㉮는 몇 도입니까?

(2) 변 ㄱㄴ은 몇 cm입니까?

11 한 변의 길이가 10 cm인 정사각형 두 개를 겹쳐서 오른쪽과 같은 선대칭도형을 만들었습니다. 이 선대칭도형의 넓이가 184 cm^2이면 둘레의 길이는 몇 cm입니까?

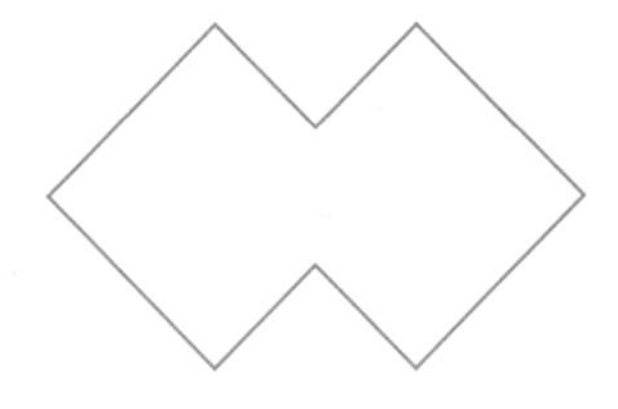

12 그림은 점 ㅇ을 대칭의 중심으로 하는 점대칭도형의 일부분을 나타낸 것입니다. 완성된 점대칭도형의 둘레의 길이는 몇 cm입니까?

(1)

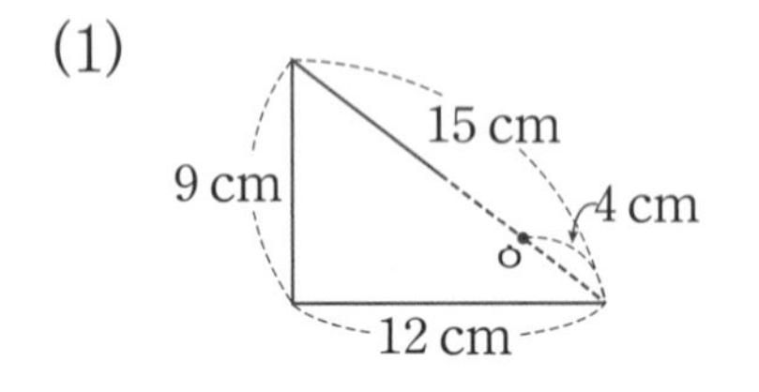

(2)

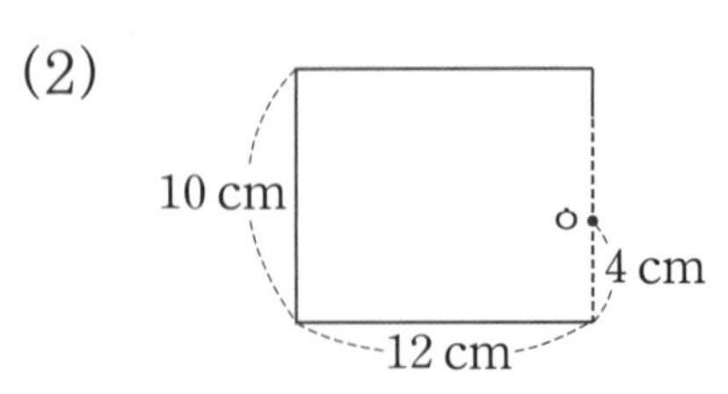

13 오른쪽 그림과 같이 직사각형 ㄱㄴㄷㅂ을 접었을 때, 직사각형 ㄱㄴㄷㅂ의 넓이를 구하시오.

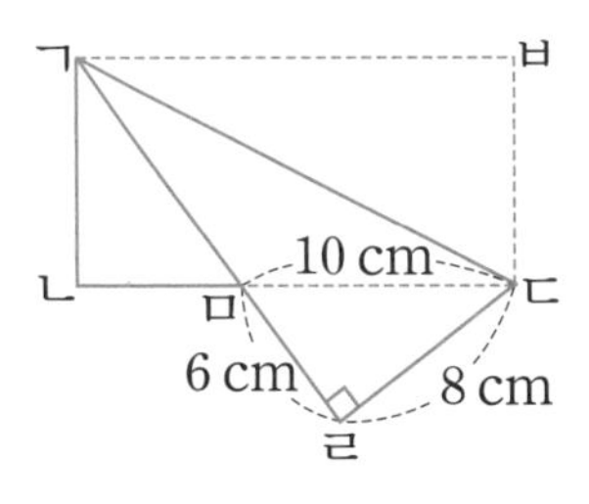

14 사각형은 모두 한 변의 길이가 4 cm인 정사각형입니다. 색칠한 부분의 넓이의 합은 몇 cm^2입니까?

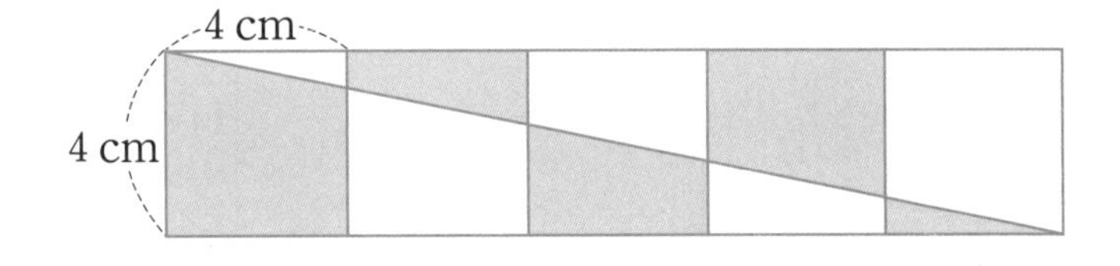

15 오른쪽 그림은 정사각형 모양의 종이 ㄱㄴㄷㄹ을 반으로 접은 선 ㅁㅂ 위에 정사각형의 두 꼭짓점 ㄱ과 ㄴ이 오도록 접은 것입니다. 이때, 각 ㉠의 크기를 구하시오.

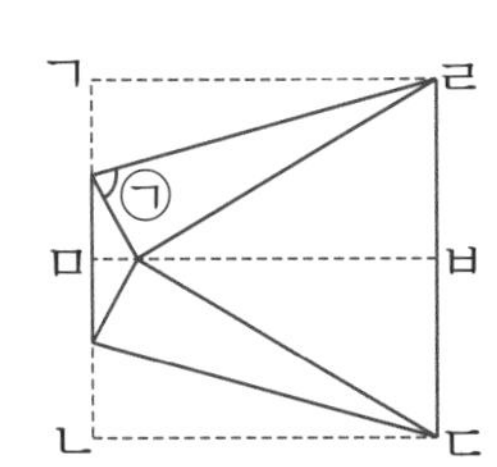

16 합동인 정사각형 ㉮, ㉯가 있습니다. 정사각형 ㉯의 한 꼭짓점이 오른쪽 그림과 같이 점 ㄱ과 겹쳐 있습니다. 정사각형의 한 변의 길이가 10 cm일 때, 두 도형이 겹치는 부분의 넓이는 얼마입니까?

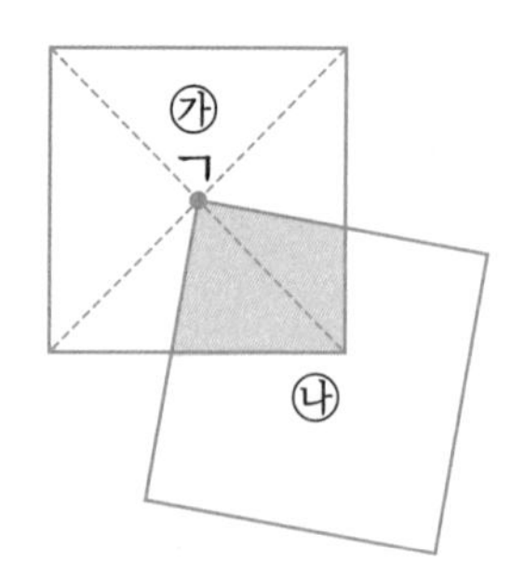

17 점 ㅇ을 대칭의 중심으로 하는 점대칭도형의 일부분입니다. 선분 ㅇㄱ이 2 cm일 때 완성한 점대칭도형의 둘레는 몇 cm입니까?

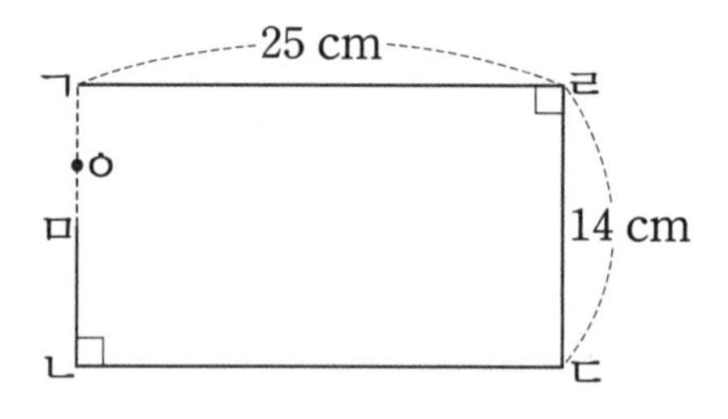

18 삼각형 ㄱㄴㄷ과 삼각형 ㄷㅁㄹ은 서로 합동입니다. 변 ㄱㄷ을 한 변으로 하는 정사각형의 넓이를 구하시오.

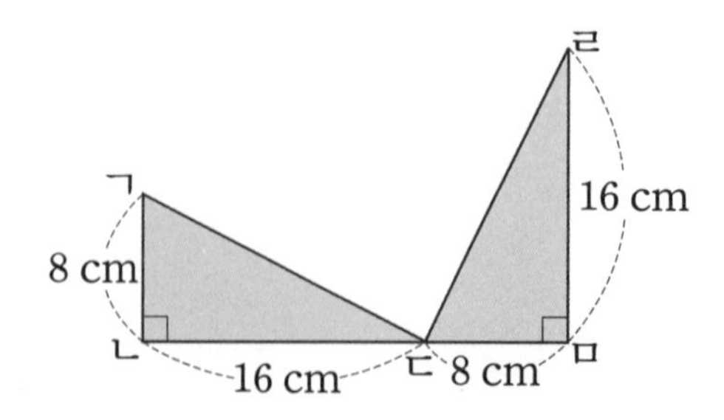

전국 경시 예상 등위			
대상권	금상권	은상권	동상권
16/18	14/18	12/18	10/18

1 여러 가지 직사각형과 정삼각형이 합하여 14개 있습니다. 도형들의 대칭축은 모두 43개라고 하면 직사각형 중 정사각형은 최대 ㉠개, 최소 ㉡개 있습니다. 이때 ㉠과 ㉡의 차를 구하시오.

2 삼각형의 두 변의 길이가 4 cm, 7 cm이고, 나머지 한 변의 길이가 □ cm일 때, □가 될 수 있는 자연수들의 합을 구하시오.

3 오른쪽 그림에서 사각형 ㄱㄴㄷㄹ과 사각형 ㅁㄷㅂㅅ은 정사각형입니다. 선분 ㄴㅁ의 연장선과 선분 ㅂㄹ의 연장선이 만나는 점을 점 ㅇ이라고 할 때, 각 ㄴㅇㅂ의 크기를 구하시오.

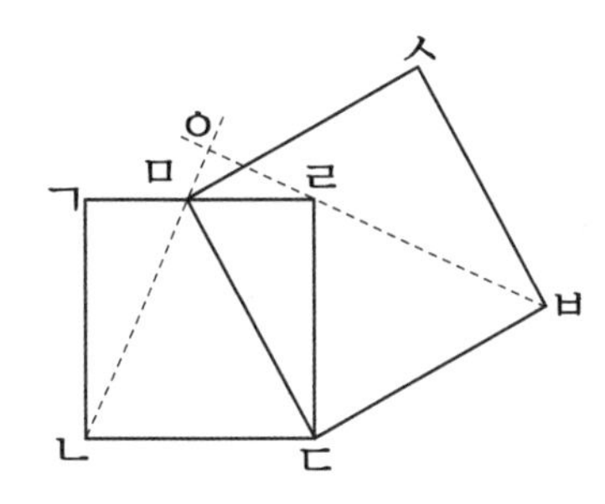

4 정사각형 11개를 겹치지 않게 이어 붙여 만든 도형입니다. 크기가 같은 정사각형 2개를 변끼리 더 이어 붙여서 점대칭도형을 만들 때, 만들 수 있는 방법은 모두 몇 가지입니까?

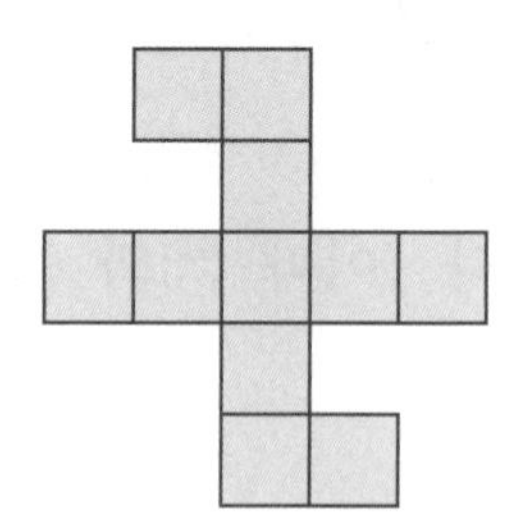

5 삼각형 ㄱㄴㄷ은 선분 ㄱㄹ을 대칭축으로 하는 선대칭도형이고, 삼각형 ㄱㅁㄷ은 선분 ㅁㅂ을 대칭축으로 하는 선대칭도형입니다. 각 ㄴㅁㄷ의 크기가 92°일 때 각 ㄴㄷㅁ의 크기는 몇 도입니까?

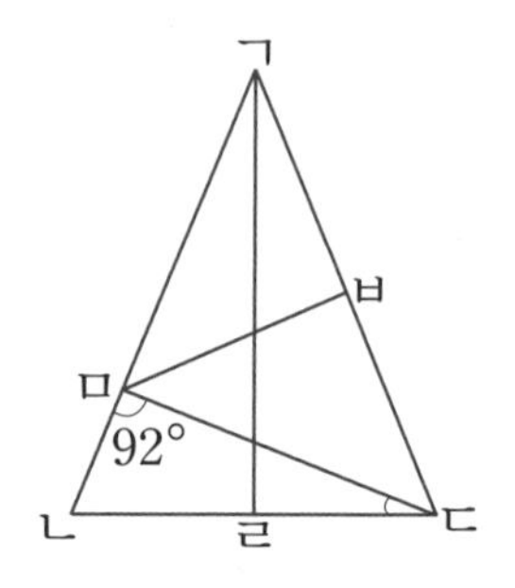

6 오른쪽 그림의 두 직각삼각형 ㄱㄴㄷ과 ㄱㄹㅁ은 서로 합동입니다. 선분 ㄴㅂ의 길이는 몇 cm입니까?

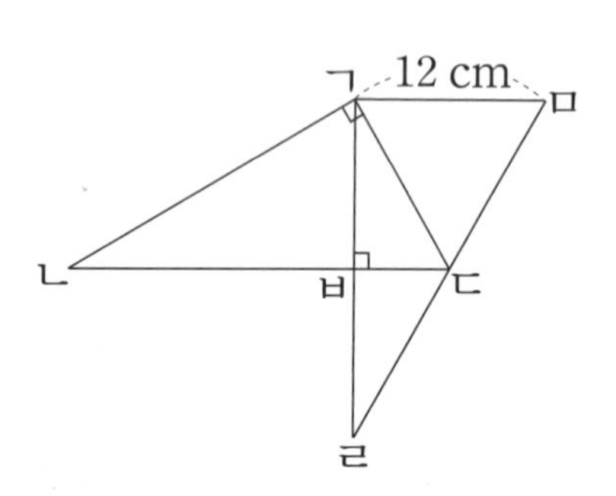

7 오른쪽 그림에서 삼각형 ㄱㄹㅁ은 정삼각형 ㄱㄴㄷ을 꼭짓점 ㄱ을 중심으로 하여 오른쪽으로 35° 회전시킨 것입니다. 각 ㄹㅂㄱ의 크기를 구하시오.

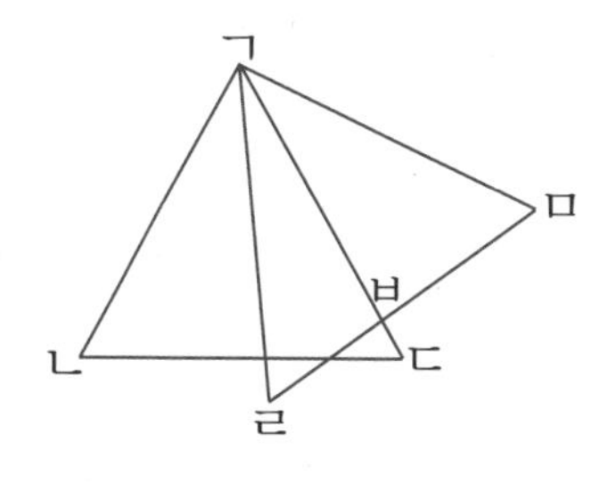

8 오른쪽 그림에서 삼각형 ㄱㄴㄷ과 삼각형 ㄹㅁㄷ은 합동이고 직각삼각형입니다. 각 ㉠의 크기를 구하시오.

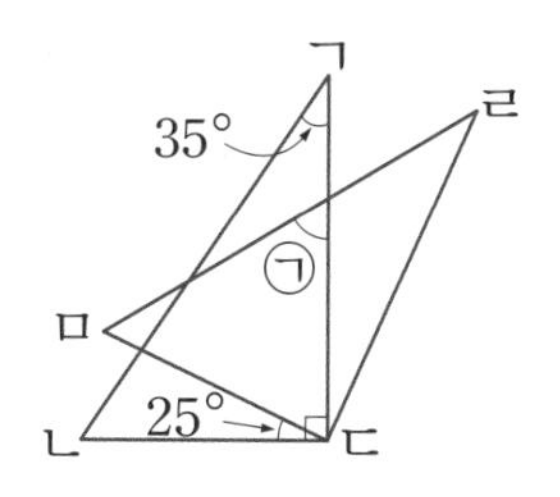

9 오른쪽 그림에서 삼각형 ㄹㄴㄱ, 삼각형 ㅁㄴㄷ, 삼각형 ㅂㄱㄷ은 삼각형 ㄱㄴㄷ의 세 변을 각각 한 변으로 하는 정삼각형입니다. 물음에 답하시오.

(1) 삼각형 ㄱㄴㄷ과 합동인 삼각형은 모두 몇 개 있습니까?

(2) 각 ㄱㄹㅁ과 각 ㄹㄱㅂ의 크기의 합을 구하시오.

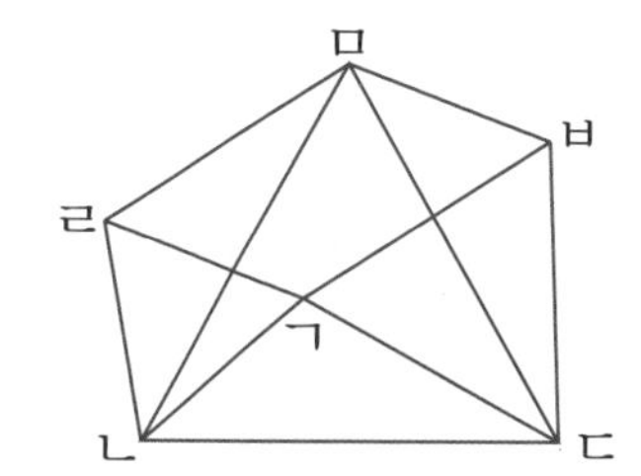

10 다음과 같은 숫자 카드를 사용하여 만들 수 있는 두 자리 수 중에서 [1][1]은 점대칭인 수입니다. 만들 수 있는 세 자리 수 중에서 점대칭인 수는 모두 몇 개입니까? (단, 숫자 카드는 여러 번 사용할 수 있습니다.)

[0] [1] [2] [3] [4] [5] [6] [7] [8] [9]

11 오른쪽 그림에서 삼각형 ㄹㄴㄷ과 삼각형 ㄹㅁㄷ은 서로 합동이고, 변 ㄹㅂ과 변 ㄴㄷ은 서로 평행합니다. 사각형 ㄹㄴㅂㅁ의 넓이를 구하시오.

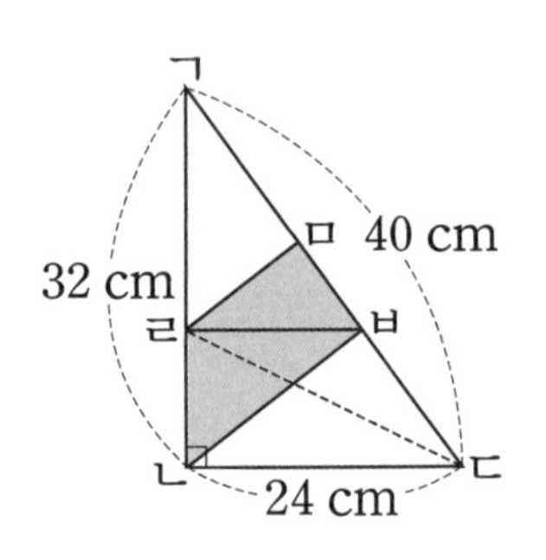

12 사각형 ㄱㄴㄷㄹ과 사각형 ㅁㅂㅅㅇ은 각각 대칭축이 4개인 선대칭도형입니다. 선분 ㄱㅁ과 선분 ㅁㅈ의 길이가 같고, 사각형 ㄱㄴㄷㄹ의 넓이가 576 cm^2일 때, 사각형 ㄱㄴㅂㅁ의 넓이는 몇 cm^2입니까?

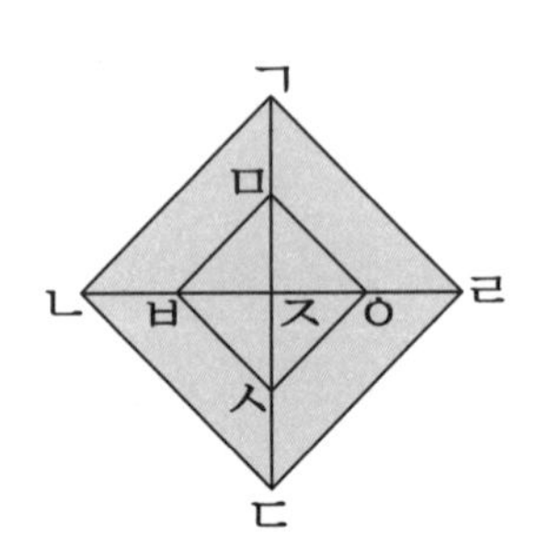

13 삼각형 ㄱㄴㄷ과 삼각형 ㄷㄹㅁ은 두 변이 각각 30 cm, 16 cm이고 합동인 직각삼각형입니다. 사다리꼴 ㄱㄴㄹㅁ의 넓이가 1058 cm^2일 때, 변 ㄱㄷ의 길이를 구하시오.

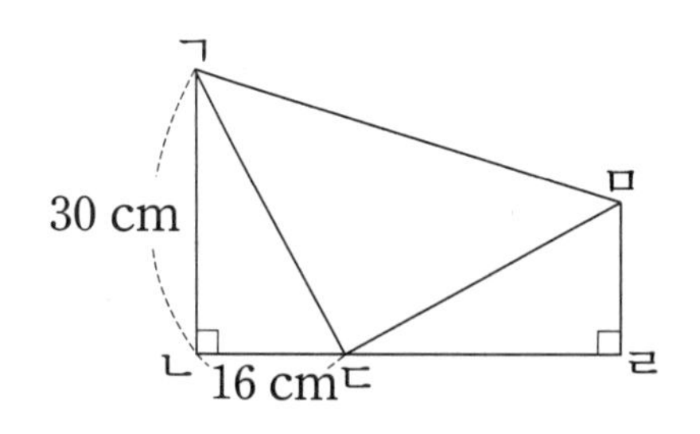

14 오른쪽 그림에서 직선 ㉮에 대하여 점 ㄱ의 대응점은 점 ㄴ이고, 직선 ㉯에 대하여 점 ㄴ의 대응점은 점 ㄷ입니다. 각 ㄱㄹㄷ의 크기를 구하시오.

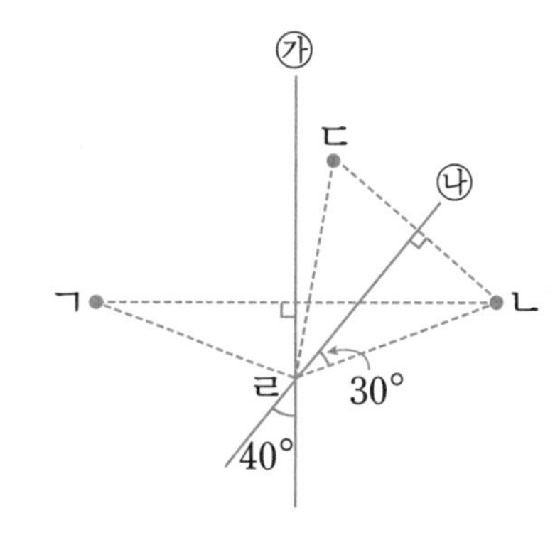

15 오른쪽 그림과 같이 선분 ㄱㄴ 위에 점 ㄷ을 잡고 정삼각형 ㄱㄹㄷ과 정삼각형 ㄷㅁㄴ을 그린 후 선분 ㄱㅁ과 선분 ㄴㄹ이 만난 점을 점 ㅂ이라 할 때, 각 ㄱㅂㄴ의 크기를 구하시오.

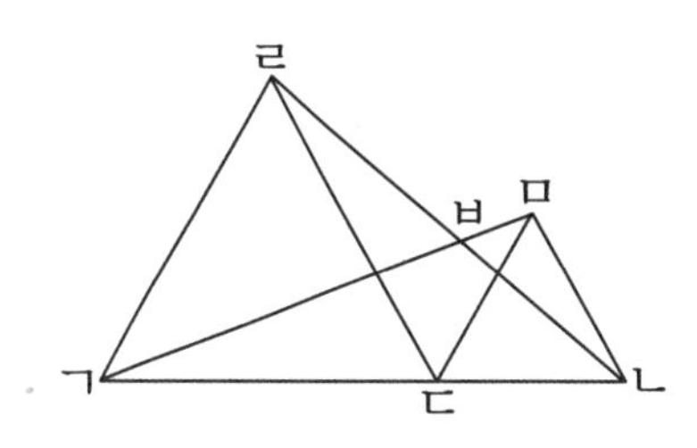

16 그림은 정오각형 ㄱㄴㄷㄹㅁ을 감싸고 있는 종이 테이프를 풀어 놓은 것입니다. 종이 테이프의 점선은 접은 선을 표시한 것이고, ①의 길이는 ②의 길이의 $\frac{1}{2}$입니다. 이 종이 테이프를 다시 정오각형 ㄱㄴㄷㄹㅁ에 감을 때, 점 ㅇ은 선분 ㄱㄷ, ㄱㄹ, ㄴㄹ, ㄴㅁ, ㄷㅁ 중 어느 선 위에 옵니까?

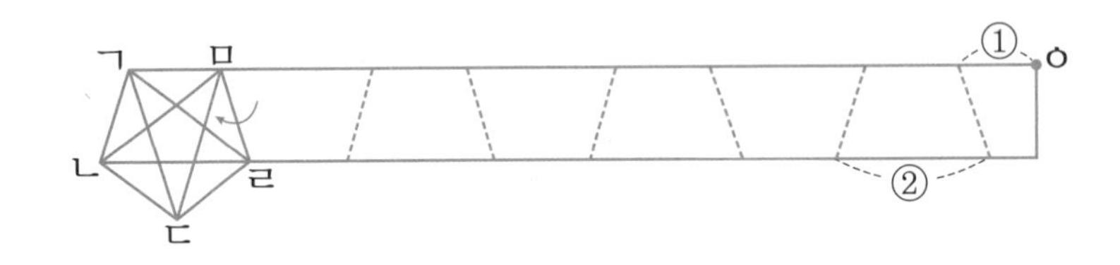

다음 도형은 점 ㅇ을 중심으로 하는 원통 거울의 단면을 나타낸 것입니다. 어떤 점 ㅈ으로부터 나온 빛은 직진하여 원에 닿으면 [그림 1]과 같이 각 ㅈㅊㅇ과 각 ㅇㅊㅌ의 크기가 같게 반사됩니다. [그림 2]와 같이 원 위의 점 ㄱ에서 선분 ㄱㅇ과 62°의 방향으로 빛이 나와 몇 번 반사하였더니 다시 점 ㄱ에 도착하였습니다. 물음에 답하시오. (**17**~**18**)

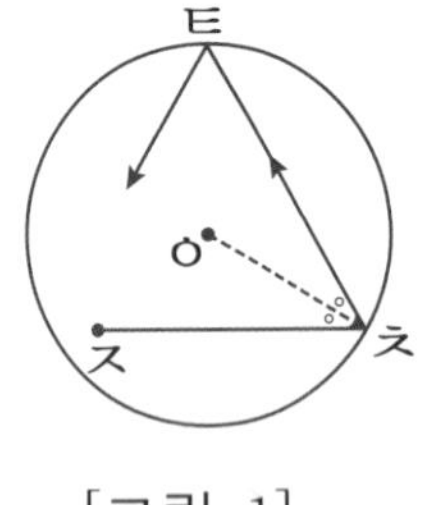

[그림 1]

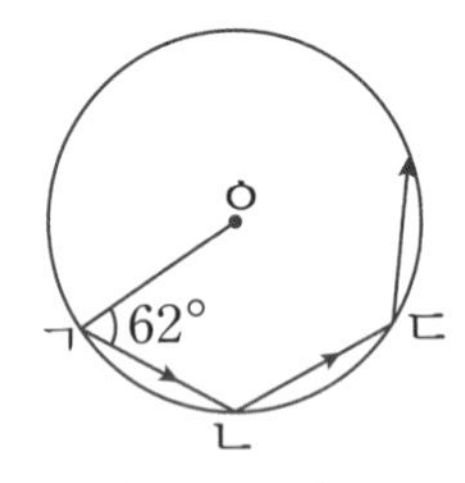

[그림 2]

17 이 빛은 원을 몇 바퀴 돌았습니까?

18 이 빛은 점 ㄱ에 돌아올 때까지 몇 번 반사하였습니까?

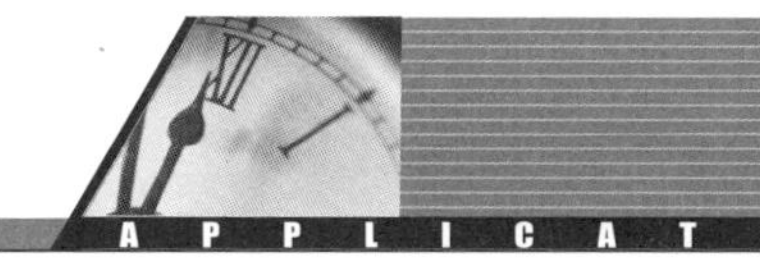

핵심내용

APPLICATION

2 직육면체

1 직육면체와 정육면체

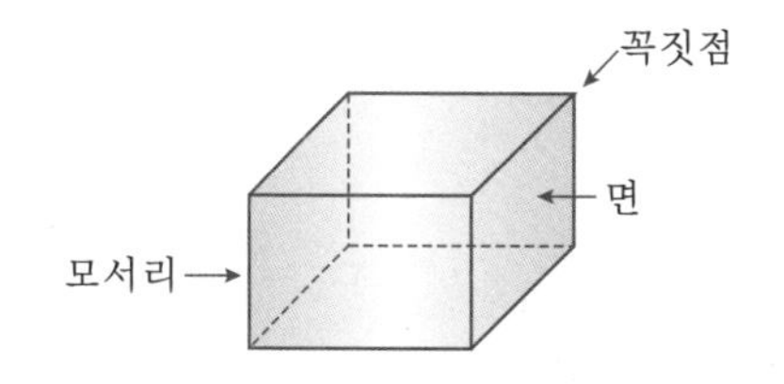

① 직사각형 6개로 둘러싸인 도형을 직육면체라고 합니다.

② 직육면체를 둘러싸고 있는 직사각형을 직육면체의 면이라 하고, 직육면체의 면과 면이 만나는 선분을 모서리라고 합니다. 또, 직육면체의 세 모서리가 만나는 점을 꼭짓점이라고 합니다.

③ 크기가 같은 정사각형 6개로 둘러싸인 도형을 정육면체라고 합니다.

④ 직육면체와 정육면체의 구성 요소

	직육면체	정육면체
면의 수	6개	6개
모서리의 수	12개	12개
꼭짓점의 수	8개	8개

2 직육면체의 면 사이의 관계

① 직육면체에서 계속 늘여도 만나지 않는 두 면을 서로 평행이라 하고, 평행한 두 면을 밑면이라고 합니다.

② 직각으로 만나는 두 면을 서로 수직이라 하고, 밑면과 수직인 면을 옆면이라고 합니다.

3 직육면체의 겨냥도

오른쪽 그림은 직육면체를 잘 알 수 있게 평행한 모서리는 평행하게 그리고, 보이는 모서리는 실선으로, 보이지 않는 모서리는 점선으로 그린 것입니다. 이러한 그림을 직육면체의 겨냥도라고 합니다.

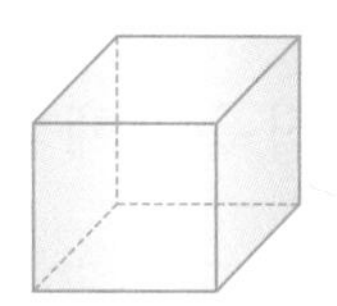

4 직육면체의 전개도

직육면체를 펼쳐서 평면에 그린 그림을 직육면체의 전개도라고 합니다.
전개도에서 접는 부분은 점선으로 나타내고, 나머지 부분은 실선으로 나타냅니다.

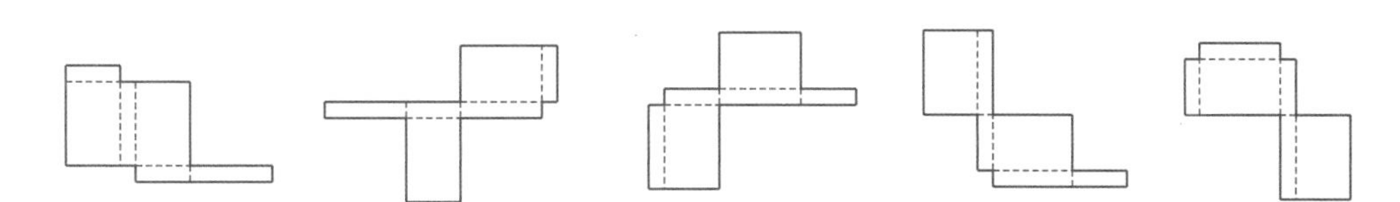

Search 탐구

직육면체를 여러 방향에서 보고 그린 것입니다. □ 안에 알맞은 수를 써넣으시오.

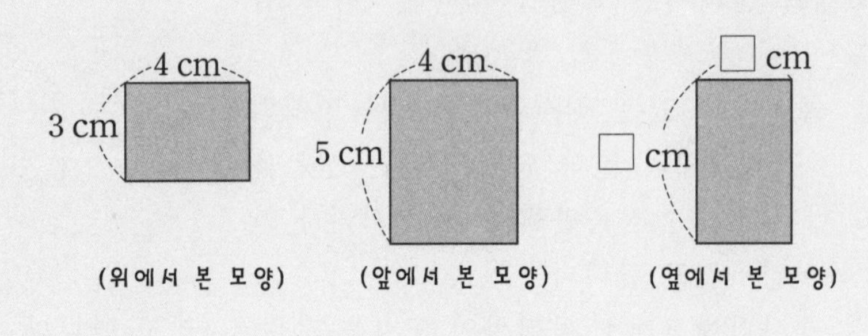

풀이

직육면체는 면이 □개, 모서리가 □개, 꼭짓점이 □개 있습니다. 또, 직육면체는 크기가 같은 면이 □쌍 있습니다. 위에서 본 모양에서 직육면체의 가로와 세로의 길이를 알 수 있고, 앞에서 본 모양에서 가로와 높이를 알 수 있고, 옆에서 본 모양에서 세로와 높이를 알 수 있습니다.

따라서 가로가 4 cm, 세로가 □ cm, 높이가 □ cm인 직육면체입니다.

답

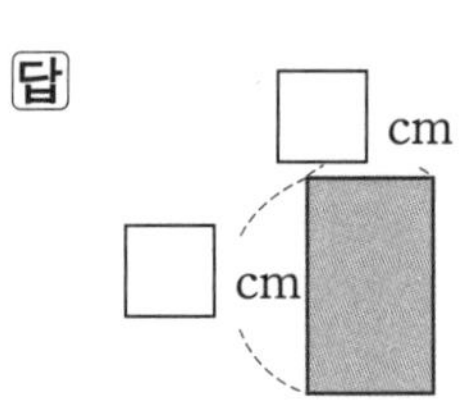

EXERCISE 1

1 직육면체의 전개도를 모두 찾아보시오.

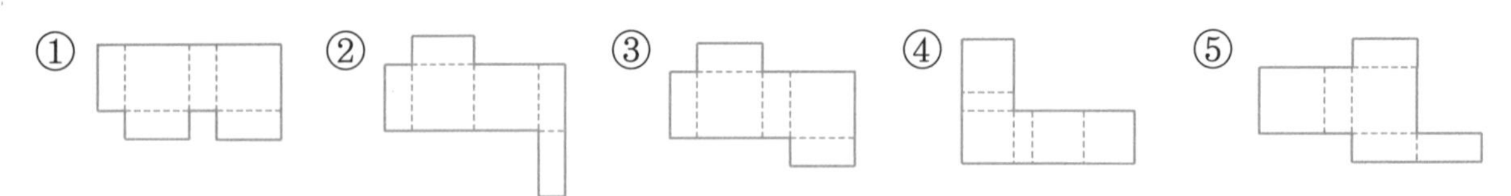

2 오른쪽 그림은 어떤 입체도형을 정면과 위에서 본 모양을 그린 것입니다. 이 도형의 겨냥도를 그려 보시오.

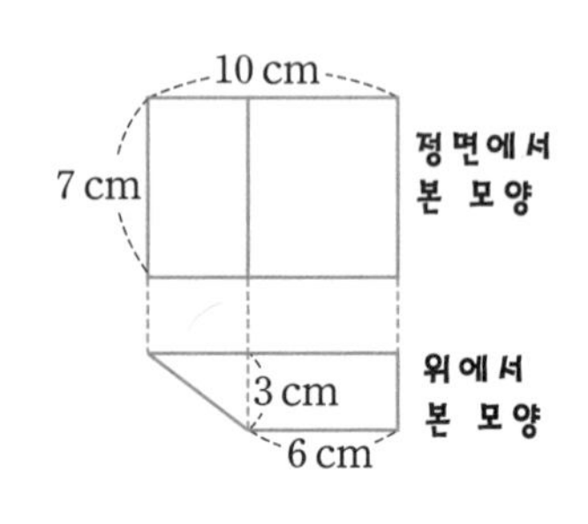

Search 탐구

그림과 같은 정육면체 모양의 상자 한 가운데를 끈으로 묶었습니다. 전개도에 끈이 지나간 곳을 그려 넣으시오.

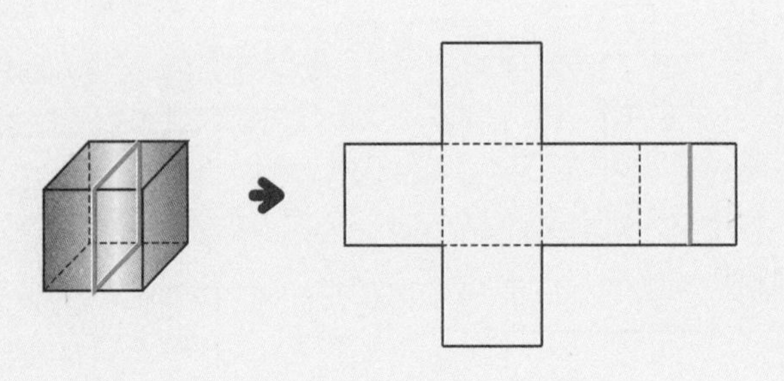

풀이

전개도에 선을 그은 후 전개도를 다시 접었을 때 겨냥도와 같은 모양인지 확인해 봅니다.

답

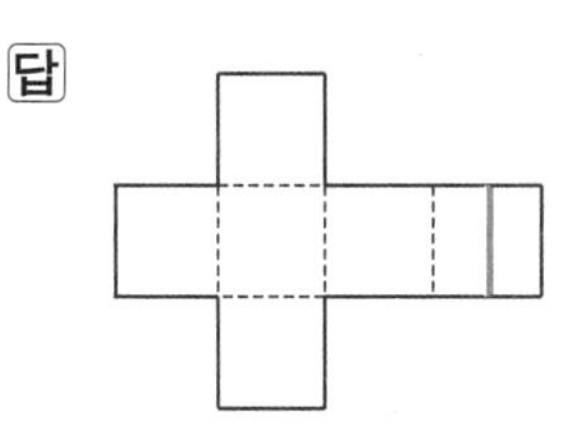

EXERCISE 2

1 주사위의 전개도에서 마주 보는 눈의 합이 7이 되도록 빈 곳에 주사위의 눈을 알맞게 그려 넣으시오.

(1)

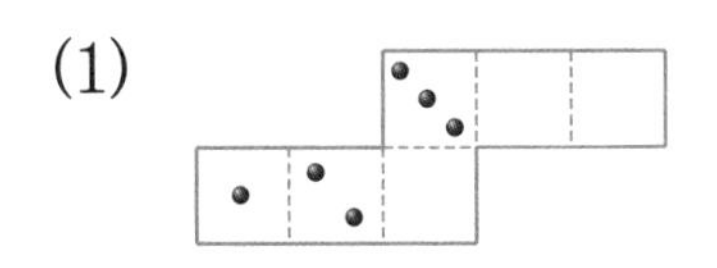

(2)

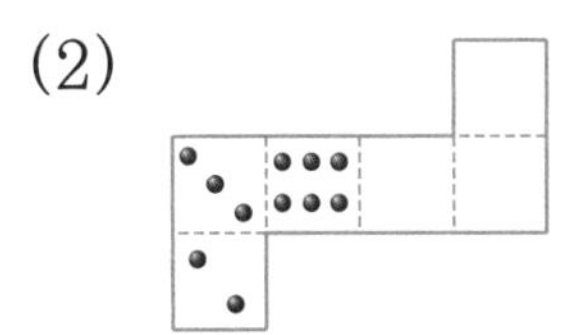

(3)

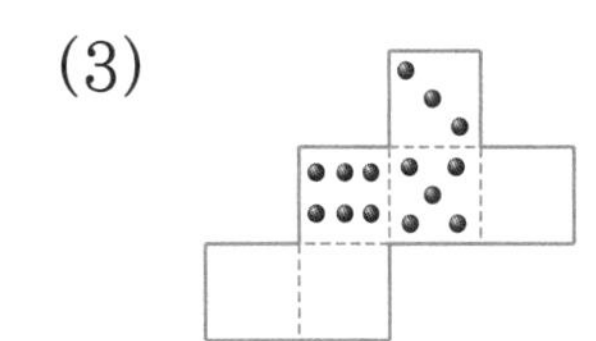

2 크기가 같은 정육면체를 오른쪽 그림과 같이 쌓아 바로 앞에서 보아도, 바로 옆에서 보아도 6개가 보이도록 하였습니다. 정육면체는 모두 몇 개가 쌓여져 있습니까?

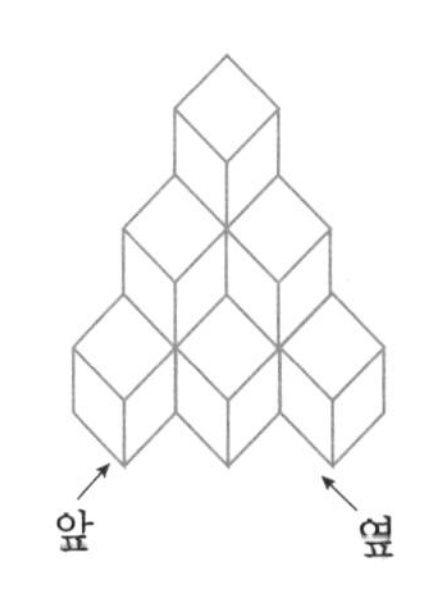

전국 경시 예상 등위			
대상권	금상권	은상권	동상권
19/20	18/20	17/20	16/20

1 정육면체의 전개도를 모두 찾아보시오.

① 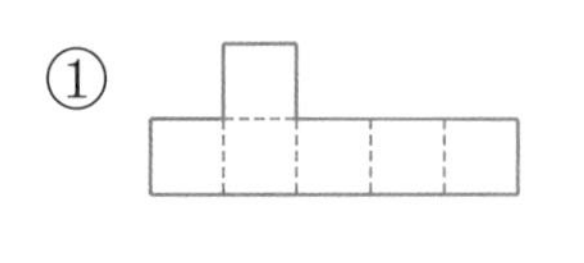
② 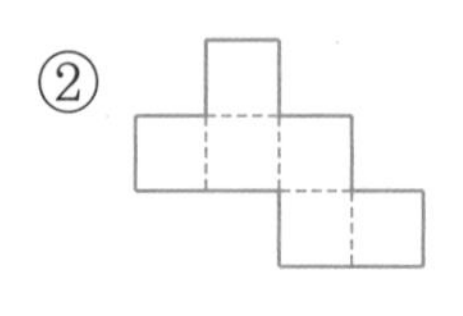
③ 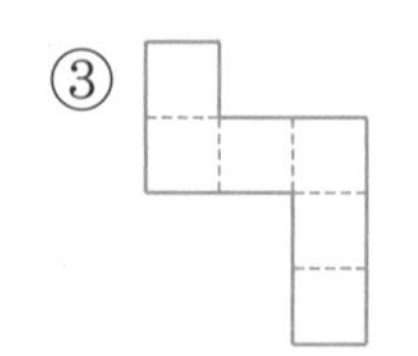
④ 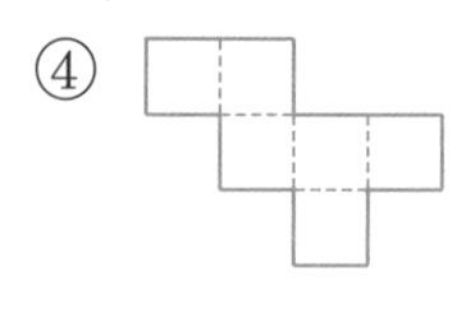
⑤ 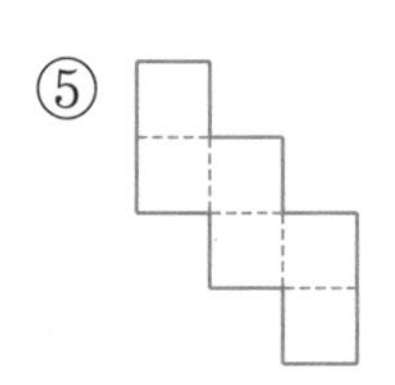
⑥ 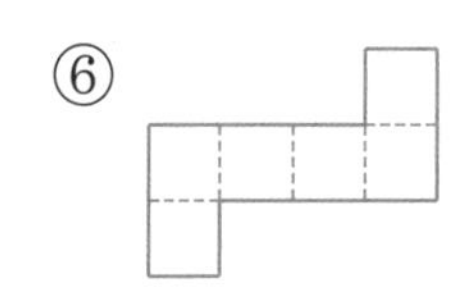
⑦ 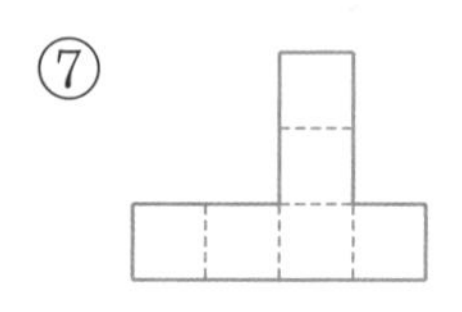
⑧ 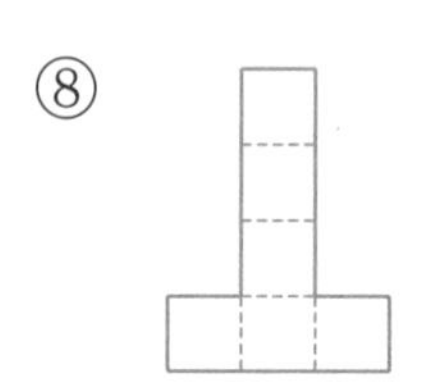

2 정육면체의 전개도입니다. 이것을 접었을 때, ㉮면과 평행한 면은 ◎표, 점 ㉠과 만나는 점에는 ○표를 하시오.

(1) 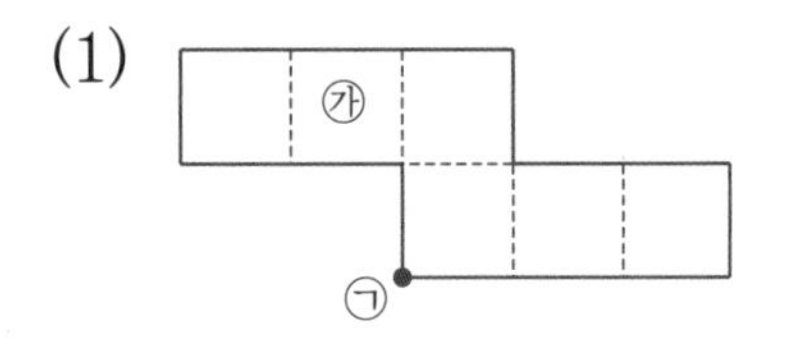

(2) 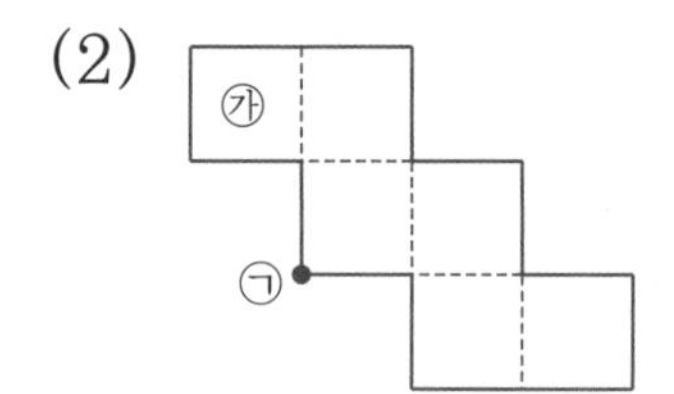

3 오른쪽 그림은 직육면체의 겨냥도의 일부분입니다. 겨냥도를 완성하시오.

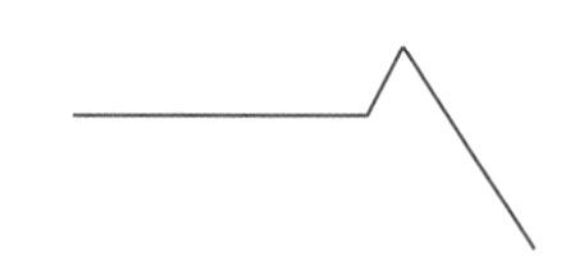

4 오른쪽 직육면체의 전개도를 그릴 때, 전개도의 둘레의 길이가 가장 작은 경우는 몇 cm입니까?

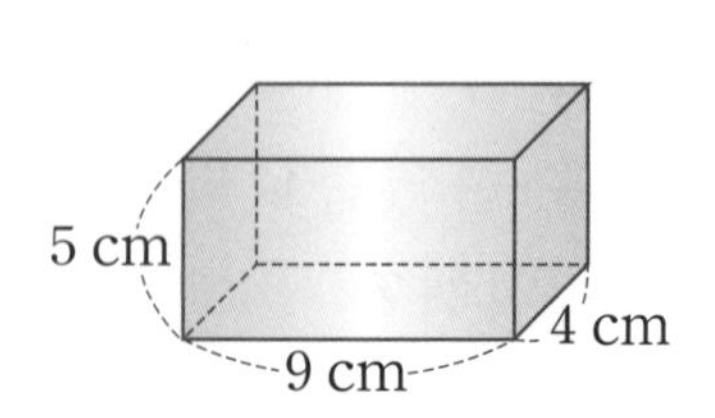

5 오른쪽 정육면체의 전개도를 이용하여 정육면체를 만들었을 때, 한 꼭짓점에 모인 세 면 위의 수의 합 중 가장 큰 것은 얼마입니까?

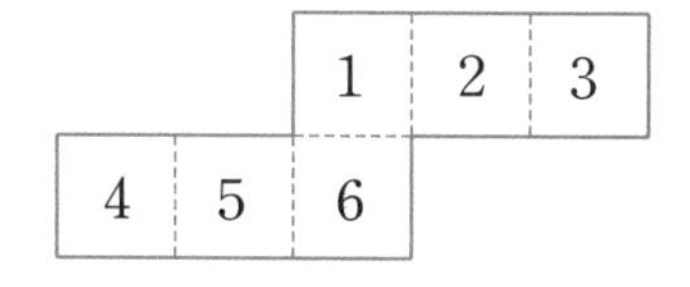

6 오른쪽 그림은 정육면체의 전개도입니다. 전개도를 접어서 정육면체를 만들 때, 모서리끼리 겹치는 부분은 몇 군데 있습니까?

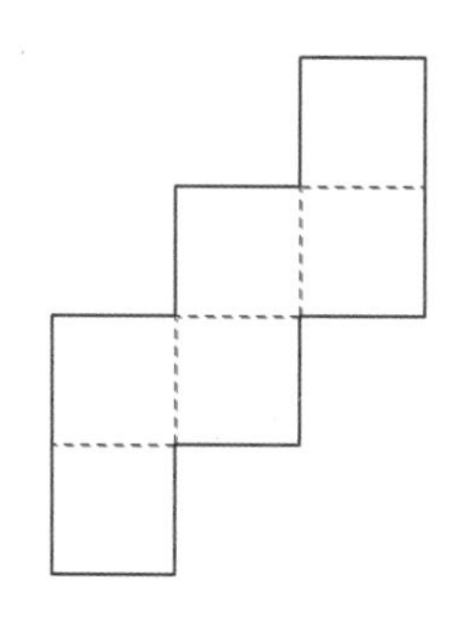

7 오른쪽 그림은 정육면체의 전개도의 일부분을 나타낸 것입니다. 나머지 한 면을 어떻게 붙이면 되는지 모두 그려 보시오.

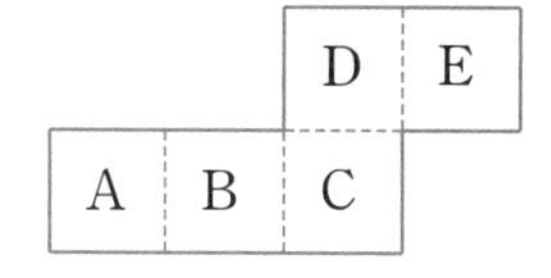

8 보기 의 정육면체의 전개도가 아닌 것은 어느 것입니까?

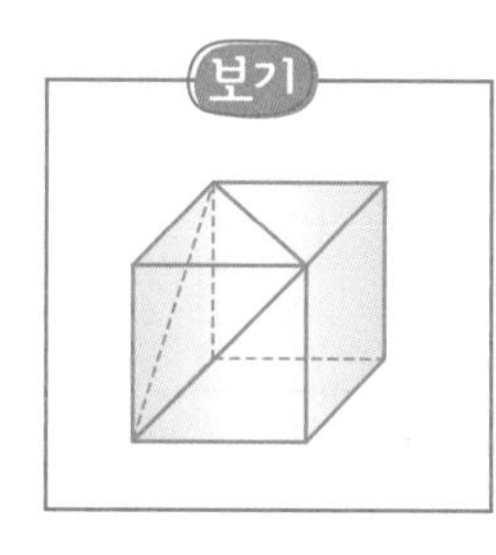

① 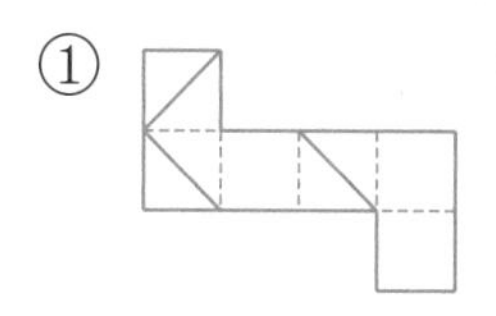

② 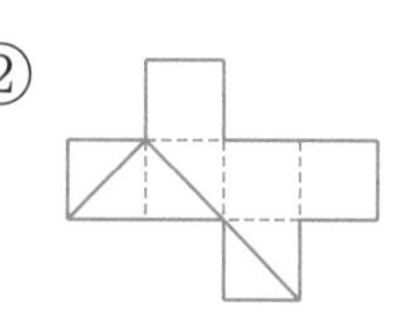

③ 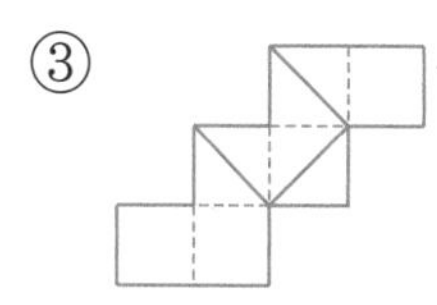

④ 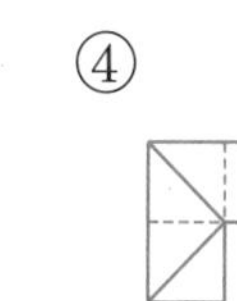 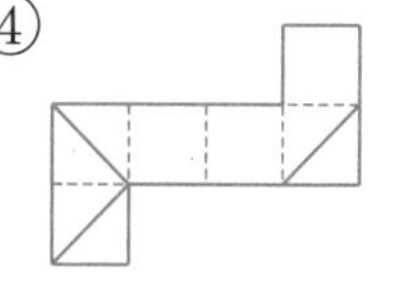

9 오른쪽 그림과 같은 직육면체의 ㄱ→ ㅊ→ ㅅ과 ㄱ → ㅈ→ ㅅ은 꼭짓점 ㄱ에서 면의 위를 지나 꼭짓점 ㅅ까지 가는 가장 짧은 선을 나타낸 것입니다. 전개도 (가)와 (나)에 지나간 선을 그리고, 점 ㅈ, ㅊ을 써넣으시오.

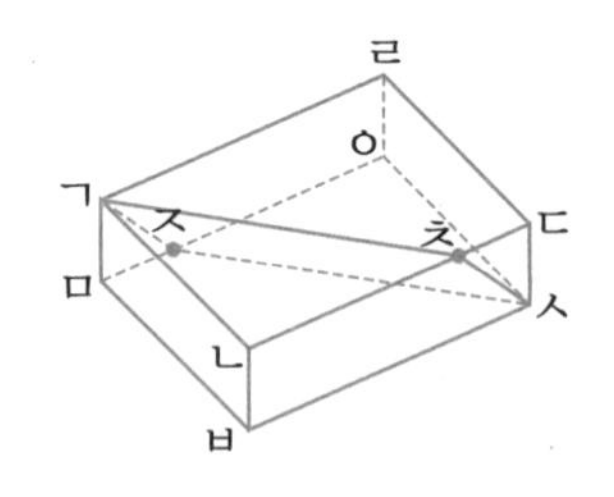

(가)

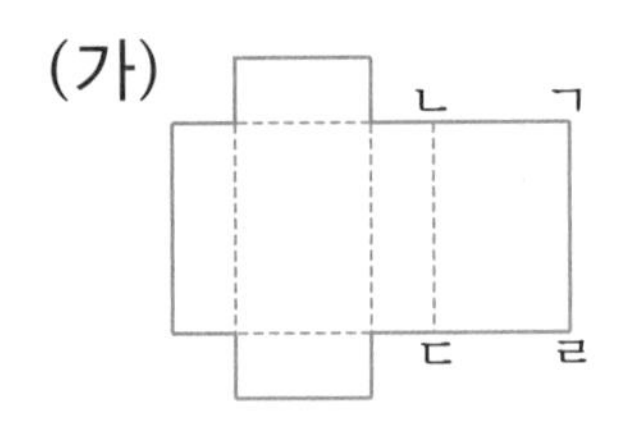

(나)

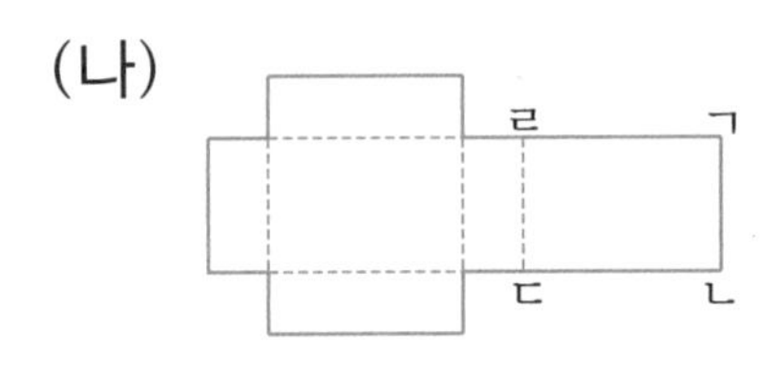

10 두꺼운 종이로 만든 뚜껑 없는 상자를 정면과 위에서 본 모양이 다음 그림과 같습니다. 이 상자를 만드는 데 들어간 종이는 몇 cm^2입니까?

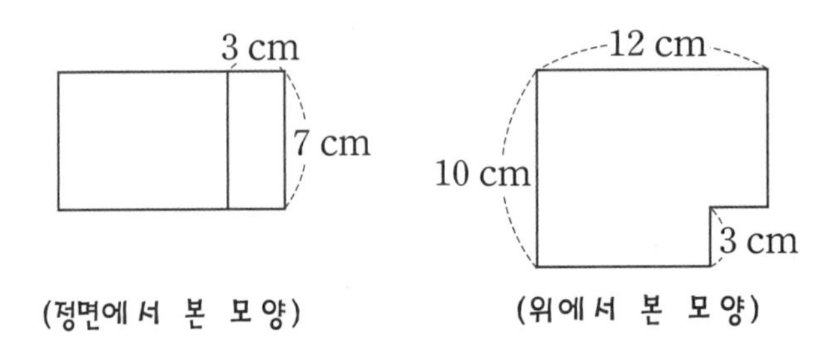

11 오른쪽 전개도를 접어서 정육면체를 만들고, 이것을 1개의 평면으로 잘라서 잘린 두 부분이 같은 입체가 되게 하였습니다. 이때, 잘린 부분의 일부분이 전개도에 점선으로 나타나 있습니다. 나머지 부분을 점선으로 그려 넣으시오.

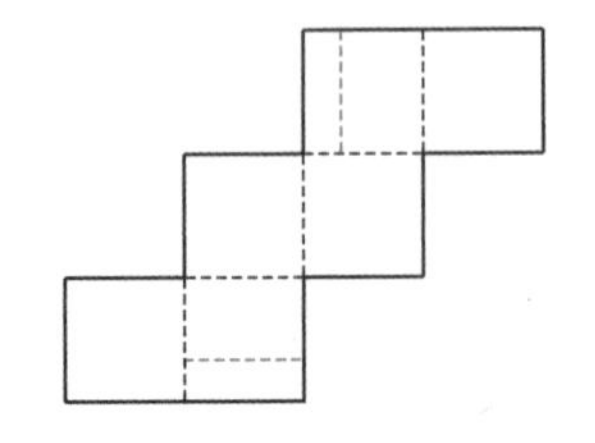

12 그림은 정육면체의 겨냥도와 그 전개도입니다. 정육면체의 겨냥도에 나타난 선을 전개도에 나타내시오. (단, 점 ㅈ과 점 ㅊ은 각각 모서리 ㄴㄷ과 모서리 ㄷㄹ을 이등분합니다.)

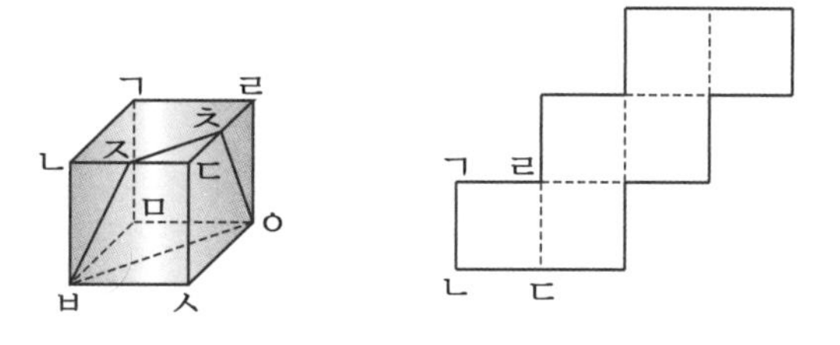

13 오른쪽 그림과 같이 가로가 36 cm, 세로가 28 cm인 직사각형 모양의 종이에서 한 변의 길이가 3 cm인 정사각형 4개를 잘라내어 뚜껑이 없는 상자를 만들었습니다. 이 상자의 가로, 세로, 높이의 곱을 구하시오.

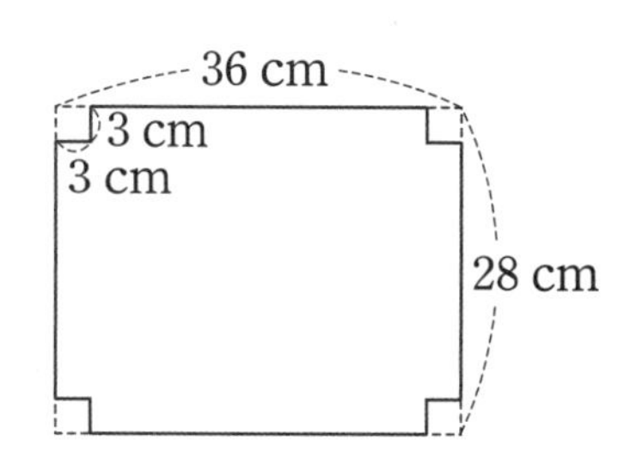

14 오른쪽 그림과 같이 직육면체 모양의 상자를 끈으로 묶었습니다. 사용한 끈의 길이는 몇 cm입니까? (단, 매듭은 묶지 않았습니다.)

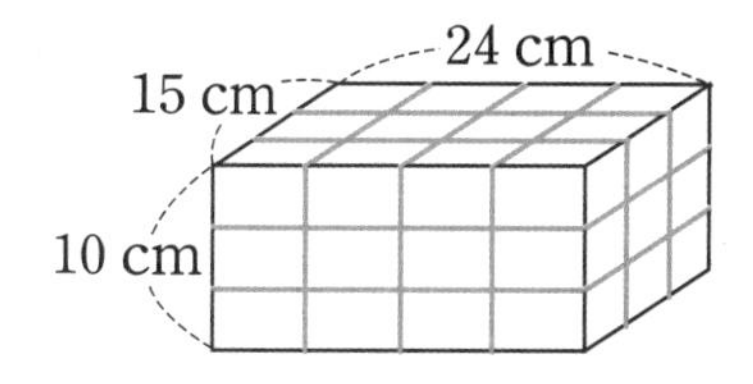

15 다음과 같이 뚜껑이 없는 모양의 그릇 안에 물을 가득 넣고 기울여 쏟았더니 물의 양은 처음의 $\frac{1}{2}$이 되었습니다. 물이 닿아 있는 부분을 전개도에 색칠하시오.

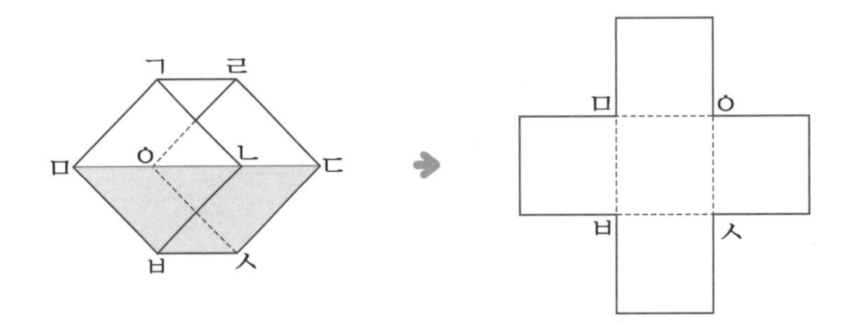

16 오른쪽 그림은 어떤 입체도형을 정면과 위에서 본 모양을 그린 것입니다. 이 도형의 전개도를 그렸을 때 전개도의 넓이를 구하시오.

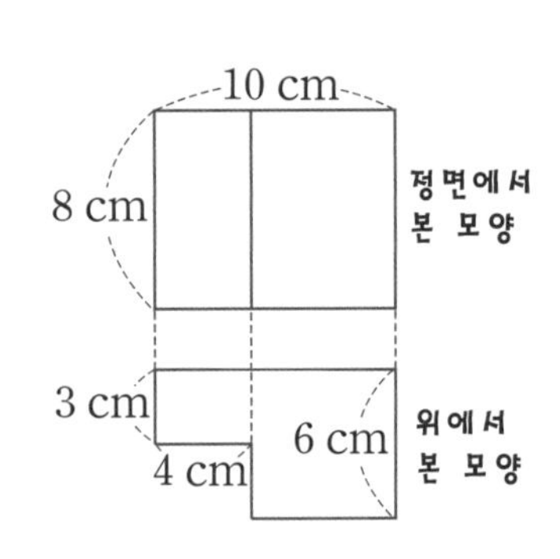

17 오른쪽 그림과 같이 한 모서리의 길이가 4 cm인 정육면체의 여섯 면에 페인트를 칠하였습니다. 이것을 한 모서리의 길이가 1 cm인 정육면체로 잘랐을 때, 페인트가 한 면도 칠해지지 않은 정육면체는 모두 몇 개입니까?

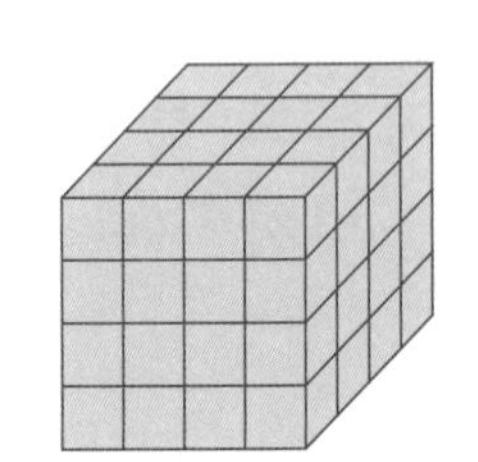

18 오른쪽 [그림 1]은 정육면체의 전개도이고, 이 정육면체 9개를 [그림 2]와 같이 쌓아 놓았습니다. [그림 2]에서 보이지 않는 뒷면의 숫자 합은 모두 얼마입니까?

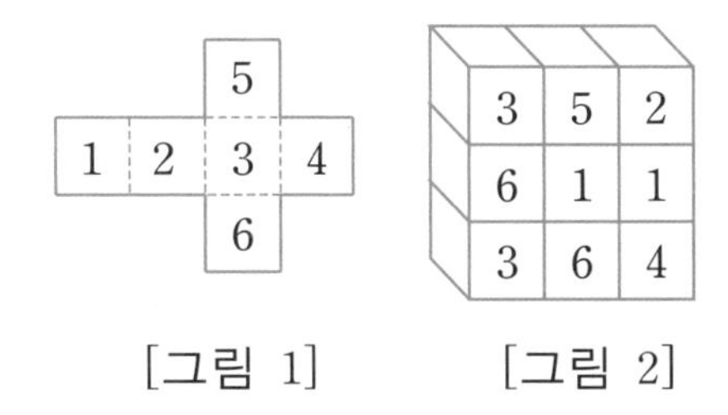

[그림 1] [그림 2]

19 오른쪽 [그림 1]과 같은 모양의 입체도형을 만들기 위하여 [그림 2]와 같이 전개도를 그렸습니다. [그림 2]에 접히는 부분을 점선으로 그려 넣어 전개도를 완성하시오. (단, [그림 2]의 전개도는 실제의 크기보다 작게 그린 것입니다.)

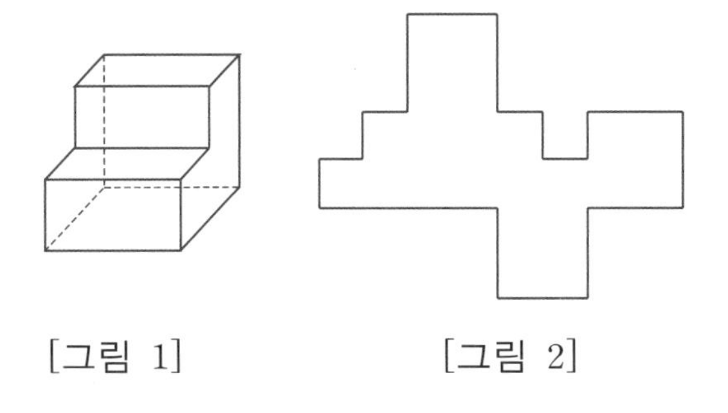
[그림 1] [그림 2]

20 오른쪽 [그림 1]과 같은 주사위를 3개 쌓아 [그림 2]를 만들었습니다. 겹쳐진 2개의 면에 있는 눈의 합이 6이라고 할 때, ㉠, ㉡, ㉢의 눈의 수는 각각 몇 개입니까? (단, 주사위의 마주 보는 눈의 합은 7입니다.)

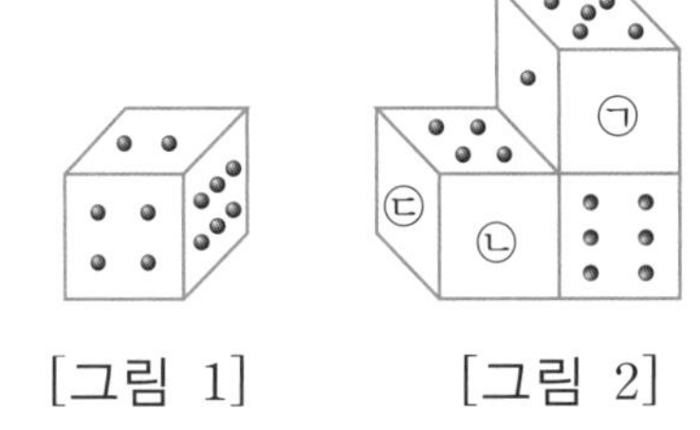

[그림 1] [그림 2]

전국 경시 예상 등위			
대상권	금상권	은상권	동상권
18/20	16/20	14/20	12/20

1 오른쪽 전개도로 정육면체를 만들 때, 바르게 만든 것을 모두 고르시오.

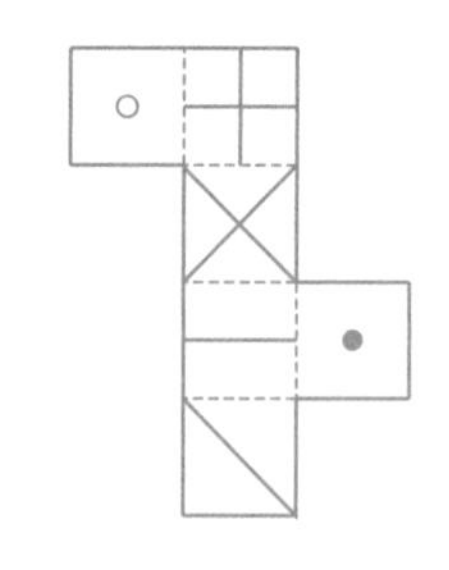

① 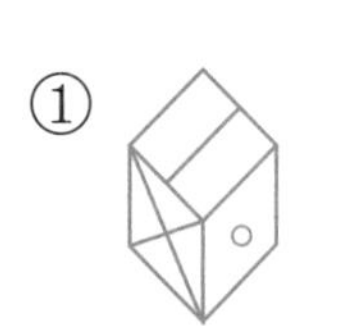 ② ③ 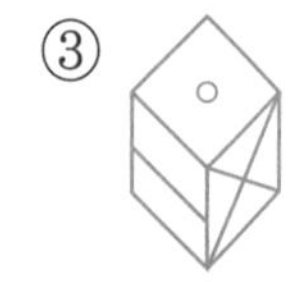 ④  ⑤ 

2 오른쪽은 똑같은 정육면체를 3방향에서 본 그림입니다. 3개의 그림을 보고 마주 보는 면의 문자끼리 짝을 지어 보시오.

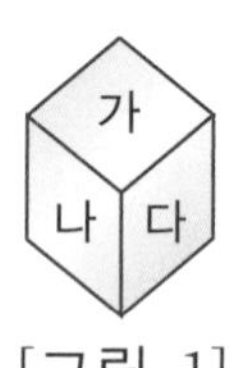

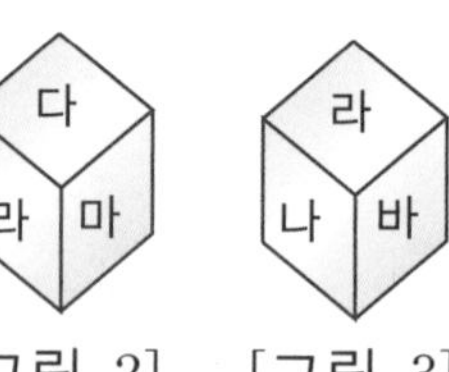

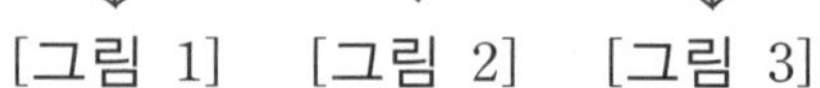

3 정육면체를 보고 정육면체의 전개도에 '나'를 글자의 방향을 생각하여 알맞게 써넣으시오.

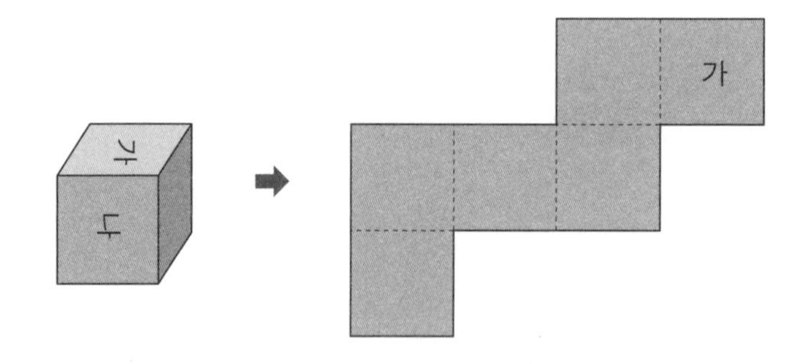

4 오른쪽 그림과 같이 A, B, C, D, E, F 6개의 문자가 똑같은 순서로 배열된 정육면체 3개를 쌓아 놓았습니다. A, B, C의 맞은 편에 있는 문자는 각각 무엇입니까?

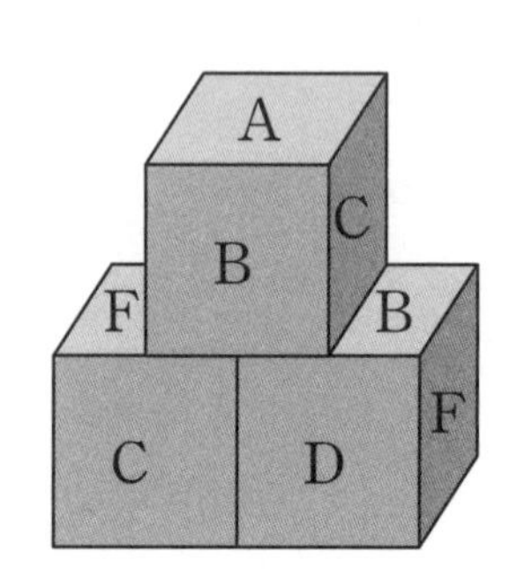

5 다음은 6개의 그림이 일정한 순서대로 그려진 정육면체를 여러 방향에서 본 것입니다. 면 [X 표시 면]와 마주 보는 면의 그림을 그려 보시오.

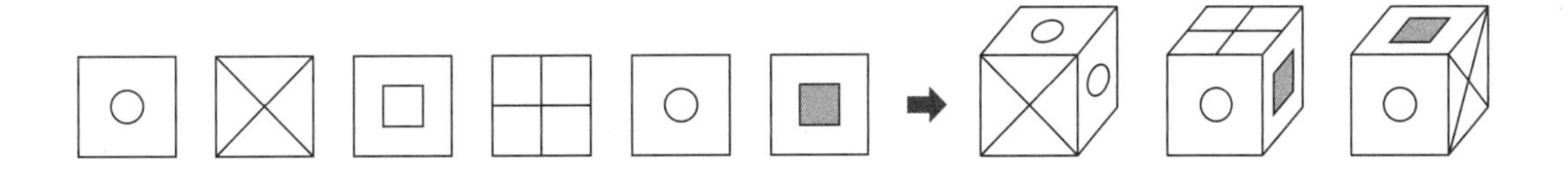

6 정육면체의 6개의 면에 각각 A, B, C, D, E 5개의 문자가 다음과 같이 쓰여져 있는데 그중에서 두 면에는 같은 문자가 쓰여져 있습니다. 어느 문자가 두 번 쓰여져 있습니까?

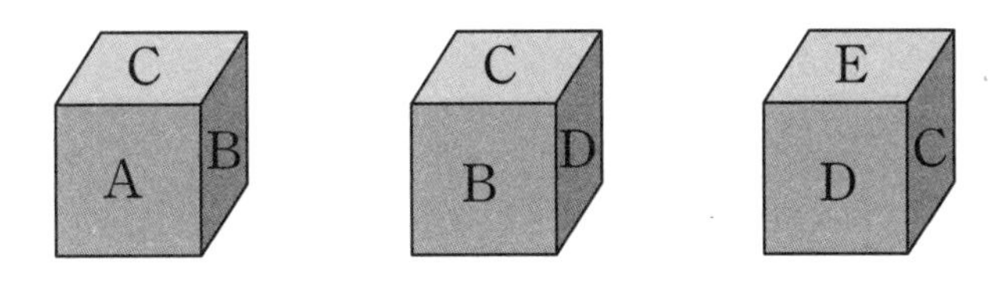

7 6개의 면에 가, 나, 다, 라, 마, 바의 문자를 쓴 정육면체를 여러 각도에서 본 것입니다. 문자의 방향을 생각하여 전개도의 빈 곳에 알맞은 문자를 써넣으시오.

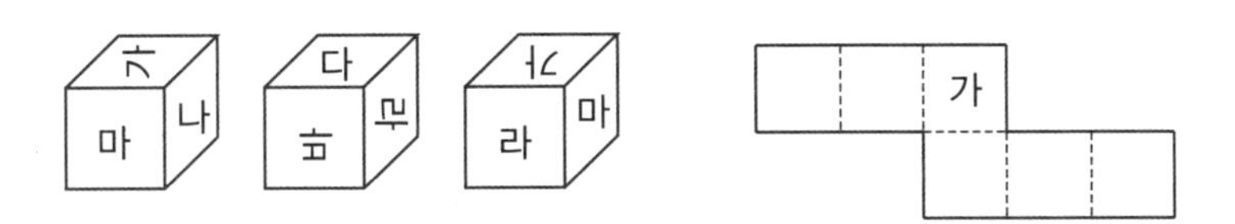

8 쌓기나무를 직육면체 모양으로 빈틈없이 차곡차곡 쌓았습니다. 이것을 위에서 보면 42개, 옆에서 보면 24개, 앞에서 보면 28개가 있습니다. 쌓은 쌓기나무는 모두 몇 개입니까?

9 [그림 1]은 정육면체의 전개도이고, [그림 2]는 이것을 접은 것입니다. [그림 1]의 굵은 선이 [그림 2]에서는 어떻게 나타나는지 그려 보시오.

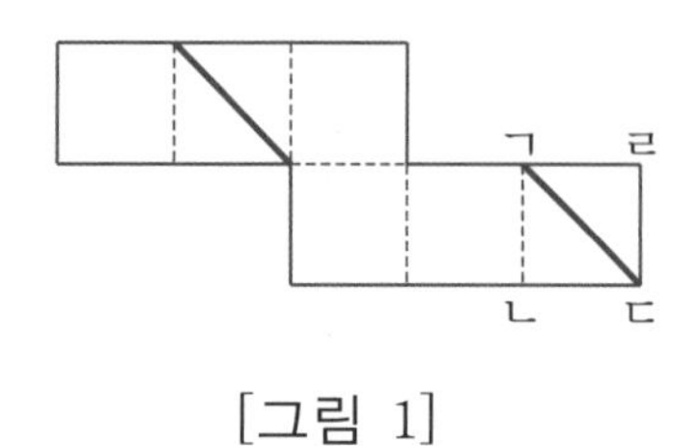

[그림 1]

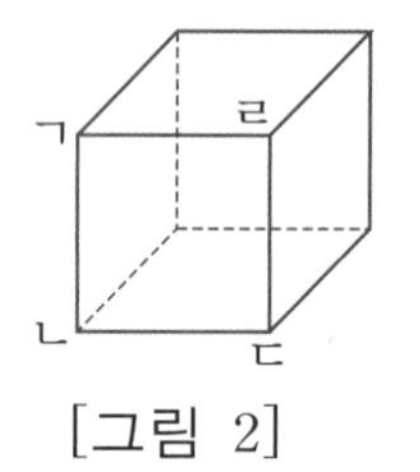

[그림 2]

10 정육면체의 세 면에 그림과 같이 색칠하였습니다. 점 ㅈ과 점 ㅊ은 모서리 ㄴㄷ과 모서리 ㄷㄹ의 중점입니다. 전개도에 색칠한 부분을 표시하시오.

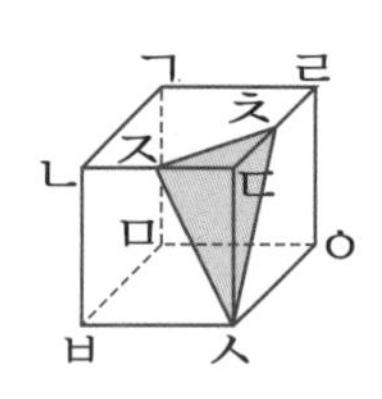

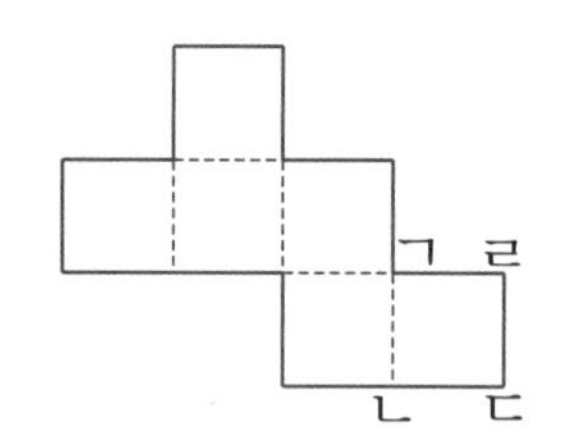

11 정육면체의 두 면에 오른쪽 그림과 같이 같은 방향으로 화살표가 그려져 있습니다. 이 정육면체의 전개도를 다음과 같이 3종류로 그렸을 때, 나머지 부분의 화살표를 바르게 그리시오.

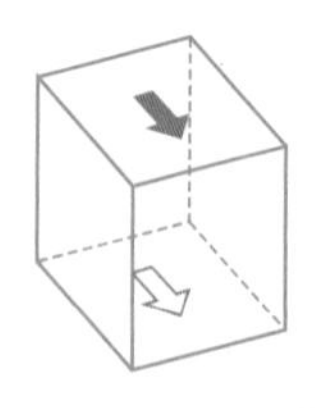

(1)

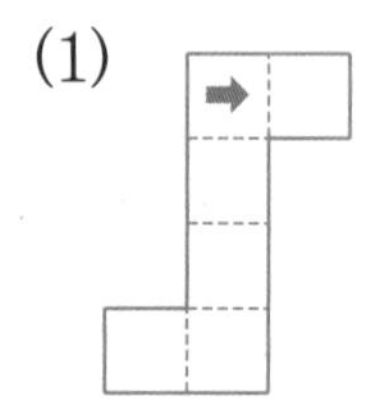

(2)

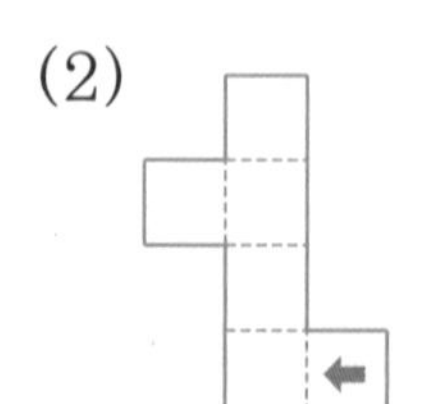

(3)

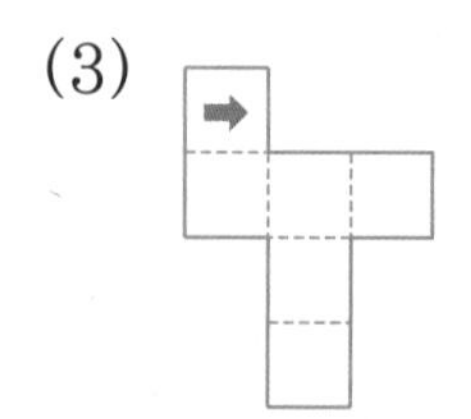

12 오른쪽 정육면체를 꼭짓점 ㄷ과 점 가, 나를 지나는 평면으로 잘랐습니다. 물음에 답하시오. (단, 점 가, 나는 각각의 모서리 ㄹㅇ, ㄴㅂ의 중점입니다.)

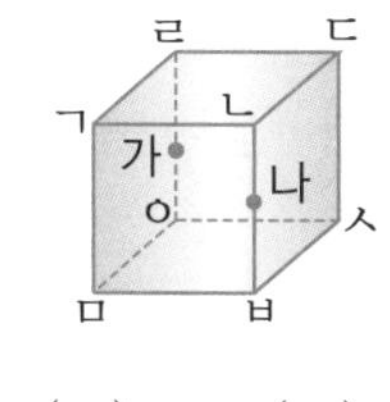

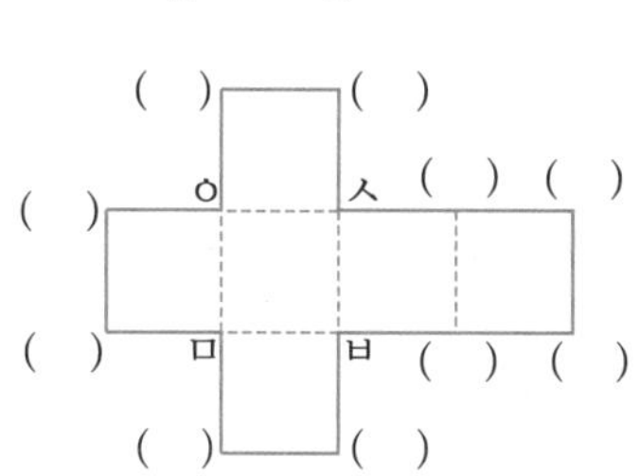

(1) 자른 단면은 어떤 도형이 됩니까?

(2) 오른쪽 전개도에 기호를 알맞게 써넣고, 자른 선을 나타내시오.

13 다음과 같은 크기의 도화지 여러 장으로 서로 다른 크기의 정육면체와 직육면체를 만들려고 합니다. 만들 수 있는 입체도형은 모두 몇 가지입니까?

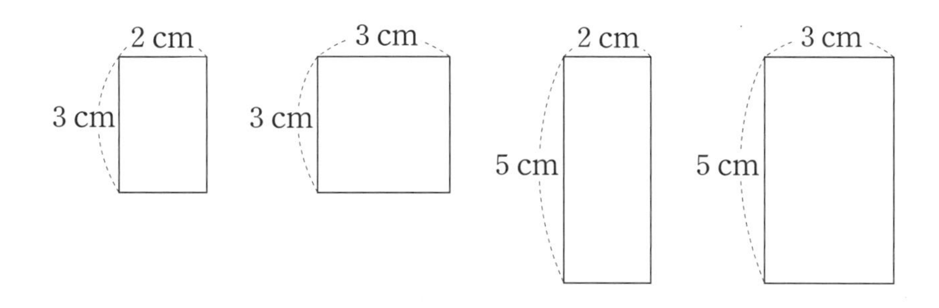

14 오른쪽 그림은 정육면체를 3개의 꼭짓점이 통과하도록 평면으로 자른 것입니다. 평면으로 자른 단면이 정삼각형일 때 이 입체도형의 전개도로 바르게 그린 것을 모두 고르시오.

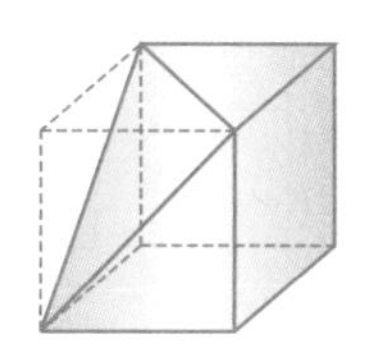

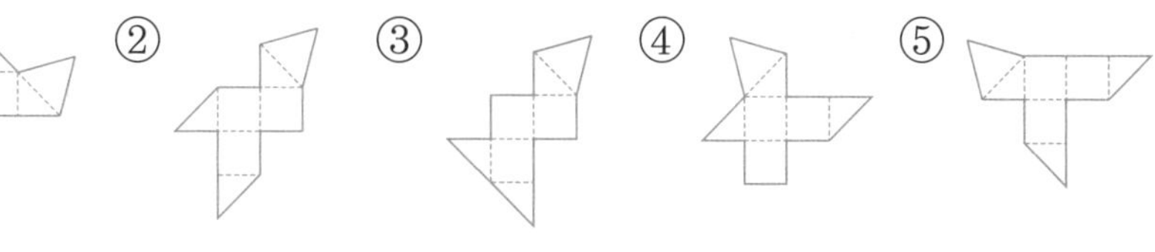

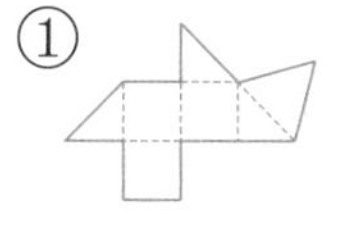
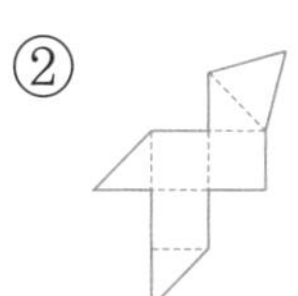
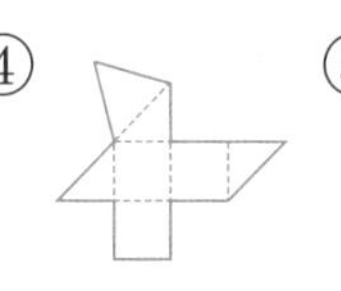
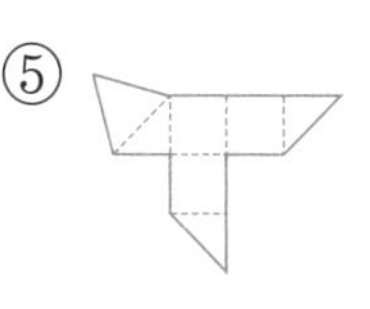

15 오른쪽 전개도로 입체도형을 만들었을 때, 점 ㅁ과 만나는 점을 구하시오.

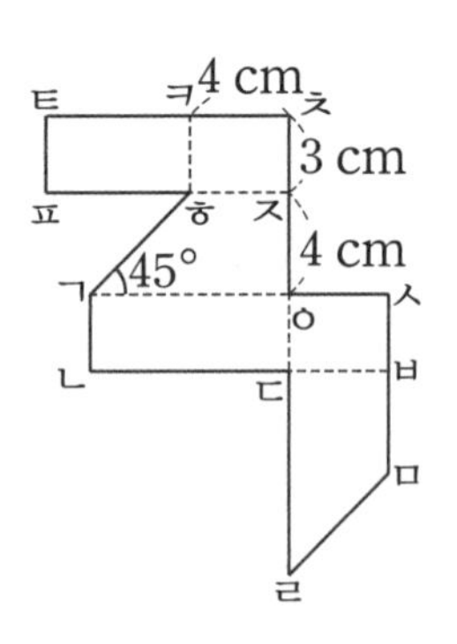

16 오른쪽 그림과 같이 한 변의 길이가 40 cm인 정사각형 모양의 종이에서 색칠된 부분을 잘라 낸 후, 남은 종이를 접어 직육면체를 만들었습니다. 직육면체를 만들었을 때, 모서리의 길이의 합을 구하시오.

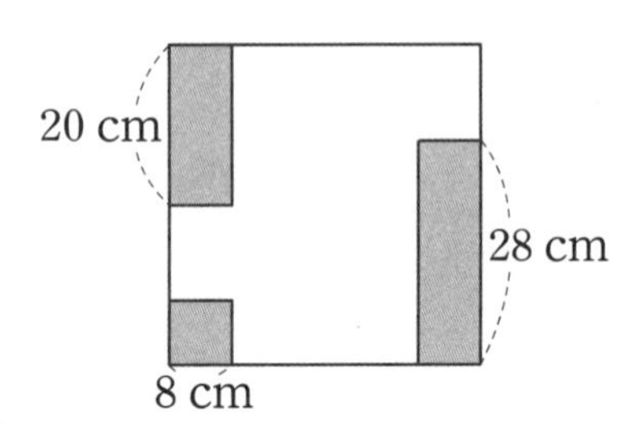

17 (가)와 같이 가로 10 cm, 세로 10 cm, 높이 2 cm인 직육면체 모양의 나무판에 가로와 세로를 각각 8등분 하는 직선을 그었습니다. 이 직선을 따라 가로 또는 세로로 자르면 (나)와 (다)와 같이 여러 개의 직육면체로 나누어집니다. 잘라진 직육면체의 모양이 모두 같게 자르려고 할 때, 자르는 방법에 따라 모두 몇 가지 종류의 직육면체가 나올 수 있습니까?

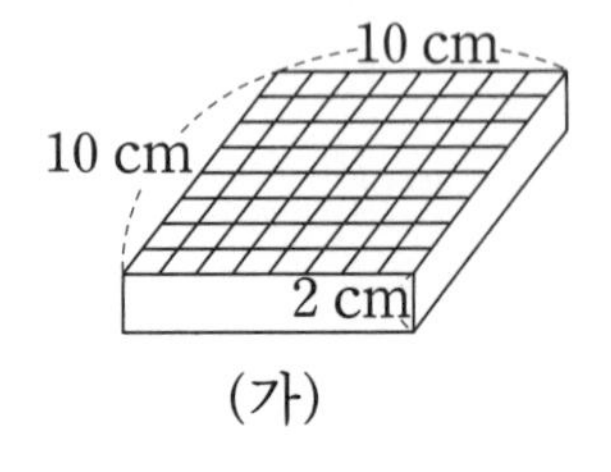

(가)

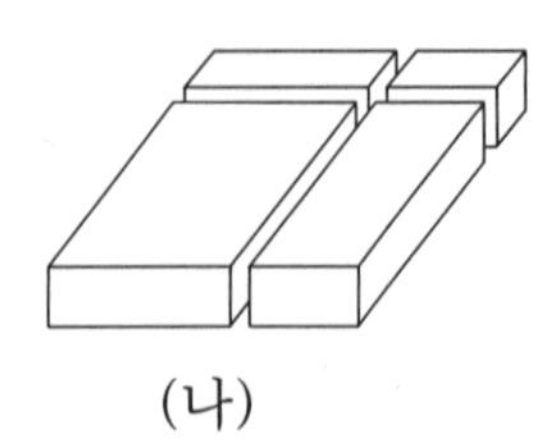
(나)

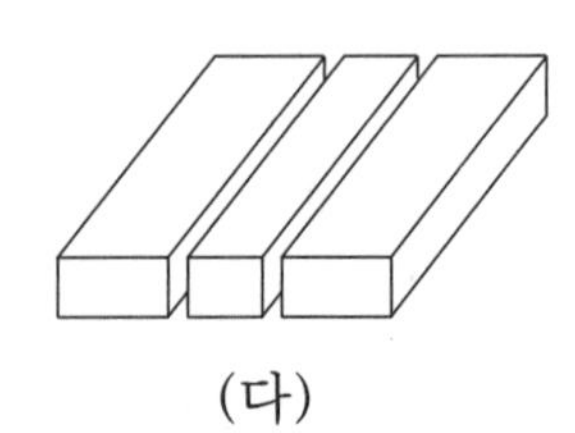
(다)

18 오른쪽 그림과 같이 크기가 같은 정육면체 7개를 붙여 놓았습니다. 정육면체의 어느 면에나 주사위처럼 서로 마주 보는 면의 눈의 합이 7이 되도록 1부터 6까지의 눈이 표시되어 있습니다. 전체 겉면의 눈의 합이 가장 크게 될 때 그 합은 얼마입니까?

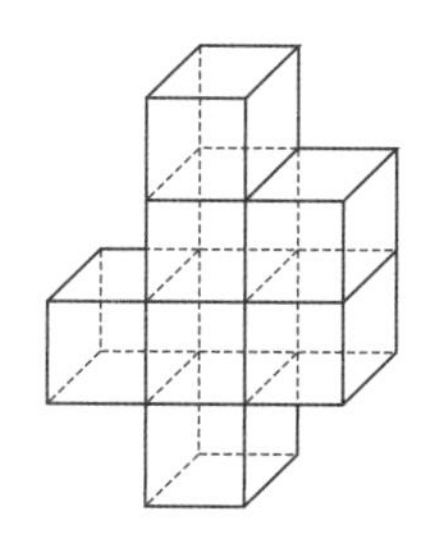

19 직육면체를 만들기 위해 오른쪽과 같이 직사각형 모양의 종이에 전개도를 그려서 오렸는데 색칠한 부분은 필요가 없었습니다. 색칠한 부분의 넓이를 구하시오.

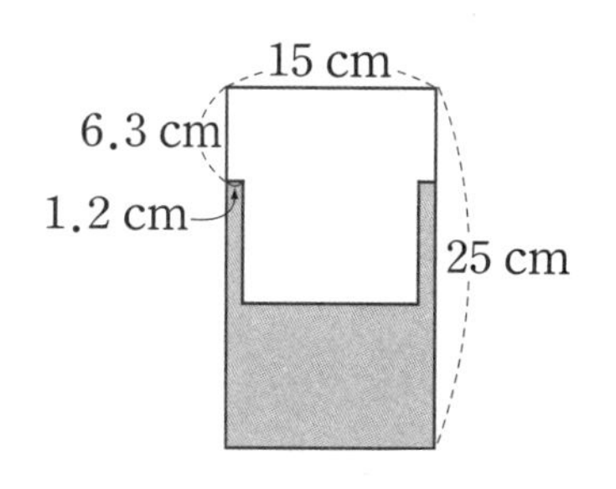

20 겉면에 페인트를 칠한 정육면체가 있습니다. 이 정육면체의 가로, 세로, 높이를 두 번씩 자르면 27개의 작은 정육면체가 얻어지고 그 중 한 면도 페인트가 칠해져 있지 않은 작은 정육면체는 1개입니다. 한 면도 페인트가 칠해져 있지 않은 작은 정육면체를 216개 얻으려면 가로, 세로, 높이를 몇 번씩 잘라야 합니까?

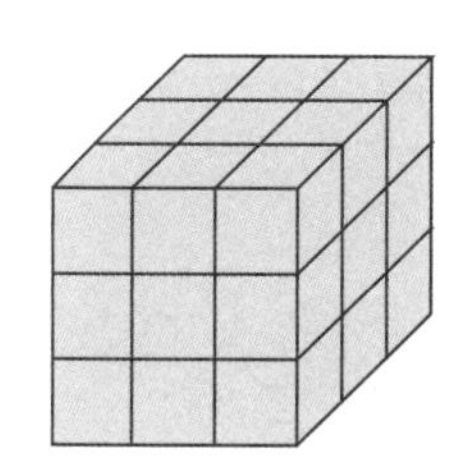

이런 것쯤은 식은 죽 먹기야!

100원짜리 동전 A를 손가락으로 눌러서 움직이지 않게 한 다음, 100원짜리 다른 동전 B를 동전 A의 가장 자리에 딱 붙여서 돌립니다.
이렇게 동전 B가 동전 A의 주위를 한 바퀴 돌면 동전 B 자신은 몇 번 돌게 됩니까?

답 2번

Ⅲ 측정

1. 다각형의 둘레와 넓이
2. 수의 범위와 어림하기

핵심내용 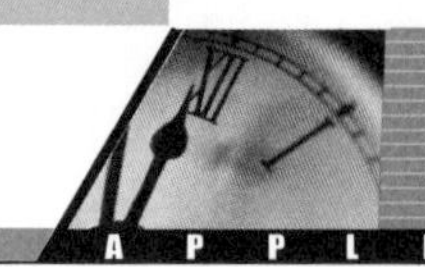 APPLICATION

1 다각형의 둘레와 넓이

1 다각형의 둘레의 길이

- (직사각형의 둘레)={(가로)+(세로)}×2
- (정사각형의 둘레)=(한 변의 길이)×4
- (평행사변형의 둘레)={(한 변의 길이)+(다른 변의 길이)}×2
- (마름모의 둘레)=(한 변의 길이)×4

2 도형의 넓이

도형의 넓이를 나타낼 때에는 한 변이 1 cm인 정사각형의 넓이를 넓이의 단위로 사용합니다. 이 정사각형의 넓이를 $1\ \text{cm}^2$라 쓰고, 1 제곱센티미터라고 읽습니다.

3 직사각형과 정사각형의 넓이

(직사각형의 넓이)=(가로)×(세로)
(정사각형의 넓이)=(한 변의 길이)×(한 변의 길이)

4 $1\ \text{cm}^2$보다 더 큰 넓이의 단위

- 한 변의 길이가 1 m인 정사각형의 넓이를 $1\ \text{m}^2$라 쓰고, 1 제곱미터라고 읽습니다.
- 한 변의 길이가 1 km인 정사각형의 넓이를 $1\ \text{km}^2$라 쓰고, 1 제곱킬로미터라고 읽습니다.

$1\ \text{m}^2=10000\ \text{cm}^2$　　$1\ \text{km}^2=1000000\ \text{m}^2$

5 다각형의 넓이

- (평행사변형의 넓이)=(직사각형의 넓이)=(가로)×(세로)=(밑변)×(높이)
- (삼각형의 넓이)=(평행사변형의 넓이)÷2=(밑변)×(높이)÷2
- (마름모의 넓이)=(한 대각선의 길이)×(다른 대각선의 길이)÷2
- (사다리꼴의 넓이)={(윗변)+(아랫변)}×(높이)÷2

Search 탐구

오른쪽 도형의 둘레의 길이를 구하시오.

24 cm
18 cm
12 cm

풀이

오른쪽 도형에서 ㉠과 ㉡의 길이의 합은 □ cm이고, ㉢, ㉣, ㉤의 길이의 합은 □ cm이므로 도형의 둘레의 길이는 (□+□+□)×2=□(cm)입니다.

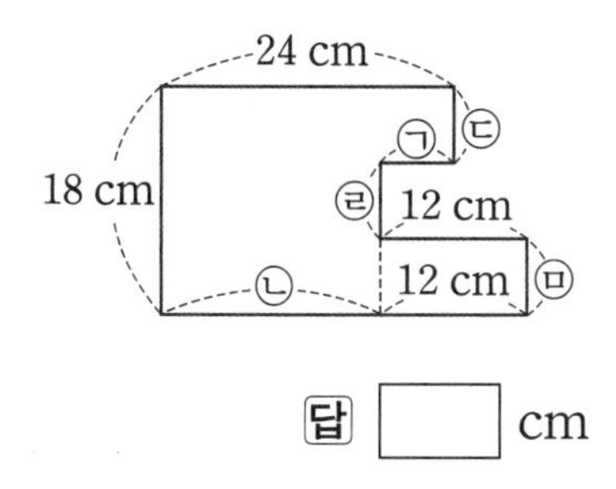

답 □ cm

EXERCISE 1

1 오른쪽 도형의 둘레의 길이를 구하시오.

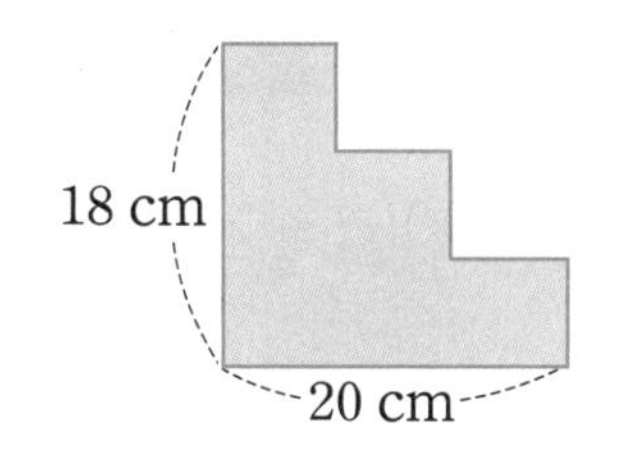

2 오른쪽 도형의 둘레의 길이를 구하시오.

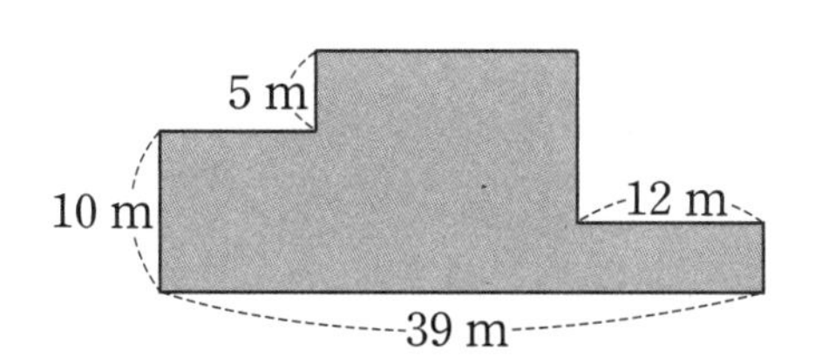

3 오른쪽 도형에서 색칠한 부분의 둘레의 길이를 구하시오.

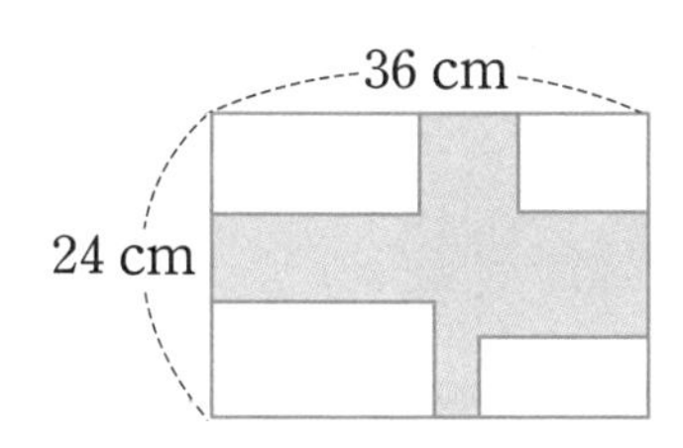

Search 탐구

오른쪽 도형의 넓이를 구하시오.

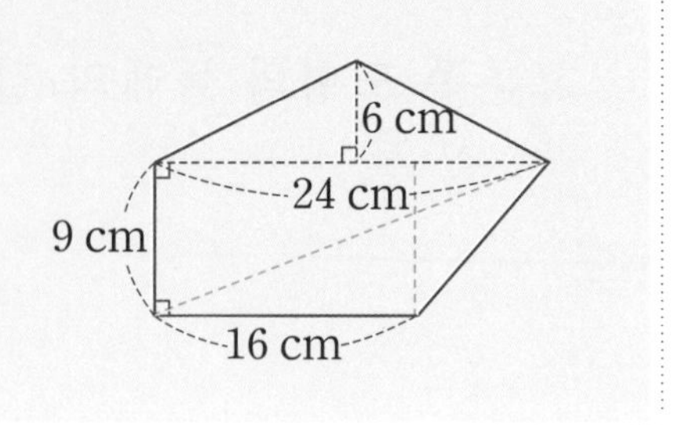

풀이

풀이1〉 (삼각형의 넓이)+(직사각형의 넓이)+(삼각형의 넓이)

$=(\square\times\square\div2)+(16\times\square)+(\square\times9\div2)=\square(\text{cm}^2)$

풀이2〉 (삼각형의 넓이)+(사다리꼴의 넓이)

$=(\square\times\square\div2)+(\square+\square)\times\square\div2=\square(\text{cm}^2)$

풀이3〉 (삼각형의 넓이)+(삼각형의 넓이)+(삼각형의 넓이)

$=(\square\times6\div2)+(\square\times9\div2)+(\square\times9\div2)=\square(\text{cm}^2)$ 답 $\square$ cm^2

EXERCISE 2

1 오른쪽 도형의 넓이를 구하시오.

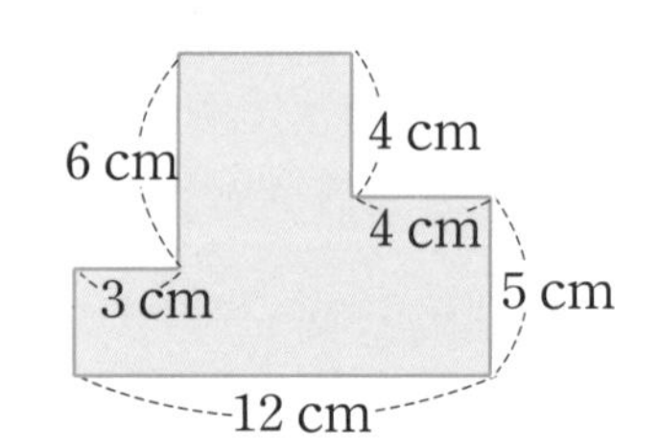

2 오른쪽 직사각형에서 색칠한 부분의 넓이를 구하시오.

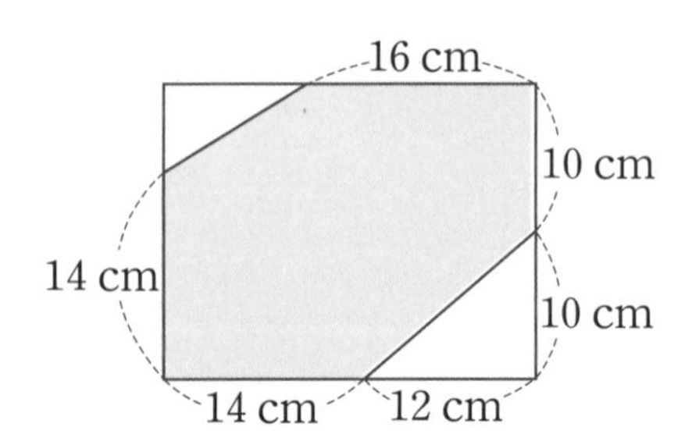

3 오른쪽 도형에서 색칠한 부분의 넓이를 구하시오.

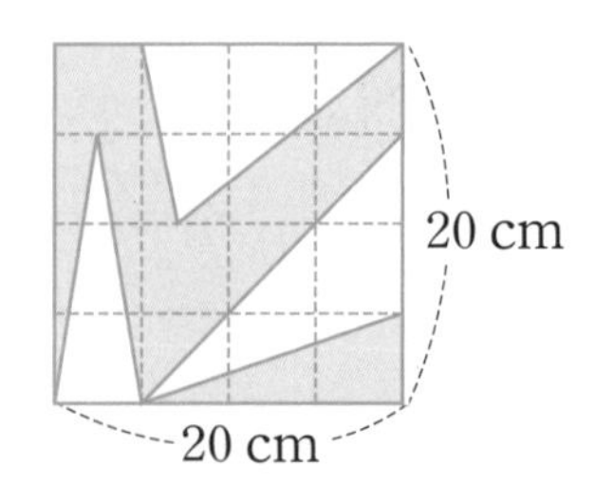

Search 탐구

오른쪽 그림에서 평행사변형 ㄱㄴㄷㅁ의 넓이가 40 cm^2일 때, 사다리꼴 ㄱㄴㄹㅁ의 넓이를 구하시오.

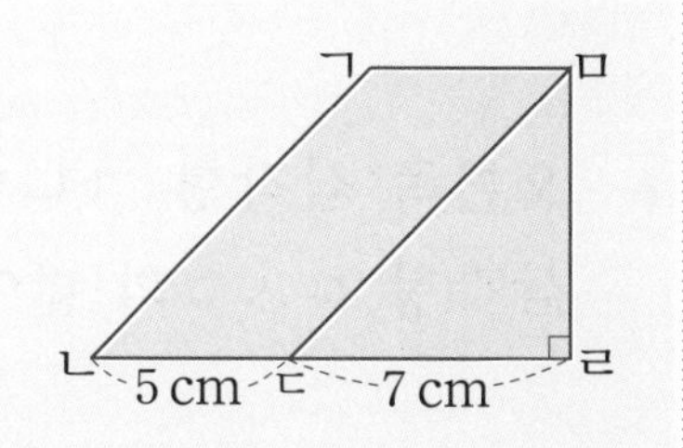

풀이

(변 ㅁㄹ의 길이)=40÷□=□(cm)

(사다리꼴 ㄱㄴㄹㅁ의 넓이)=(□+12)×□÷2=□(cm^2)

답 □ cm^2

EXERCISE 3

1 오른쪽 도형의 색칠한 부분의 넓이는 전체의 얼마가 되겠습니까?

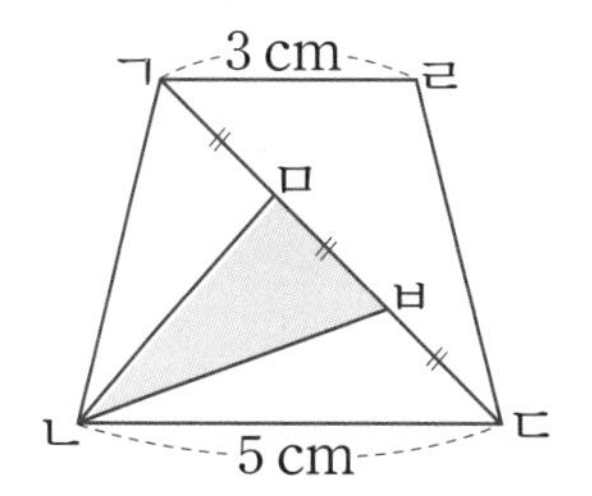

2 오른쪽 도형에서 색칠한 부분의 넓이를 구하시오.

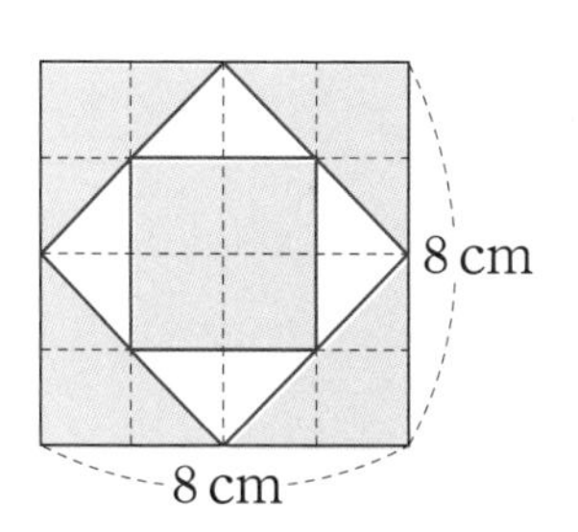

3 오른쪽 그림과 같이 마름모에서 대각선의 길이를 반으로 줄여 작은 마름모를 만들었습니다. 색칠한 부분의 넓이를 구하시오.

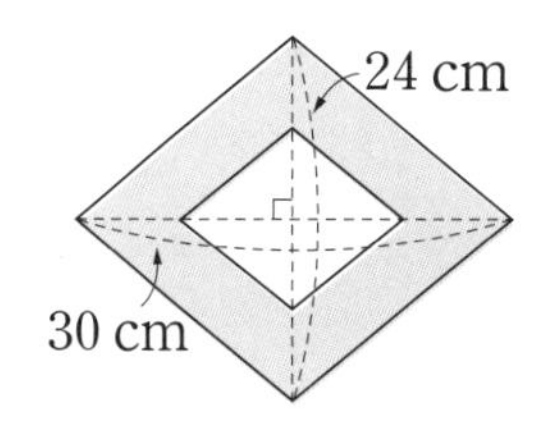

왕문제

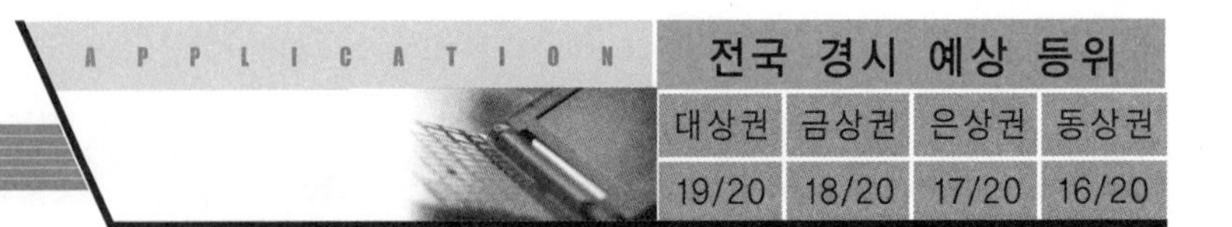

1 오른쪽 삼각형 ㄱㄴㄷ의 넓이가 240 cm^2일 때, 삼각형 ㅁㅅㄷ의 넓이를 구하시오.

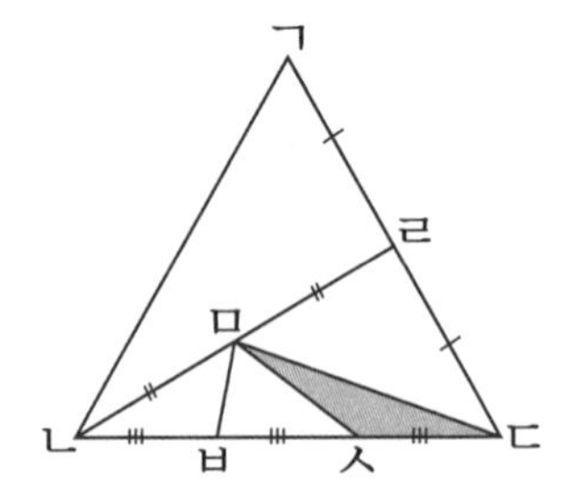

2 다음은 한 변이 10 m인 정사각형 5개를 나란히 그린 후 대각선을 그은 그림입니다. 색칠한 부분의 넓이는 몇 m^2입니까?

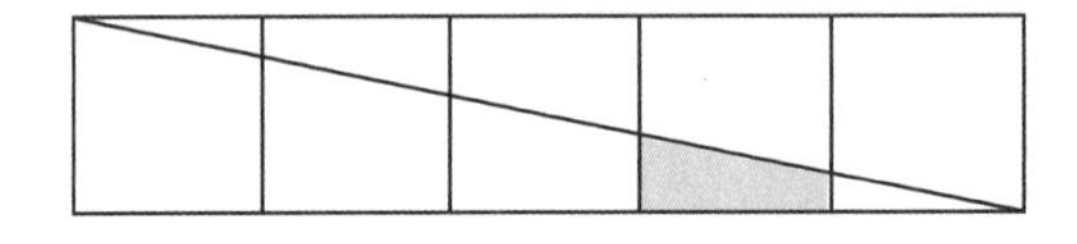

3 오른쪽 도형에서 삼각형 ㄱㄴㄷ의 넓이가 120 cm^2이면, 삼각형 ㄴㄷㄹ의 넓이는 몇 cm^2입니까?

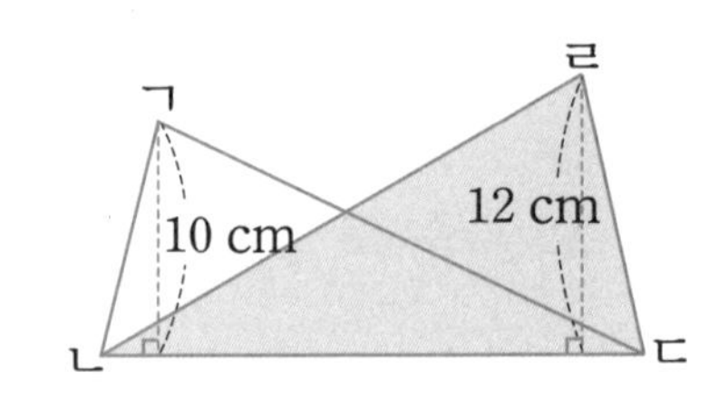

4 오른쪽 도형에서 삼각형 ㄱㄴㄹ의 넓이가 225 cm^2이면, 삼각형 ㅂㄷㄹ의 넓이는 몇 cm^2 입니까?

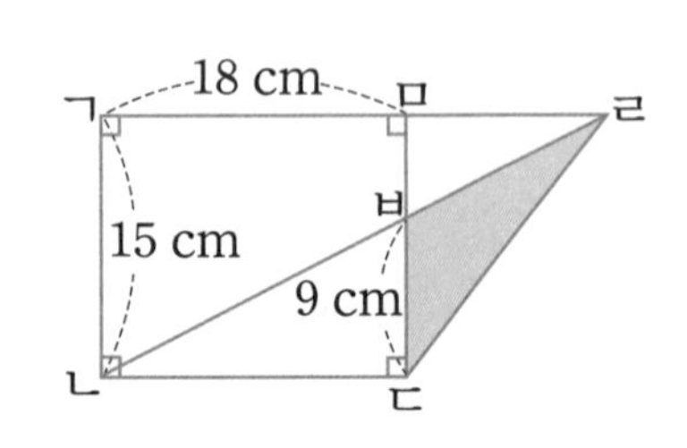

5 오른쪽 그림과 같이 직사각형 모양의 밭에 각각 1 m, 2 m인 길이 나있습니다. 길을 제외한 밭의 넓이는 얼마입니까?

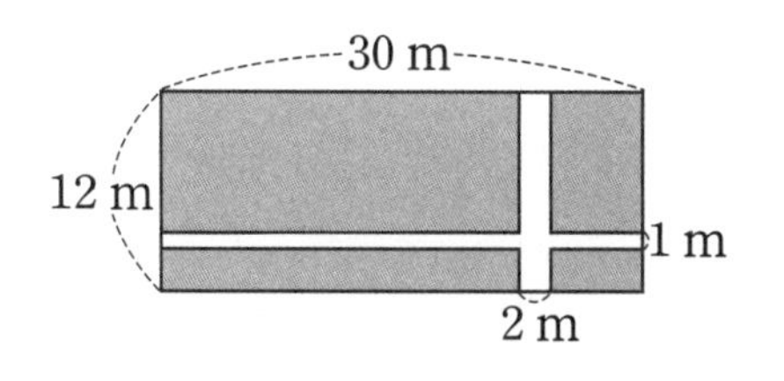

6 오른쪽 그림에서 삼각형 ㄱㄴㄷ과 사다리꼴 ㄱㅁㅂㄹ의 넓이는 같습니다. 변 ㄱㄹ의 길이를 구하시오.

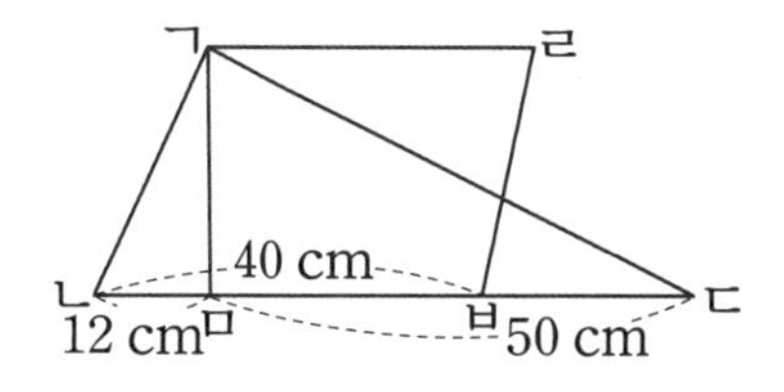

7 오른쪽 정육각형의 넓이가 210 m^2라 할 때, 색칠한 마름모의 넓이는 몇 m^2입니까?

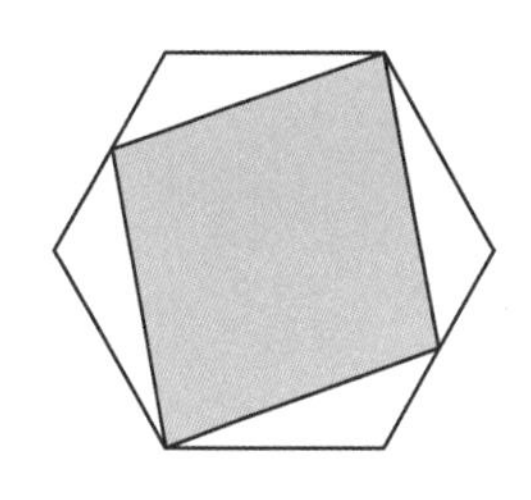

8 오른쪽 도형에서 색칠한 부분의 넓이를 구하시오.

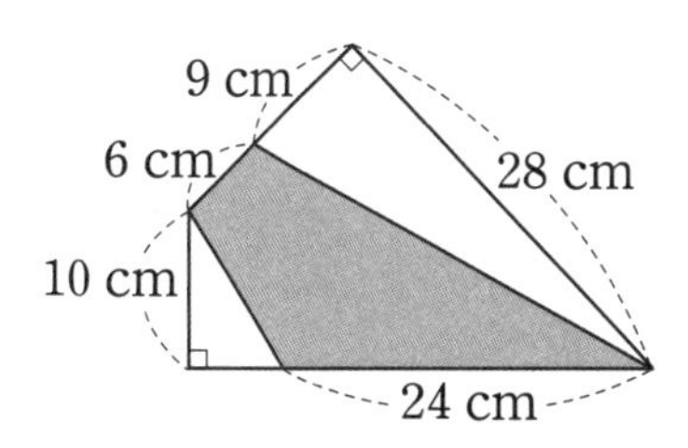

9 오른쪽 그림과 같이 정사각형이 두 개가 있습니다. 이 두 정사각형의 한 변의 길이의 합은 14 cm이며, 두 정사각형 넓이의 차는 28 cm^2입니다. 큰 정사각형의 넓이를 구하시오.

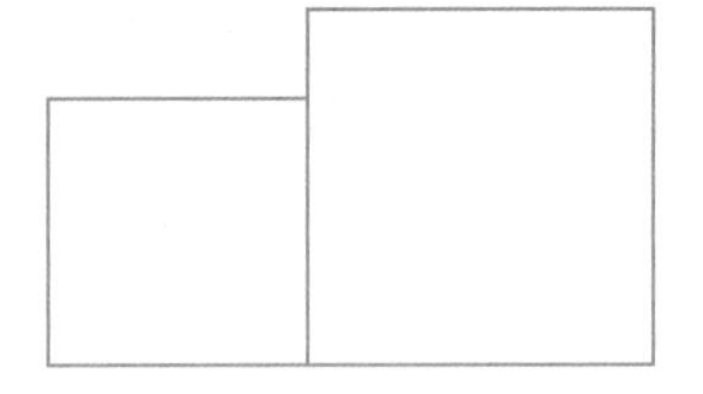

10 오른쪽 그림은 한 변의 길이가 12 cm인 두 정사각형 ㄱㄴㄷㄹ과 ㅁㅂㅅㅇ을 겹쳐 놓은 것입니다. 색칠한 부분의 넓이는 몇 cm^2입니까?

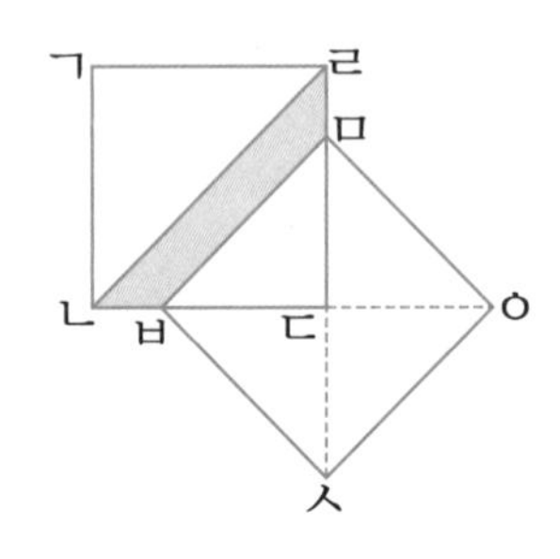

11 삼각형 ㄱㄴㄷ은 넓이가 64 cm^2인 정삼각형입니다. 점 ㄹ, ㅁ, ㅂ은 삼각형 ㄱㄴㄷ의 각 변의 중점이고, 점 ㅅ, ㅇ, ㅈ은 삼각형 ㄹㅁㅂ의 각 변의 중점입니다. 이와 같이 삼각형의 각 변의 중점을 이어 새로운 삼각형을 만들 때 색칠한 삼각형의 넓이를 구하시오.

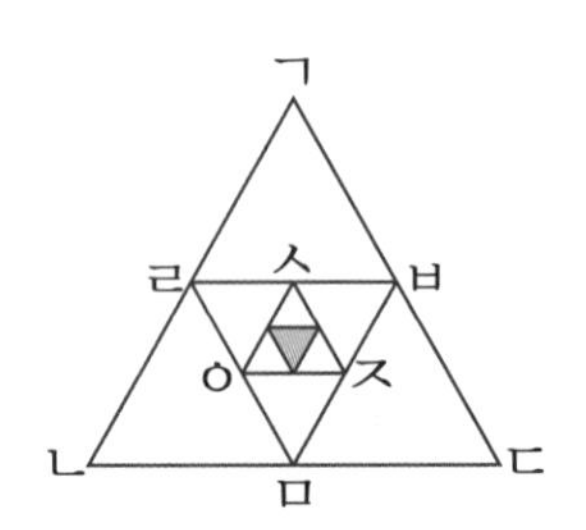

12 오른쪽 그림에서 사각형 ㄱㄴㄷㅂ은 평행사변형이고, 색칠한 부분의 넓이가 45 cm^2일 때, 선분 ㅅㄹ의 길이는 몇 cm입니까?

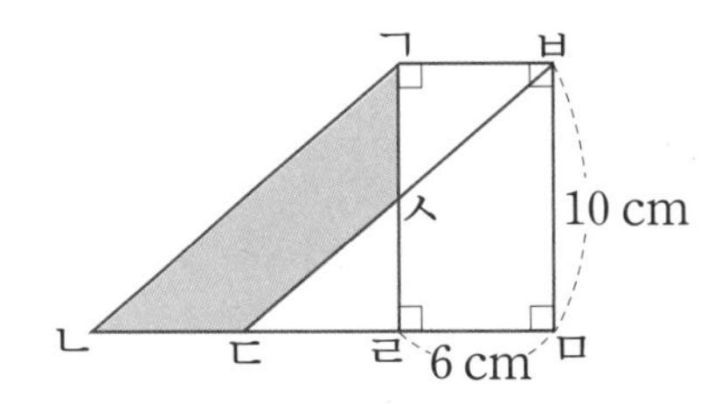

13 평행한 두 직선 가와 나 사이의 거리는 6 cm입니다. 삼각형 ㄱㄴㄷ의 넓이가 21 cm^2일 때, 색칠한 부분의 넓이는 몇 cm^2입니까?

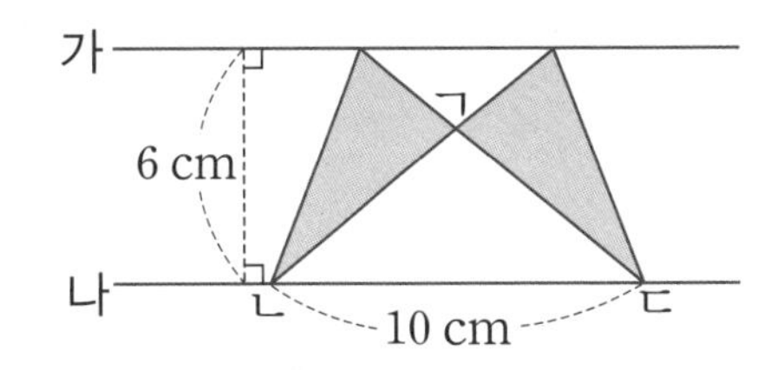

14 오른쪽 그림은 직사각형의 대각선 ㄱㄷ을 3등분하여 점 ㅁ, 점 ㅂ을 정한 것입니다. 삼각형 ㅁㄴㅂ의 넓이가 40 cm^2일 때, 변 ㄱㄴ의 길이를 구하시오.

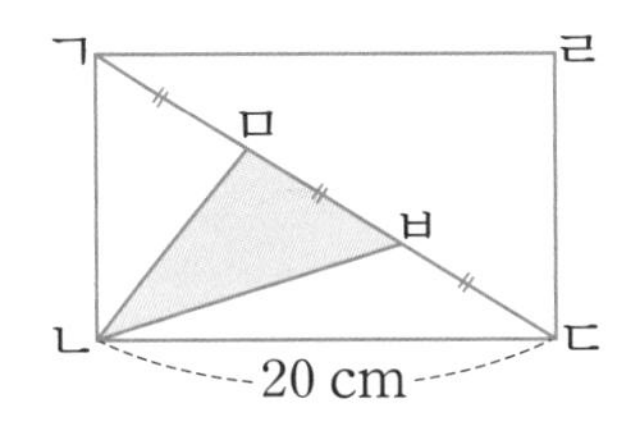

15 합동인 정사각형 18개가 오른쪽 그림과 같이 놓여져 있습니다. 이 정사각형들의 넓이의 합이 288 cm^2라면 바깥 둘레의 길이는 몇 cm 입니까?

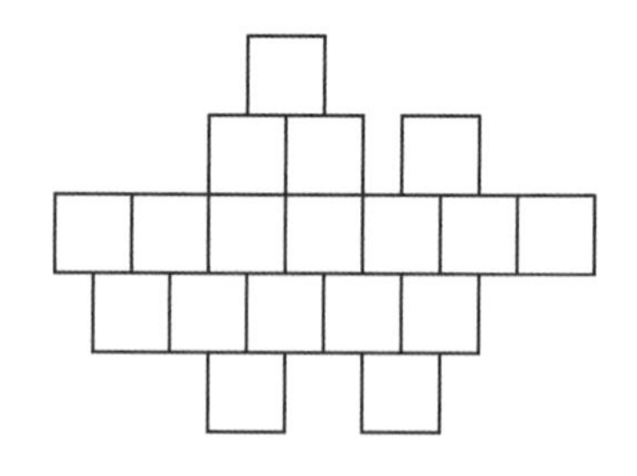

16 오른쪽 그림에서 색칠한 부분의 넓이는 몇 cm^2 입니까?

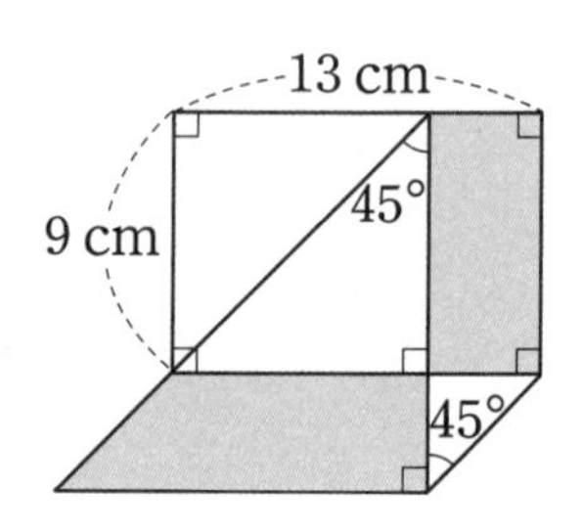

17 오른쪽 도형에서 색칠한 부분의 넓이를 구하시오.

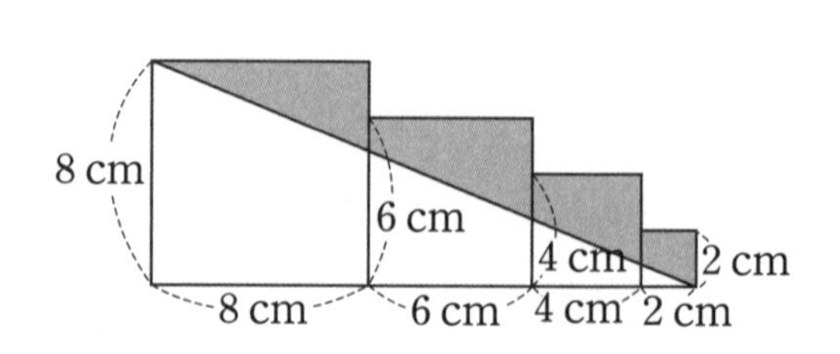

18 오른쪽 그림과 같이 직사각형 안에 점대칭이면서 선대칭인 도형을 그렸습니다. 색칠한 부분의 넓이를 구하시오.

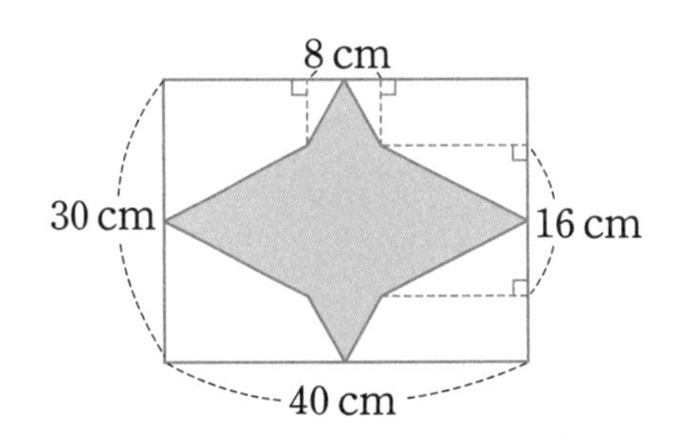

19 가로 28 cm, 세로 22 cm인 직사각형 모양의 종이를 가로로 3장, 세로로 4장을 이어 붙였을 때, 이어 붙인 종이 전체의 넓이는 몇 cm^2입니까? (단, 겹쳐지는 곳은 2 cm입니다.)

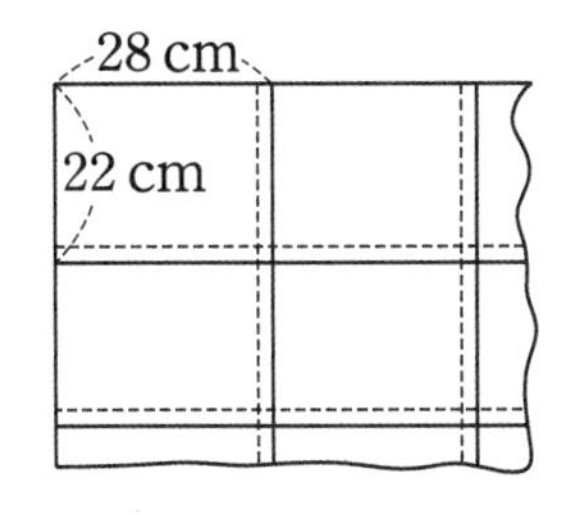

20 오른쪽 그림과 같이 직사각형 안에 ①, ②, ③, ④ 네 종류의 정사각형을 만들었습니다. 색칠한 정사각형의 넓이는 몇 cm^2입니까?

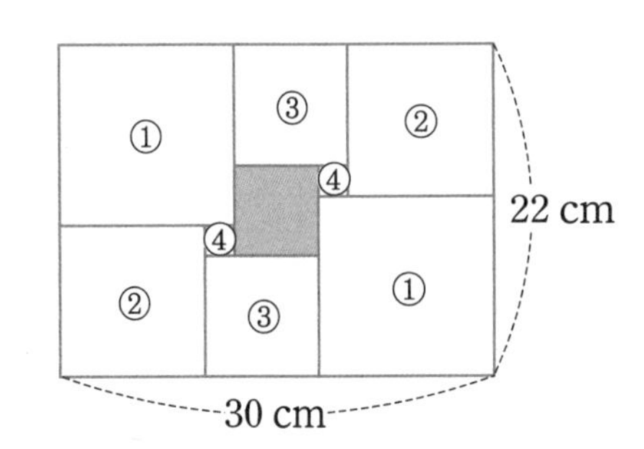

전국 경시 예상 등위			
대상권	금상권	은상권	동상권
18/20	16/20	14/20	12/20

1 오른쪽 도형의 둘레의 길이를 구하시오.

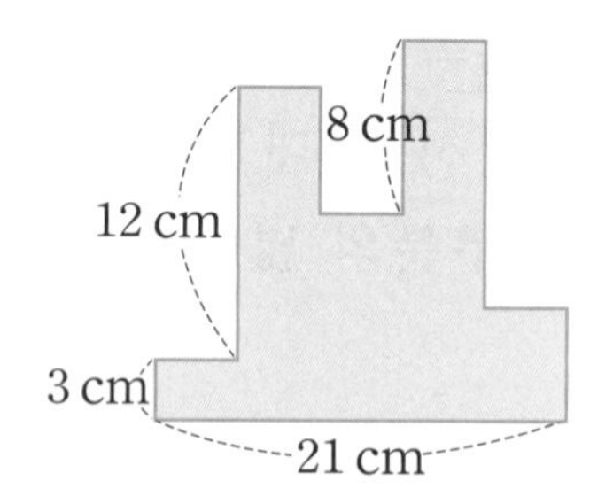

2 오른쪽 그림은 가로가 8 cm, 세로가 5 cm인 직사각형입니다. 이때, 색칠한 부분의 넓이를 구하시오.

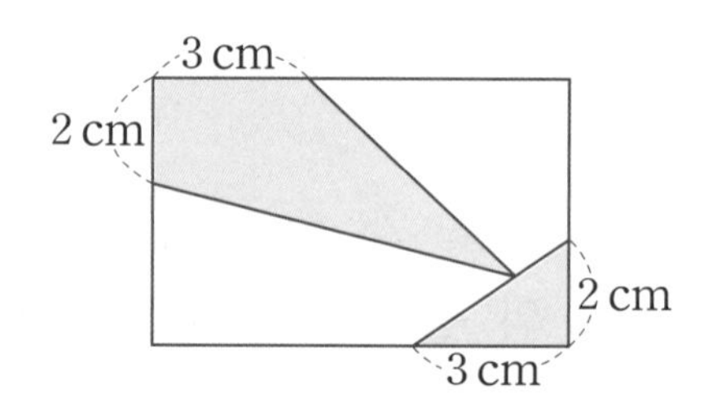

3 오른쪽 그림에서 정육각형의 넓이는 180 cm^2 입니다. 색칠한 사다리꼴의 넓이를 구하시오.

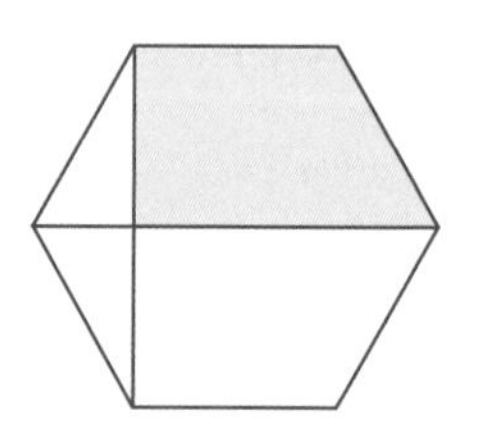

4 직각삼각형 ㄱㄴㄷ에서 정사각형 ㅁㅂㄴㄹ의 넓이를 구하시오.

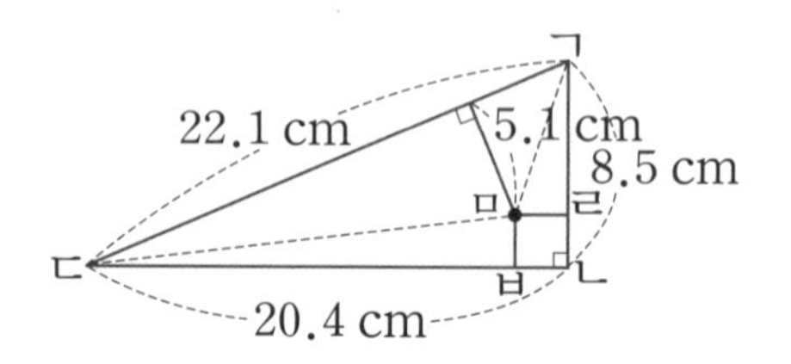

5 오른쪽 도형의 둘레의 길이와 넓이를 각각 구하시오.

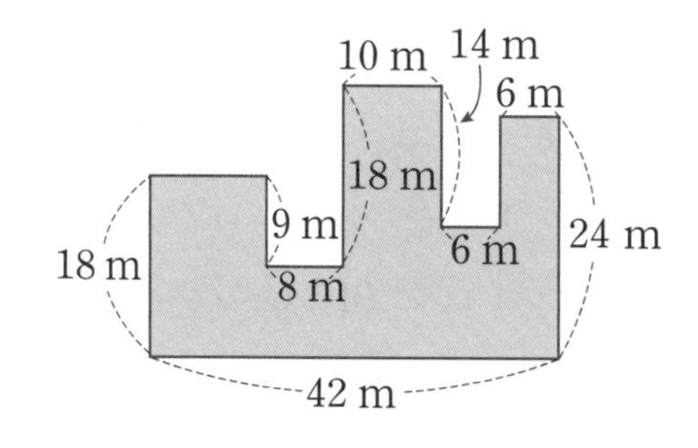

6 오른쪽 도형은 윗변이 3 cm, 아랫변이 12 cm인 사다리꼴입니다. 가, 나, 다의 넓이가 같을 때, ㉠의 길이는 몇 cm입니까?

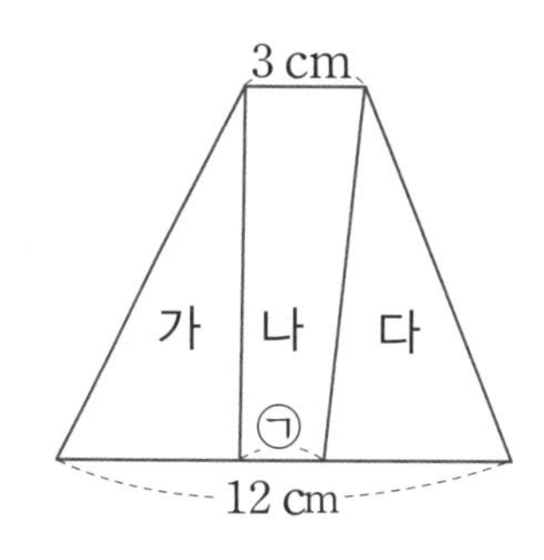

7 오른쪽 그림에서 사각형 ㄱㄴㄷㄹ은 직사각형이고, 삼각형 ㄹㅂㅁ의 넓이가 6 cm^2일 때, 삼각형 ㄷㅁㅂ의 넓이는 몇 cm^2입니까?

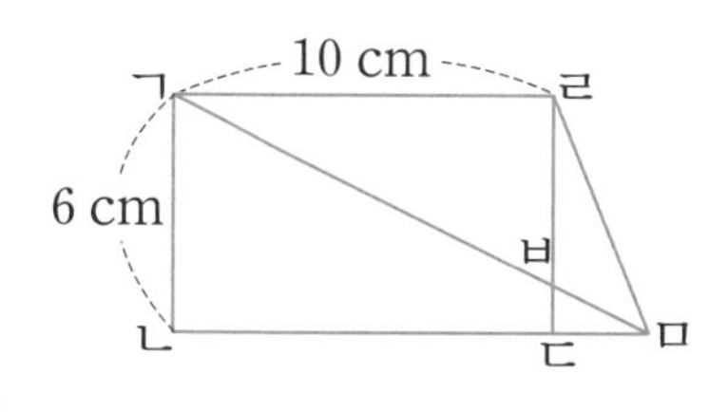

8 직사각형 ㄱㄴㄷㄹ의 넓이는 48 cm^2, 삼각형 ㄱㄴㅁ의 넓이는 15 cm^2, 삼각형 ㄱㄹㅂ의 넓이는 12 cm^2입니다. 삼각형 ㄱㅁㅂ의 넓이는 몇 cm^2입니까?

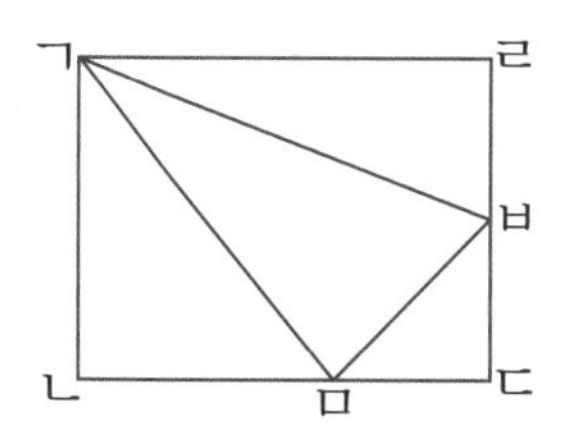

9 오른쪽 그림에서 선분 ㄴㄹ과 선분 ㄱㄴ의 길이는 같고, 선분 ㄷㅁ은 선분 ㄴㄷ의 2배, 선분 ㄱㅂ은 선분 ㄱㄷ의 3배입니다. 이때, 삼각형 ㅁㅂㄹ의 넓이는 삼각형 ㄱㄴㄷ의 넓이의 몇 배입니까?

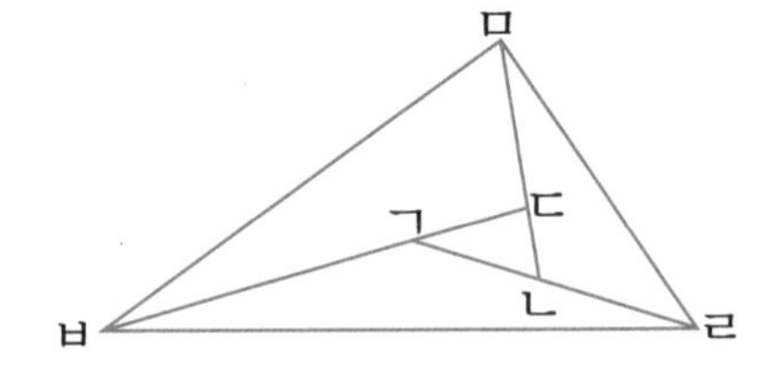

10 오른쪽 그림에서 사각형 ㄱㄴㄷㄹ은 한 변이 24 cm인 정사각형입니다. 삼각형 ㄱㅂㅁ의 넓이가 96 cm^2, 삼각형 ㅁㄴㅅ의 넓이가 24 cm^2일 때, 물음에 답하시오.

(1) 삼각형 ㄹㅂㄴ의 넓이는 몇 cm^2입니까?

(2) 삼각형 ㄹㅅㄷ의 넓이는 몇 cm^2입니까?

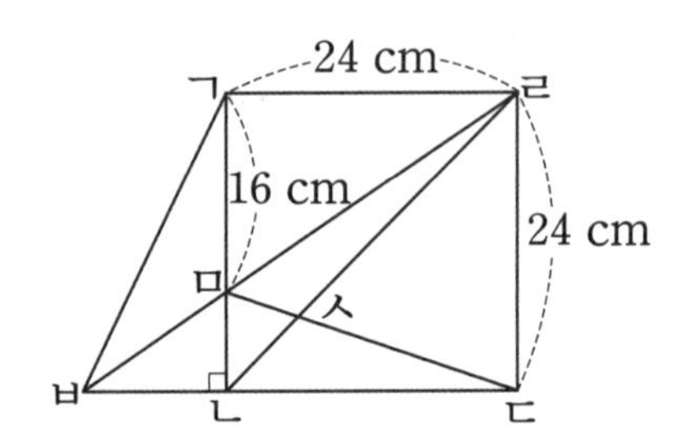

11 오른쪽 그림과 같이 한 변의 길이가 8 cm인 정사각형 3개가 나란히 있습니다. 색칠한 부분의 넓이를 구하시오.

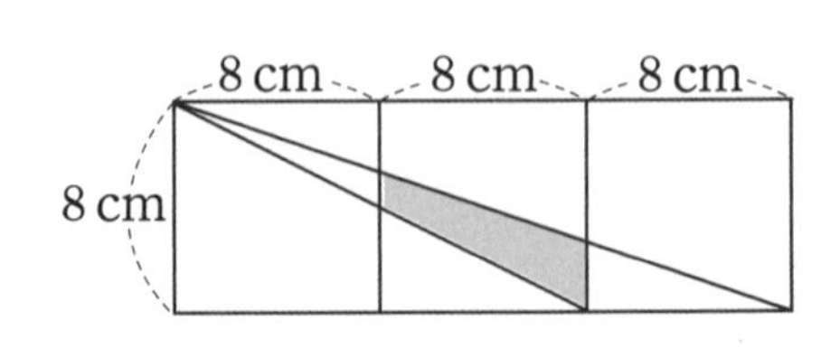

12 오른쪽 그림은 밑변이 18 cm인 평행사변형을 ㉮, ㉯, ㉰, ㉱ 네 부분으로 나눈 것입니다. ㉮는 ㉰보다 45 cm^2 더 넓고, ㉯의 넓이는 36 cm^2입니다. 물음에 답하시오.

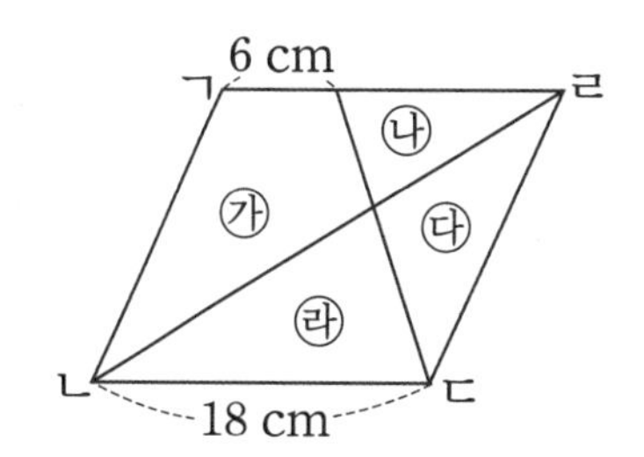

(1) ㉱는 ㉯보다 몇 cm^2 더 넓습니까?

(2) 평행사변형 ㄱㄴㄷㄹ의 넓이는 몇 cm^2입니까?

13 오른쪽 도형에서 사각형 ㄱㄴㄷㅁ과 ㄴㄷㄹㅂ은 평행사변형이고, 삼각형 ㄱㄴㅂ과 평행사변형 ㄴㄷㄹㅂ의 넓이는 모두 20 cm^2입니다. 색칠한 부분의 넓이를 구하시오.

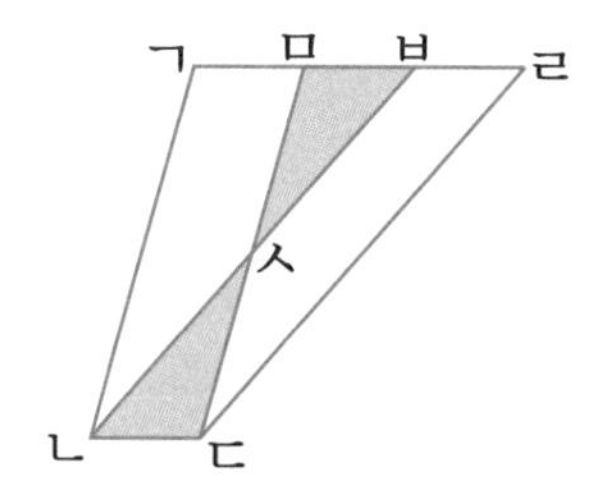

14 오른쪽 도형에서 삼각형 ㄱㄴㄷ과 삼각형 ㄹㅁㅂ은 한 각이 직각인 이등변삼각형입니다. 색칠한 부분의 넓이를 구하시오.

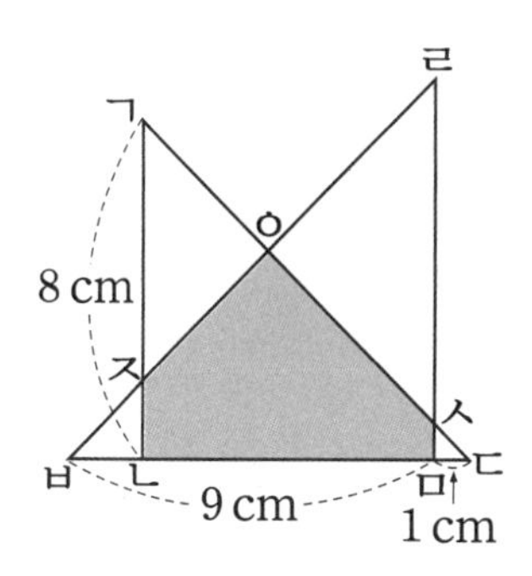

15 한 변의 길이가 각각 12 cm, 10 cm, 8 cm인 세 종류의 정사각형 ㉮, ㉯, ㉰를 오른쪽 그림과 같이 겹쳐 놓았습니다. 색칠한 부분의 넓이는 몇 cm^2입니까?

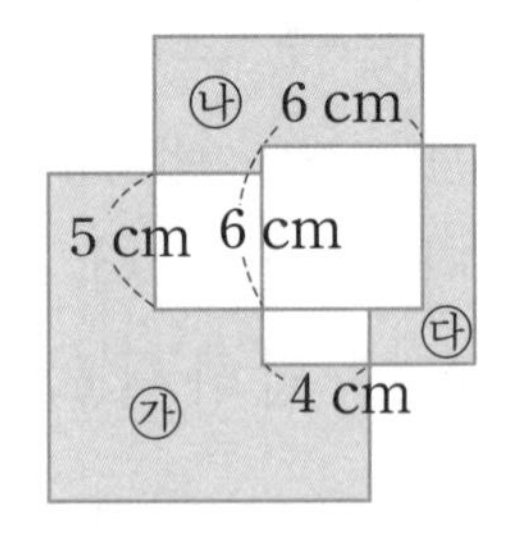

16 오른쪽 그림은 평행사변형 ㄱㄴㄷㄹ과 사다리꼴 ㄱㄴㅁㅂ을 겹쳐 놓은 것입니다. 평행사변형과 사다리꼴의 넓이의 차를 구하시오.

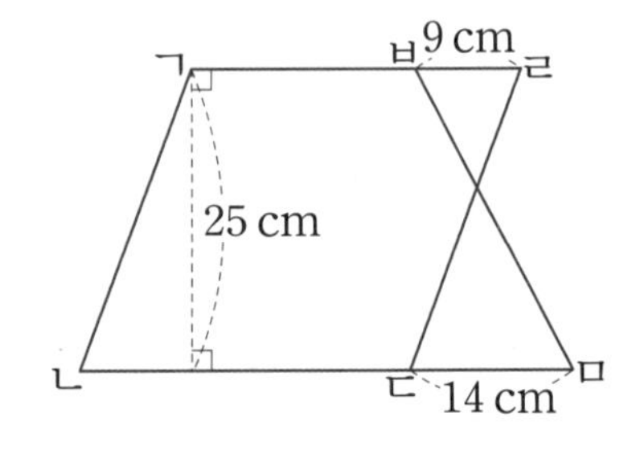

17 오른쪽과 같이 한 변이 각각 8 cm, 4 cm인 두 정사각형을 겹치는 부분도 정사각형이 되게 그렸더니 ㉠의 넓이는 ㉢의 넓이의 5배가 되었습니다. 물음에 답하시오.

(1) ㉠과 ㉢의 넓이의 차는 몇 cm^2입니까?

(2) 정사각형 ㉡의 한 변의 길이는 몇 cm입니까?

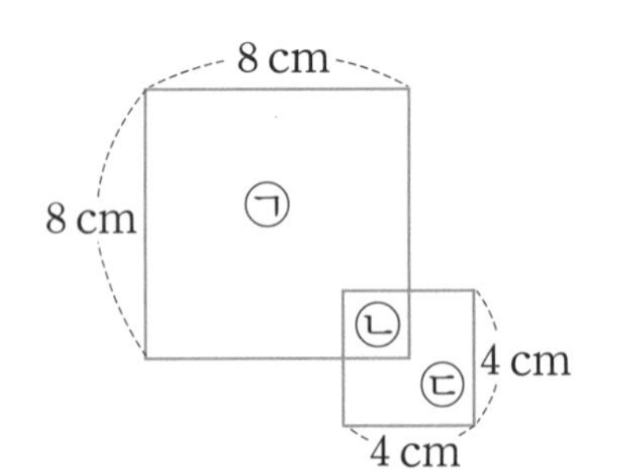

18 오른쪽 그림과 같이 가로 12 cm, 세로 9 cm인 직사각형 모양의 종이 가운데에 가로 8 cm, 세로 1 cm인 직사각형 모양의 구멍이 있습니다. 이 종이를 두 조각으로 자른 후 붙여서 정사각형 하나를 만들어 보시오.

19 그림과 같이 직사각형 ㄱㄴㄷㄹ과 사다리꼴 ㅁㅂㅅㅇ이 있습니다. 직사각형 ㄱㄴㄷㄹ이 화살표 방향으로 매초 2 cm씩 움직여 겹쳐진 부분의 넓이가 처음으로 사다리꼴의 넓이의 $\frac{1}{2}$이 되었다면 직사각형이 움직이기 시작한 지 몇 초 후입니까?

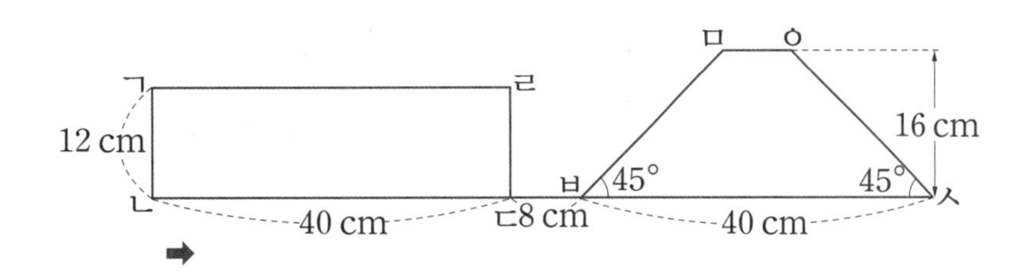

20 한 변의 길이가 1 cm인 정삼각형의 꼭짓점 또는 변 위에 5개의 점 ㄱ, ㄴ, ㄷ, ㄹ, ㅁ이 순서대로 있습니다. 정삼각형 내부에 있는 어떤 한 점과 이 5개의 점을 각각 선분으로 연결하면, 정삼각형의 넓이가 5등분됩니다. 이때, 점 ㅁ은 정삼각형의 가장 가까운 꼭짓점에서 몇 cm 떨어져 있습니까?

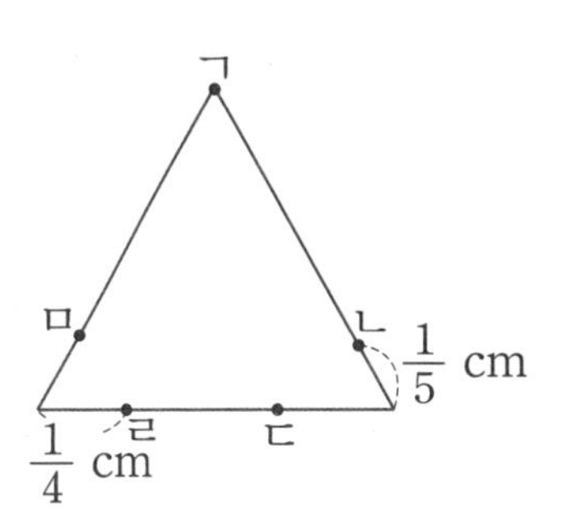

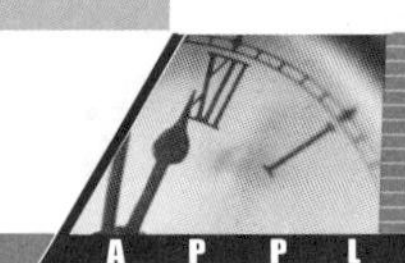

1 이상과 이하

· 130, 131, 132.5 등과 같이 130보다 크거나 같은 수를 130 이상인 수라고 합니다.
· 37, 36, 35.8 등과 같이 37보다 작거나 같은 수를 37 이하인 수라고 합니다.

2 초과와 미만

· 50.2, 52.6, 53 등과 같이 50보다 큰 수를 50 초과인 수라고 합니다.
· 29.7, 28.1, 27 등과 같이 30보다 작은 수를 30 미만인 수라고 합니다.

3 올림

372를 십의 자리까지 나타내기 위해서 십의 자리 아래 수를 올려 380으로 나타낼 수 있고, 백의 자리까지 나타내기 위해서 백의 자리 아래 수를 올려서 400으로 나타낼 수 있습니다.
이와 같이, 구하려는 자리의 아래 수를 올려서 나타내는 방법을 올림이라고 합니다.

예 1520을 올림하여
- 십의 자리까지 나타내기 ➡ 1520
- 백의 자리까지 나타내기 ➡ 1600

4 버림

1463을 십의 자리까지 나타내기 위해서 십의 자리 아래 수를 버려서 1460으로 나타낼 수 있고, 백의 자리까지 나타내기 위해서 백의 자리 아래 수를 버려서 1400으로 나타낼 수 있습니다. 그리고 천의 자리까지 나타내기 위해서 천의 자리 아래 수를 버려서 1000으로 나타낼 수 있습니다.
이와 같이, 구하려는 자리의 아래 수를 버려서 나타내는 방법을 버림이라고 합니다.

예 12697을 버림하여
- 백의 자리까지 나타내기 ➡ 12600
- 천의 자리까지 나타내기 ➡ 12000
- 만의 자리까지 나타내기 ➡ 10000

5 반올림

구하려는 자리의 한 자리 아래 숫자가 0, 1, 2, 3, 4이면 버리고, 5, 6, 7, 8, 9이면 올리는 방법을 반올림이라고 합니다.

예 30485를
- 십의 자리에서 반올림하여 나타내기 ➡ 30500
- 천의 자리에서 반올림하여 나타내기 ➡ 30000

Search 탐구

다음 세 조건을 모두 만족하는 수를 구하시오.

㉠ 115 이상 160 이하인 자연수입니다.
㉡ 12로 나누어떨어지는 수입니다.
㉢ 십의 자리 숫자는 일의 자리 숫자보다 작습니다.

풀이

㉠ 115 이상 160 이하인 자연수는 □, □, □, ……, □, □입니다.

㉡ ㉠에서 구한 수 중에서 12로 나누어떨어지는 수는

□$\div 12 = 10$, □$\div 12 = 11$, □$\div 12 = 12$, □$\div 12 = 13$에서

□, □, □, □입니다.

㉢ ㉡에서 구한 수 중에서 십의 자리 숫자가 일의 자리 숫자보다 작은 수는 □입니다.

답 □

EXERCISE 1

1 다음 두 조건을 모두 만족하는 수는 몇 개입니까?

㉠ 50 이상 150 이하인 자연수입니다.
㉡ 2로도 나누어떨어지고 9로도 나누어떨어집니다.

2 5명씩 앉을 수 있는 의자가 있습니다. 유승이네 학교 학생들이 모두 의자에 앉으려면 의자가 140개 필요합니다. 유승이네 학교 학생 수는 몇 명 초과 몇 명 미만입니까?

Search 탐구

49□□□는 다섯 자리 수입니다. 이 수를 올림하여 천의 자리까지 나타내었더니 50000이 되었습니다. 49□□□가 될 수 있는 수는 모두 몇 개입니까?

풀이

올림하여 천의 자리까지 나타내었을 때, 50000이 되는 자연수는 ☐부터 ☐까지입니다. 이 중 만의 자리의 숫자가 4, 천의 자리의 숫자가 9인 수는 ☐부터 ☐까지 모두 ☐개입니다.

답 ☐개

EXERCISE 2

1 숫자 카드를 한 번씩 사용하여 가장 큰 여섯 자리 수를 만든 후, 그 수를 올림하여 백의 자리까지 나타내시오.

2 버림하여 몇천으로 나타낼 때, 3000이 될 수 있는 자연수 중 가장 큰 수는 무엇입니까?

3 영수네 학교의 개교 기념일 기념품으로 학생들에게 공책을 1권씩 주기 위해 1200권을 준비하였습니다. 전체 학생 수를 십의 자리에서 반올림하면 1200명일 때 부족하면 최대 몇 권이 부족하며, 남으면 최대 몇 권이 남겠습니까?

왕문제

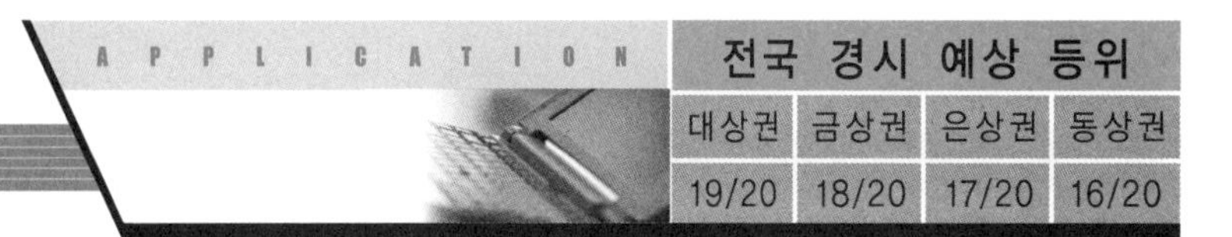

1 수직선에 표시된 ㉠, ㉡, ㉢, ㉣, ㉤ 중 소수점 아래 둘째 자리에서 반올림하여 같은 수가 되는 것을 모두 고르시오.

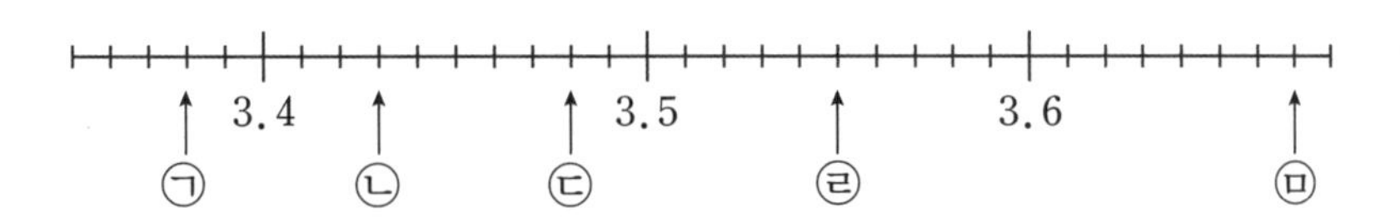

2 주차 시간이 1시간 이하일 때는 요금이 3000원이고 1시간 초과일 때는 30분마다 1500원의 요금이 추가됩니다. 3시간 20분 동안 주차했을 때 주차 요금은 얼마를 내야 합니까?

3 수를 올림하여 몇만으로 나타낸 수를 ㉠, 버림하여 백의 자리까지 나타낸 수를 ㉡, 백의 자리에서 반올림하여 나타낸 수를 ㉢이라고 할 때, ㉠+㉡−㉢의 값을 구하시오.

2190835

4 일의 자리에서 반올림하여 7000이 되는 자연수는 모두 몇 개입니까?

5 0.5 초과 0.8 미만의 수들 중에서 분모가 10 미만인 기약분수는 모두 몇 개입니까?

6 다음 다섯 자리 수를 올림하여 천의 자리까지 나타내면 40000이 됩니다. 다음 수가 될 수 있는 수는 모두 몇 개입니까?

39□□□

7 주어진 6장의 숫자 카드 중 2장을 선택하여 두 자리 수를 만들려고 합니다. 만든 두 자리 수 중 6으로 나누어떨어지면서 30 초과 60 이하인 수는 모두 몇 개입니까?

2 3 4 5 6 8

8 한별이는 저금통에 동전을 모으고 있습니다. 저금통에는 500원짜리 29개, 100원짜리 86개, 50원짜리 12개, 10원짜리 48개가 있습니다. 이것을 1000원짜리 지폐로 최대 얼마까지 바꿀 수 있습니까?

9 야구장에 온 관람객에게 볼펜을 2자루씩 나누어 주려고 합니다. 관람객 수를 십의 자리에서 반올림하면 12800명일 때, 볼펜은 최소 몇 자루를 준비해야 부족하지 않겠습니까?

10 예슬이네 학년 학생들은 체육 시간에 게임을 하기 위해 모듬을 나누어 의자에 앉으려고 합니다. 4명씩 앉으면 18개의 의자가 필요하고 6명씩 앉으면 12개의 의자가 필요하다고 합니다. 학생 수는 ㉠명 이상 ㉡명 미만이라고 할 때 ㉠+㉡의 값은 얼마입니까?

11 어떤 자연수와 17의 합을 일의 자리에서 반올림하면 120이 됩니다. 어떤 자연수가 될 수 있는 수 중 가장 작은 수와 가장 큰 수를 구하시오.

12 올림, 버림, 반올림하여 백의 자리까지 나타낼 때 항상 8700이 되는 자연수를 구하시오.

13 어떤 수를 십의 자리에서 반올림하면 3000이고, 버림하여 천의 자리까지 나타내면 2000입니다. 어떤 수의 범위를 다음과 같이 나타내었을 때, ㉠과 ㉡의 차는 얼마입니까?

㉠ 이상 ㉡ 미만인 수

14 소포 우편물 요금과 학생들이 보낼 소포 우편물 무게가 각각 다음과 같습니다. 빠른 소포로 보낼 때, 소포 우편물 요금으로 3000원을 내야 하는 사람은 몇 명입니까?

소포 우편물 요금

무게	보통 소포	빠른 소포
2 kg 이하	1500원	2500원
2 kg 초과 5 kg 이하	2000원	3000원
5 kg 초과 10 kg 이하	3000원	4000원

지혜 : 3.2 kg	가영 : 4 kg	상연 : 1.7 kg
한솔 : 1.3 kg	석기 : 5 kg	신영 : 4.2 kg
규형 : 9 kg	효근 : 9 kg	유승 : 2 kg

15 다음 중 값이 가장 작은 것은 어느 것입니까?

① 색종이 3225장을 100장씩 묶을 때 묶음의 수
② 82명이 3명씩 타는 놀이 기구를 동시에 탈 때 필요한 놀이 기구의 수
③ 289장의 벽돌을 한 번에 10장씩 나를 때 나르는 횟수
④ 연필 328자루를 1타씩 묶어서 팔 때 팔 수 있는 타 수
⑤ 사과 632개를 한 상자에 20개씩 담아서 팔 때 팔 수 있는 상자 수

16 0, 2, 4, 5, 7, 9를 한 번씩 사용하여 만든 여섯 자리 수 중에서 50만에 가장 가까운 수를 올림하여 천의 자리까지 나타내시오.

17 숫자 카드를 한 번씩 사용하여 만든 수 중 500만에 가장 가까운 수를 천의 자리에서 반올림하면 얼마가 되겠습니까?

18 어떤 자연수에 4를 곱한 수를 일의 자리에서 반올림하였더니 600이 되었습니다. 어떤 자연수가 될 수 있는 수를 모두 구하시오.

19 어느 공장에서 하루에 공책을 38548권씩 만든다고 합니다. 이 공책을 12권씩 묶어서 한 상자에 12묶음씩 넣어 운반하려고 합니다. 상자에 넣어서 운반할 수 있는 공책 수는 모두 몇 권입니까?

20 어느 음악회의 입장객 수를 일의 자리에서 반올림하면 1250명입니다. 기념품 3750개를 준비하여 입장객 한 사람에게 3개씩 나누어 주려고 합니다. 물음에 답하시오.

(1) 기념품이 남는다면 최대한 몇 개가 남겠습니까?

(2) 기념품이 부족하다면 최대한 몇 개가 부족하겠습니까?

전국 경시 예상 등위			
대상권	금상권	은상권	동상권
16/18	14/18	12/18	10/18

1 가장 큰 수부터 차례로 기호를 쓰시오.

㉠ 한 대에 41명씩 탈 수 있는 버스에 53049명이 모두 탈 때, 필요한 버스의 최소 대수
㉡ 일의 자리에서 반올림하면 630명이 되는 학생들에게 연필을 2자루씩 부족하지 않게 나누어 줄 때, 필요한 연필의 최소 자루 수
㉢ 42371개의 달걀을 30개씩 판에 넣어 팔 때, 팔 수 있는 판의 개수
㉣ 버림하여 십의 자리까지 나타내면 1240이 되고, 반올림하여 십의 자리까지 나타내면 1250이 되는 가장 작은 자연수

2 어떤 다섯 자리 수를 십의 자리에서 반올림하면 34900이 되고, 일의 자리에서 반올림하면 34850이 된다고 합니다. 이 수의 십의 자리의 숫자와 백의 자리의 숫자를 각각 구하시오.

3 다음과 같이 만의 자리와 천의 자리가 지워진 수를 반올림하여 58000이 되도록 하려면 어느 자리에서 반올림해야 됩니까? 또, 반올림하여 58000이 되는 수의 만의 자리의 숫자와 천의 자리의 숫자는 각각 무엇입니까?

■■598

4 반올림하여 백의 자리까지 나타내면 2700과 1200이 되는 두 자연수가 있습니다. 반올림하여 2700이 되는 자연수와 반올림하여 1200이 되는 자연수의 차 중에서 가장 큰 수를 구하시오.

5 ㉮, ㉯, ㉰가 다음과 같은 관계에 있을 때 ㉯가 될 수 있는 수를 모두 찾아 합을 구하면 얼마입니까?

> · ㉰는 383 이상 415 미만인 자연수입니다.
> · ㉮는 ㉰보다 25 큰 수입니다.
> · ㉮ = ㉯ × 8입니다.

6 어느 수학경시대회에 각 학교마다 참가한 학생 수는 모두 3명 이상 5명 이하라고 합니다. 이 대회에 782명이 참가하였다면, 참가한 학교는 최소 몇 개이고 최대 몇 개입니까?

7 ㉠, ㉡, ㉢이 서로 다른 숫자일 때 ㉠㉡㉢827을 천의 자리에서 반올림하면 650000이 되고, ㉢㉠㉡827을 천의 자리에서 반올림하면 760000이 됩니다. ㉡㉢㉠827을 천의 자리에서 반올림하면 얼마가 됩니까?

8 한별이네 공장에서 지난해 생산한 인형의 수를 백의 자리에서 반올림하면 50000개이고, 올해 생산한 인형의 수를 십의 자리에서 반올림하면 47300개입니다. 지난해와 올해에 생산한 인형의 수의 차가 가장 클 때는 몇 개입니까?

9 숫자 카드를 한 번씩 사용하여 다섯 자리 수를 만들었을 때, 천의 자리에서 반올림하여 60000이 되는 수는 모두 몇 개입니까?

10 어느 권투 선수의 몸무게는 59.2 kg입니다. 이 권투 선수가 두 체급을 낮춰서 경기에 나가려면, 몇 kg을 감량해야 하는지 초과와 이하를 사용하여 범위로 나타내시오.

권투 체급별 몸무게

체급	몸무게(kg)
밴텀급	51 kg 이상 54 kg 미만
페더급	54 kg 이상 57 kg 미만
라이트급	57 kg 이상 60 kg 미만
라이트 웰터급	60 kg 이상 63.5 kg 미만

11 어떤 수를 올림하여 십의 자리까지 나타내면 2350, 버림하여 십의 자리까지 나타내면 2340, 반올림하여 십의 자리까지 나타내면 2350 입니다. 어떤 수가 될 수 있는 네 자리 수들의 합을 구하시오.

12 지구에서 화성까지의 거리는 80400000 km 이고, 빛은 1초에 299792 km를 갑니다. 지구에서 화성까지의 거리를 올림하여 백만의 자리까지 나타내고, 빛이 1초에 가는 거리를 반올림하여 만의 자리까지 나타내면, 빛이 화성에서 지구까지 오는 데 몇 분 몇 초가 걸리는지 구하시오.

13 네 자리 수 가, 나가 있습니다. 가는 올림하여 백의 자리까지 나타내고, 나는 반올림하여 백의 자리까지 나타내었더니 나타낸 두 수의 합은 5700, 차는 1100이었습니다. 가가 나보다 클 때, 가와 나가 될 수 있는 가장 큰 수를 각각 구하시오.

14 어떤 소수 세 자리 수를 10배 한 후 소수 둘째 자리에서 반올림하면 24.6이 되고, 이 소수 세 자리 수를 1000배 하면 14로 나누어떨어집니다. 어떤 소수를 구하시오.

15 주어진 조건을 모두 만족하는 자연수 ㉮를 구하시오. (단, ㉮, ㉯, ㉰는 모두 자연수입니다.)

- ㉯는 ㉮보다 8 큰 수입니다.
- ㉰는 ㉯보다 4 작은 수입니다.
- 세 수의 합을 버림하여 십의 자리까지 나타내면 560입니다.
- 세 수의 합을 반올림하여 십의 자리까지 나타내면 570입니다.
- 세 수의 합을 올림하여 십의 자리까지 나타내면 570입니다.

갑, 을, 병 세 사람이 어떤 자연수를 반올림, 올림, 버림 중 각각 다른 방법으로 만의 자리까지 나타내면 ㉠과 같고, ㉠에서와 같은 방법으로 천의 자리까지 나타내면 ㉡과 같습니다. 물음에 답하시오. (**16~17**)

㉠ 갑 : 20000	을 : 20000	병 : 10000
㉡ 갑 : 18000	을 : 19000	병 : 18000

16 갑, 을, 병은 각각 어떤 방법으로 어림하였습니까?

17 어떤 수가 될 수 있는 수 중 가장 큰 수와 가장 작은 수의 합을 구하시오.

18 어떤 수는 7과 3으로 나누어떨어진다고 합니다. 이 수를 7로 나눈 후 일의 자리에서 반올림하면 20이 되고, 3으로 나눈 후 일의 자리에서 반올림하면 50이 됩니다. 어떤 수를 구하시오.

Ⅳ 자료와 가능성

1. 평균과 가능성

APPLICATION

응용왕수학

핵심내용

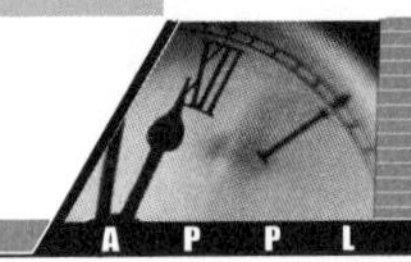

1 평균과 가능성

1 평균

전체 합계를 자료의 개수(횟수)로 나눈 것을 평균이라 합니다.

$$(\text{평균})=\frac{(\text{전체 합계})}{(\text{자료의 개수})}$$

예 한별이의 수학 점수

횟수(회)	1	2	3	4
점수(점)	92	88	96	100

(합계)$=92+88+96+100=376$(점)

(평균)$=\frac{376}{4}=94$(점)

2 평균이 이용되는 경우

(전체 합계)=(평균)×(개수)

(모르는 자료의 값)=(합계)−(알고 있는 자료들의 합)

예 효근이의 성적

과목	국어	수학	사회	과학	평균
점수(점)	92		88	82	90

(수학 점수)

$=90\times4-(92+88+82)=98$(점)

3 일이 일어날 가능성을 말로 표현해 보기

가능성은 어떠한 상황에서 특정한 일이 일어나길 기대할 수 있는 정도를 말합니다. 가능성의 정도는 불가능하다, ~ 아닐 것 같다, 반반이다, ~ 일 것 같다, 확실하다 등으로 표현할 수 있습니다.

일	불가능하다	반반이다	확실하다
주사위를 던졌을 때 7의 눈이 나올 가능성	○		
366명보다 많은 학생들이 있을 때 이 중 생일이 같은 사람이 있을 가능성			○
동전을 던졌을 때 그림면이 나올 가능성		○	
해가 서쪽에서 뜰 가능성	○		

일이 일어날 가능성이 낮습니다. ← 불가능하다 | ~ 아닐 것 같다 | 반반이다 | ~ 일 것 같다 | 확실하다 → 일이 일어날 가능성이 높습니다.

4 일이 일어날 가능성을 수로 나타내기

확실하다 : 1　　반반이다 : $\frac{1}{2}$　　불가능하다 : 0

Search 탐구

다음은 가영이네 마을의 가구별 쌀 생산량을 나타낸 표입니다. 물음에 답하시오.

가구별 쌀 생산량

가구	가	나	다	라	마
생산량(kg)	3240	2500	1460	1980	3660

(1) 가영이네 마을의 쌀 총 생산량을 구하시오.
(2) 가영이네 마을의 가구별 평균 쌀 생산량을 구하시오.
(3) 이 쌀을 80 kg씩 가마니에 모두 담으려면, 가마니는 모두 몇 개가 필요합니까?

풀이

(1) $3240+2500+\square+1980+\square=\square$(kg)

(2) $\square\div 5=\square$(kg)

(3) $\square\div 80=160.5\rightarrow\square$(개)

답 (1) $\square$ kg (2) $\square$ kg (3) $\square$개

EXERCISE 1

1 한별이의 각 교과 성적을 나타낸 표입니다. 빈칸에 알맞은 수를 써넣으시오.

한별이의 성적

과목	국어	수학	사회	과학	음악	미술	합계	평균
점수(점)	96		92	94	88	88		92

2 영수네 모둠 학생들의 몸무게입니다. 몸무게의 평균은 몇 kg입니까?

39, 42, 31, 35, 40, 34, 36, 38, 37, 48 (단위 : kg)

3 A 마을과 B 마을 사이의 거리는 380 km입니다. A 마을에서 B 마을까지 가는 데 4시간이 걸렸다면 1시간에 평균 몇 km씩 간 셈입니까?

Search 탐구

오른쪽 그림과 같이 상자 속에 1부터 20까지 수가 적힌 20개의 구슬이 있습니다. 이 상자 속에서 한 개의 구슬을 꺼낼 때, 2의 배수 또는 3의 배수가 나올 가능성을 구하시오.

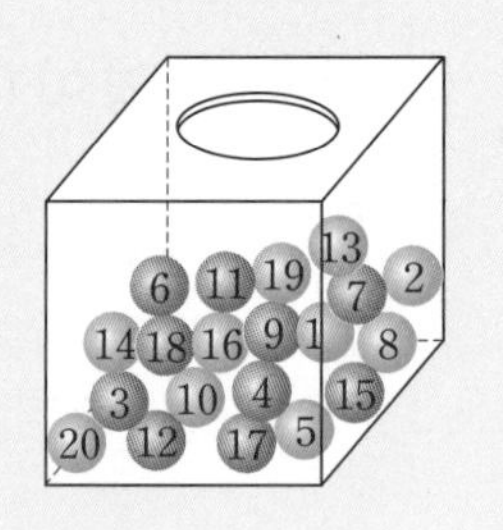

풀이

- 1부터 20까지의 수 중 2의 배수는 □개입니다.
- 1부터 20까지의 수 중 3의 배수는 □개입니다.
- 1부터 20까지의 수 중 2와 3의 공배수는 □개입니다.

따라서 1부터 20까지의 수 중 2 또는 3의 배수는 □+□−□=□(개)

이므로 2 또는 3의 배수가 나올 가능성은 $\frac{\square}{\square}$ 입니다.

답 $\frac{\square}{\square}$

EXERCISE 2

1 ㉮ 주머니에는 흰공 4개와 검은공 1개가 들어 있고, ㉯ 주머니에는 흰공 2개와 검은공 3개가 들어 있습니다. 주머니 ㉮, ㉯에서 각각 공을 한 개씩 꺼낼 때 흰공이 나올 가능성의 차를 구하시오.

2 동전 한 개와 주사위 한 개를 던질 때 동전은 숫자면이, 주사위의 눈은 3보다 작은 수가 나올 가능성을 기약분수로 나타내시오.

전국 경시 예상 등위			
대상권	금상권	은상권	동상권
19/20	18/20	17/20	16/20

1 영수는 7일 동안 259쪽의 동화책을 읽었고, 효근이는 9일 동안 306쪽의 동화책을 읽었습니다. 누가 하루 평균 몇 쪽씩 더 읽은 셈입니까?

2 (㉠＋㉡)÷5＝120, (㉢＋㉣)÷4＝150, (㉠＋㉢)÷3＝130일 때, (㉡＋㉣)÷2는 얼마가 되겠습니까?

3 ㉮, ㉯ 두 주사위를 동시에 던질 때, 나온 눈의 합이 6 또는 7이 될 가능성을 분수로 나타내시오.

4 한초네 모둠 학생들의 키를 조사한 표입니다. 평균 키를 구하는 계산을 한초는 다음과 같이 했습니다. □ 안에 알맞은 수를 써넣으시오.

한초네 모둠 학생들의 키

학생	한초	영수	가영	효근	지혜
키(cm)	143.5	148.2	151.1	145.8	142.4

140＋(□＋□＋□＋□＋□)÷□＝□(cm)

5 1부터 50까지의 수가 각각 적힌 카드가 50장 있습니다. 이 카드에서 임의로 한 장을 뽑을 때 3의 배수이거나 4의 배수가 될 가능성을 소수로 나타내시오.

6 한별이와 한초가 가지고 있는 돈의 평균은 4700원이고, 한별이는 한초보다 500원 더 많이 가지고 있습니다. 한초가 가지고 있는 돈은 얼마입니까?

7 석기의 각 교과 성적을 나타낸 표입니다. 성적표의 일부가 찢어져 점수를 알 수 없게 되었습니다. 수학과 사회 점수를 각각 구하시오.

석기의 성적

과목	도덕	국어	수학	사회	과학	평균
점수(점)	84	72	8	3	82	79.4

8 다섯 개의 수의 평균은 26입니다. 이 다섯 개의 수 중 하나를 뺀 나머지 네 개의 수의 평균은 27입니다. 뺀 수를 구하시오.

오른쪽 표는 5학년 학생들의 수학 성적과 국어 성적을 나타낸 것입니다. 각 과목은 10점 만점이고, 표에서 •은 1명을 나타냅니다. 물음에 답하시오. (9~11)

(점)

10				•		•		•
9					•		•	
8			••		••	••		
7				•••	•	•	••	
6			•	•••••	••••	•	•	
5	•		•	••	•	•		
4		•	•					•
3	•							
수학 / 국어	3	4	5	6	7	8	9	10

(점)

9 국어와 수학 성적이 모두 7점보다 높은 학생은 몇 명입니까?

10 5학년 학생들의 국어 성적의 평균을 구하시오.

11 수학과 국어 성적의 평균이 8점과 같거나 높은 학생들의 수학 성적의 평균을 반올림하여 소수 둘째 자리까지 구하시오.

12 한별이는 도덕, 국어, 사회, 과학 네 과목의 시험을 보아 평균 88점을 받았습니다. 수학 성적을 포함하여 다섯 과목의 평균이 90점과 같거나 높게 나오게 하려면 수학 점수는 최소한 몇 점을 받아야 합니까?

13 다음은 동민이네 집에서 기르는 닭들의 월별 달걀 생산량입니다. 8월보다 5월에 생산한 달걀이 18개 더 많았다면, 5월과 8월의 달걀 생산량은 각각 몇 개입니까?

월별 달걀 생산량

월	4	5	6	7	8	평균
생산량(개)	88		89	78		85

14 웅이가 지난번까지 본 수학 성적의 평균은 73점이었는데 이번에 85점을 받아 전체 평균이 75점이 되었습니다. 지금까지 웅이는 수학 시험을 모두 몇 번 보았습니까?

15 4개의 수 ㉠, ㉡, ㉢, ㉣의 평균은 38입니다. ㉠과 ㉡의 평균이 42, ㉡과 ㉢과 ㉣의 평균이 36일 때, 물음에 답하시오.

(1) ㉢과 ㉣의 평균은 얼마입니까?

(2) ㉡은 얼마입니까?

16 남자 5명의 몸무게의 평균은 34.4 kg이고, 여자 7명의 몸무게의 평균은 32.6 kg입니다. 남자와 여자 전체의 몸무게의 평균은 몇 kg입니까?

17 주머니에 10원짜리, 100원짜리, 500원짜리 동전이 각각 한 개씩 들어 있습니다. 주머니에서 동전을 2개 꺼낼 때 금액의 합이 600원이 될 가능성을 분수로 나타내시오.

18 1부터 9까지의 숫자가 각각 적힌 9장의 숫자 카드에서 2장을 뽑아 두 자리 수를 만들려고 합니다. 만들 수 있는 두 자리 수가 50보다 클 가능성을 분수로 나타내시오.

19 ㉮, ㉯, ㉰ 3개의 물통에 들어 있는 물의 양은 모두 51 L입니다. 처음 ㉮ 물통에서 ㉰ 물통에 3 L, ㉯ 물통에서 ㉰ 물통에 1 L의 물을 넣었더니 3개의 물통의 물의 양이 똑같게 되었습니다. 맨 처음 3개의 물통에는 각각 몇 L의 물이 들어 있었습니까?

20 효근이의 2회까지 시험 점수의 평균은 82점이고, 3회 때는 1회 때보다 23점 더 높은 점수를 받았습니다. 1회부터 3회까지의 시험 점수의 평균이 87점일 때, 1회부터 3회까지 얻은 점수를 각각 구하시오.

왕중왕문제

APPLICATION

전국 경시 예상 등위			
대상권	금상권	은상권	동상권
18/20	16/20	14/20	12/20

1 효근이와 한초의 몸무게의 평균은 41.3 kg, 한초와 영수의 몸무게의 평균은 42 kg, 영수와 효근이의 몸무게의 평균은 46.2 kg입니다. 효근, 한초, 영수의 몸무게를 각각 구하시오.

2 한별이는 등산을 하였습니다. 올라갈 때에는 한 시간에 4 km를 가는 빠르기로, 같은 길을 내려올 때에는 한 시간에 6 km를 가는 빠르기로 걸었습니다. 평균적으로 한 시간에 몇 km씩 걸은 셈입니까?

3 갑, 을, 병 세 사람이 용돈을 받았습니다. 을은 갑보다 3500원 더 많이 받고, 병은 을보다 500원 더 많이 받았습니다. 세 사람이 받은 용돈의 평균이 5000원일 때, 세 사람이 받은 용돈을 각각 구하시오.

4 지혜와 웅이가 4회까지 본 시험의 평균 점수는 각각 82점, 79.25점이었습니다. 5회 때 웅이가 지혜보다 21점을 더 받았다면 5회까지의 평균 점수는 누가 몇 점 더 높겠습니까?

5 가, 나, 다 3종류의 물건이 있습니다. 가는 4 kg에 12000원, 나는 3 kg에 7500원, 다는 6 kg에 12000원입니다. 가, 나, 다 3종류 물건의 1 kg당 가격의 평균은 얼마입니까?

6 유승, 석기, 지혜 세 사람이 가위바위보를 하여 이긴 사람 한 명이 반별 노래자랑 대표로 뽑힌다고 할 때, 한 번의 가위바위보로 유승이가 대표로 뽑힐 가능성을 분수로 나타내시오.

7 한 개에 990원 하는 공을 (가), (나) 두 상점에서 10개 단위로 판매하고 있습니다. (가) 상점에서는 10개를 사면 한 개를 더 주고, (나) 상점에서는 10개를 사면 한 개의 값을 할인해 준다고 합니다. 어느 상점에서 사는 것이 1개에 얼마씩 더 싸게 사는 셈입니까?

8 색종이가 200장 있습니다. 이것을 학생들에게 4장씩 나누어 주다보니 2장이 모자랐습니다. 잘 살펴보았더니 색종이가 겹쳐져서 7장 받은 학생이 1명, 6장 받은 학생이 2명, 5장 받은 학생이 3명 있었습니다. 학생 수는 몇 명입니까?

오른쪽 표는 예슬이가 국어와 수학 시험을 각각 다섯 번 본 결과를 나타낸 것입니다. 표에서 ①은 첫 번째 시험의 국어와 수학 점수를, ②는 두 번째 시험의 국어와 수학 점수를, … 나타낼 때, 물음에 답하시오. (9～10)

(점)

100					
80					⑤
60			②	③	
40				①	
20					
수학 / 국어	20	40	60	80	100

(점)

9 다섯 번까지 본 국어 시험의 평균은 76점이고, 네 번째 시험에서는 수학 점수가 국어 점수보다 20점 더 높았습니다. 네 번째 시험의 평균 점수를 구하시오.

10 다섯 번 본 시험에서 국어와 수학 중 어느 쪽의 평균이 몇 점 더 높습니까?

11 4장의 숫자 카드 3, 4, 6, 7 중에서 분모와 분자에 각각 한 장씩만 사용하여 분수를 만들려고 합니다. 이 중에서 1보다 작은 분수가 될 가능성을 분수로 나타내시오.

12 가영이가 수학 문제를 푸는데 첫째 날에는 3문제, 둘째 날에는 4문제, 셋째 날에는 6문제를 풀었고, 걸린 시간은 각각 $\frac{3}{4}$시간, $\frac{5}{6}$시간, $1\frac{1}{8}$시간이었습니다. 가영이가 한 문제를 푸는 데 걸린 시간은 평균 몇 분 몇 초입니까?

13 5학년 학생 50명이 수학 시험을 보았습니다. 문제의 수는 3개이고 1번은 10점, 2번은 20점, 3번은 30점입니다. 전체의 평균이 34.4점이고 시험 결과를 나타낸 것이 다음 표와 같을 때 40점을 받은 학생은 몇 명입니까?

수학 성적

점수(점)	60	50	40	30	20	10	0
학생 수(명)		11		9	8	4	3

14 13번 문제에서 문제별 정답 학생 수를 조사한 것입니다. 아래 표의 빈칸에 알맞은 수를 써넣으시오.

문제	1번	2번	3번
학생 수(명)		30	

15 경시대회에서 1번부터 8번 학생까지의 평균이 93점, 1번부터 10번 학생까지의 평균이 91점이었습니다. 9번 학생이 10번 학생보다 4점 높다고 하면 10번 학생은 몇 점입니까?

16 주머니에 길이가 4 cm, 5 cm, 6 cm, 7 cm, 10 cm인 5개의 나무 막대가 있습니다. 이 중에서 3개의 나무 막대를 꺼내어 삼각형을 만들 때, 삼각형이 만들어질 가능성을 분수로 나타내시오.

17 신영이는 과일 가게에서 복숭아 몇 개를 샀습니다. 산 복숭아 전체의 평균 무게는 120 g이고, 114 g, 119 g, 115 g, 121 g의 4개의 복숭아를 먹었더니, 남은 복숭아의 평균 무게는 121 g이 되었습니다. 처음에 산 복숭아는 모두 몇 개입니까?

18 1부터 10까지의 번호가 적혀 있는 10개의 상자가 있습니다. 각각의 상자 안에서 상자 번호만큼 사탕을 꺼내어 무게를 달았더니 사탕 전체의 무게가 724 g이 되었습니다. 사탕의 무게는 1개에 12 g씩인데 어느 한 상자만이 사탕의 무게가 20 g씩입니다. 20 g짜리 사탕이 들어 있는 상자의 번호는 몇 번입니까?

19 A, B, C, D, E의 다섯 지점 사이에 그림과 같이 길이 있습니다. 같은 지점은 한 번밖에 지나갈 수 없다고 할 때, A지점에서 E지점까지 가는 데 반드시 D지점을 거쳐서 갈 가능성을 분수로 나타내시오.

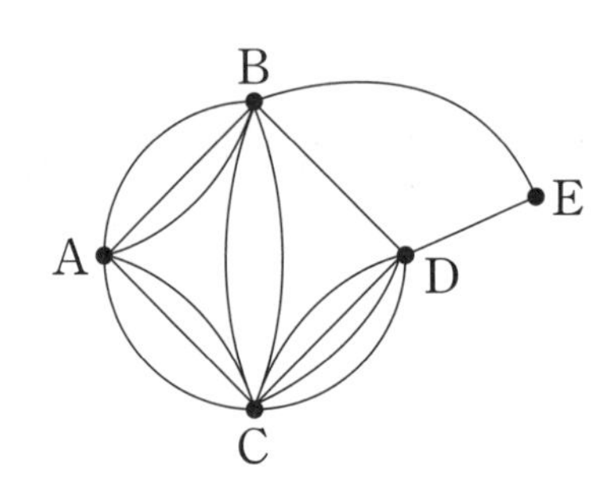

20 예슬, 지혜, 웅이, 한별, 효근이가 사진을 찍으려고 합니다. 5명이 일렬로 설 때, 웅이가 예슬이보다 왼쪽에 한별이가 예슬이보다 오른쪽에 설 가능성을 분수로 나타내시오.

V 규칙성과 대응

1. 규칙과 대응
2. 단위산
3. 합일정산
4. 가정산
5. 배수산

APPLICATION

응용왕수학

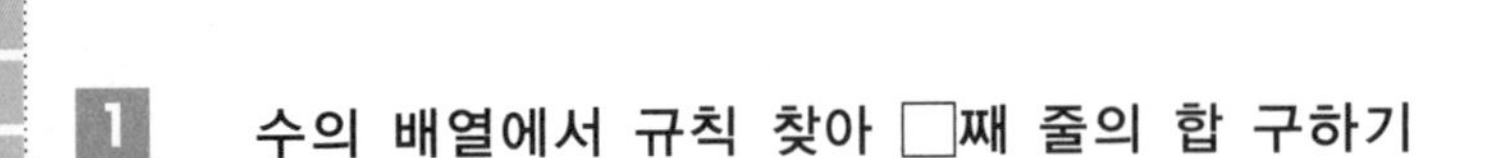

1 수의 배열에서 규칙 찾아 □째 줄의 합 구하기

1	… 첫째 줄 (1)
1 1	… 둘째 줄 (1+1=2)
1 2 1	… 셋째 줄 (1+2+1=4)
1 3 3 1	… 넷째 줄 (1+3+3+1=8)
1 4 6 4 1	… 다섯째 줄 (1+4+6+4+1=16)

➔ □째 줄의 합은 2를 □−1(번) 곱한 결과와 같습니다.

2 점의 배열에서 규칙 찾아보기

첫 번째 두 번째 세 번째 네 번째 다섯 번째

모양	첫 번째	두 번째	세 번째	네 번째	다섯 번째
점의 개수(개)	1	3	6	10	15

➔ □번째 모양의 점의 개수는 1+2+3+ … +□(개)입니다.

3 수 사이의 규칙 찾아보기

$\frac{1}{4}$, $\frac{2}{6}$, $\frac{3}{8}$, $\frac{4}{10}$, $\frac{5}{12}$, $\frac{6}{14}$, …

➔ $\frac{1}{4}$부터 분모는 2씩 커지고, 분자는 1씩 커지는 규칙이 있습니다.

Search 탐구

늘어놓은 수들의 규칙을 찾아 ★ 안에 알맞은 수를 구하시오.

$$\frac{1}{2},\ \frac{2}{3},\ \frac{3}{5},\ \frac{5}{8},\ \frac{8}{13},\ ★$$

풀이

앞의 수와 뒤의 수를 비교해 보면 규칙을 발견할 수 있습니다.

(뒤의 수의 분자)=(앞의 수의 분모)

(뒤의 수의 분모)=(앞의 수의 분자와 분모의 합)

따라서 $★=\frac{\square}{\square+\square}=\frac{\square}{\square}$

답 $\square$

EXERCISE 1

1 다음은 일정한 규칙에 따라 수를 늘어놓은 것입니다. 101번째 수를 구하시오.

6, 9, 15, 24, 36, 51, …

2 다음은 일정한 규칙에 따라 수를 늘어놓은 것입니다. 150번째 분수를 구하시오.

$$\frac{1}{5},\ \frac{2}{11},\ \frac{3}{17},\ \frac{1}{23},\ \frac{2}{29},\ \frac{3}{35},\ \cdots$$

3 7을 250번 곱하면 일의 자리의 숫자는 얼마가 됩니까?

Search 탐구

오른쪽 그림과 같이 바둑돌을 계속 나열하였더니 바둑돌이 153개였습니다. 바둑돌은 모두 몇 줄입니까?

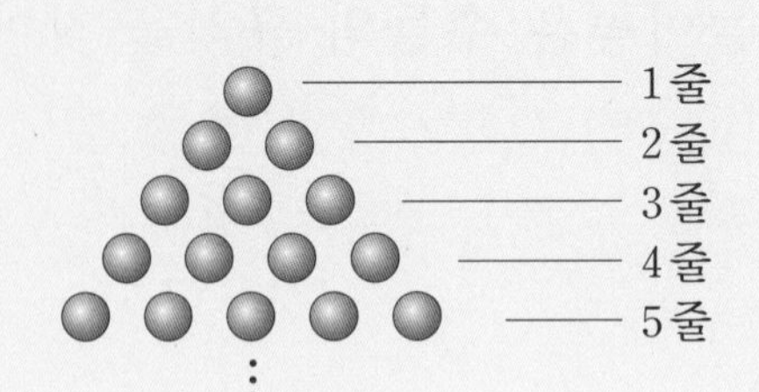

풀이

■줄까지의 바둑돌이 153개라면 ■×(■+1)÷2=153입니다.

따라서 ■×(■+1)=☐이므로 ■=☐입니다.

답 ☐줄

EXERCISE 2

1 오른쪽 그림과 같은 방법으로 바둑돌을 가로, 세로에 13개씩 놓는다면, 검은색 바둑돌은 몇 개가 됩니까?

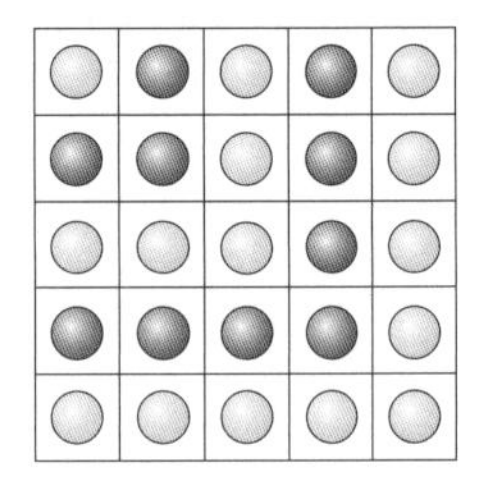

2 그림과 같이 일정한 규칙에 따라 삼각형을 그릴 때, 20번째 그림에서 색칠한 삼각형의 개수는 몇 개입니까?

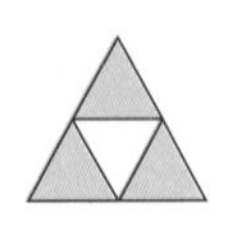

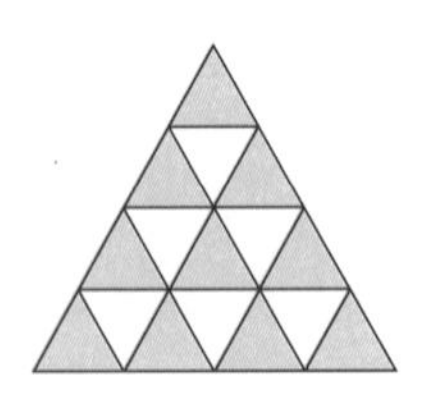

3 오른쪽 그림과 같이 정삼각형 모양에 같은 간격으로 점이 찍혀 있습니다. 정삼각형 모양이 30개가 될 때까지 점을 찍었다면, 찍은 점은 모두 몇 개입니까?

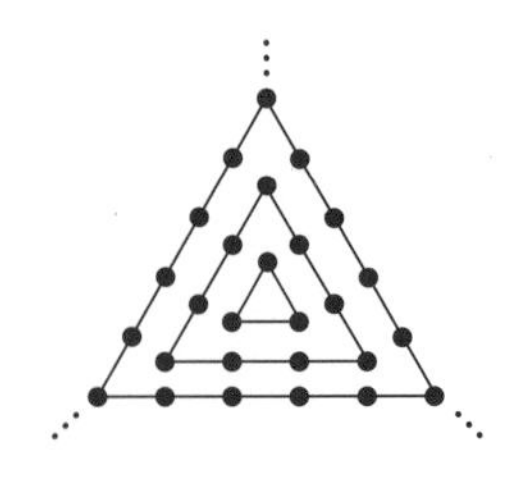

왕 문제

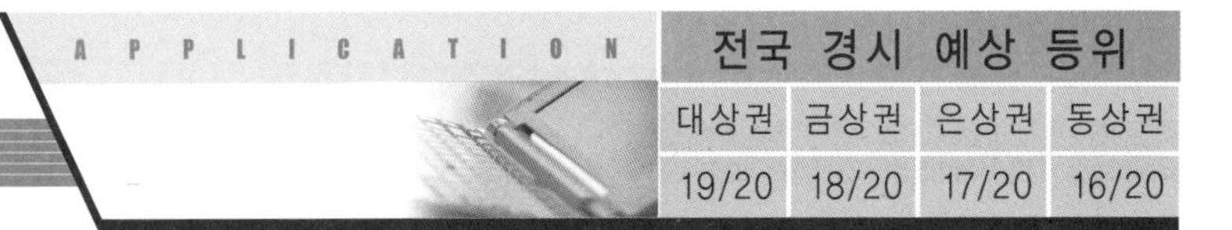

전국 경시 예상 등위			
대상권	금상권	은상권	동상권
19/20	18/20	17/20	16/20

1 210부터 5의 배수를, 6부터 6의 배수를 다음과 같이 순서대로 나열하였습니다. 두 수가 같을 때의 수를 구하시오.

210	215	220	225	230	235	…
6	12	18	24	30	36	…

2 유승이네 반 학생은 모두 21명입니다. 두 명씩 번갈아가며 악수를 한다고 할 때, 서로 한 번씩 악수를 한 횟수는 모두 몇 번입니까?

3 기호 ☆은 오른쪽과 같은 규칙이 있습니다. 물음에 답하시오.

(1) (3☆1)☆3의 값을 구하시오.

(2) (□☆2)☆2=326에서 □ 안에 알맞은 수를 구하시오.

> 2☆1=2+1
> 3☆2=3×3+2
> 6☆3=6×6×6+3

4 어느 해에 일요일은 53번 있었다고 합니다. 다음 해의 마지막 날은 무슨 요일이겠습니까? (단, 1년은 365일로 계산합니다.)

5 1, 1, 2, 3, 5, 8, …은 세 번째 수부터 바로 앞의 두 수를 더한 것입니다. 이와 같은 규칙으로 수를 늘어놓을 때, 처음부터 2002번째까지의 수 중 5의 배수는 모두 몇 개입니까?

6 1부터 1000까지의 모든 자연수에서 각 자리의 숫자의 합을 구하시오.

7 다음과 같은 띠 모양에 규칙에 따라 수를 써 넣었는데 이 중에서 한 수가 규칙에 맞지 않습니다. 규칙에 맞지 않는 수는 무엇입니까?

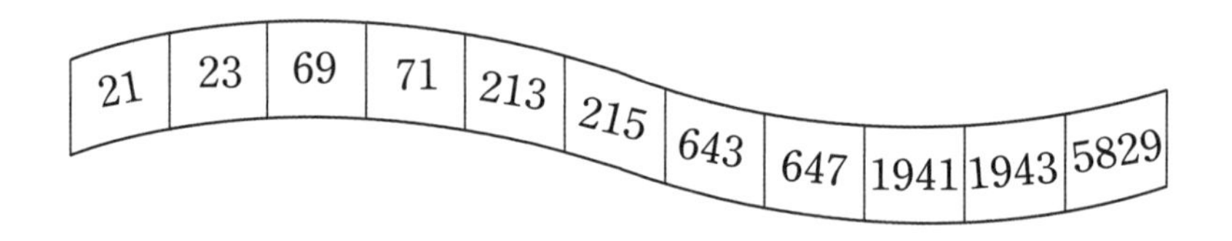

8 다음과 같은 규칙으로 수를 늘어놓았습니다. 205번째 수를 구하시오.

1, 2, 2, 3, 3, 3, 4, 4, 4, 4, …

9 다음은 일정한 규칙에 따라 수를 나열한 것입니다. 물음에 답하시오.

1, 2, 3, 4, 2, 3, 4, 5, 3, 4, 5, 6, 4, 5, 6, 7, ⋯

(1) 처음으로 17이 나오는 것은 몇 번째입니까?
(2) 29번째 수는 무엇입니까?
(3) 54는 모두 몇 번 나옵니까?
(4) 200번째 수까지 모두 더하면 얼마입니까?

10 다음과 같이 수를 나열할 때, 30행의 29번째 수는 얼마입니까?

			1				—— 1행
		2	3	4			—— 2행
	5	6	7	8	9		—— 3행
10	11	12	13	14	15	16	—— 4행
			⋮				

11 길이가 같은 3개의 성냥개비를 사용해서 정삼각형을 만들 수 있습니다. 이와 같은 정삼각형을 이어붙여 오른쪽 그림과 같이 하나의 큰 정삼각형을 만들었습니다. 큰 정삼각형의 한 변에 10개의 성냥개비가 놓여져 있다면 큰 정삼각형에는 성냥개비가 모두 몇 개 사용되었습니까?

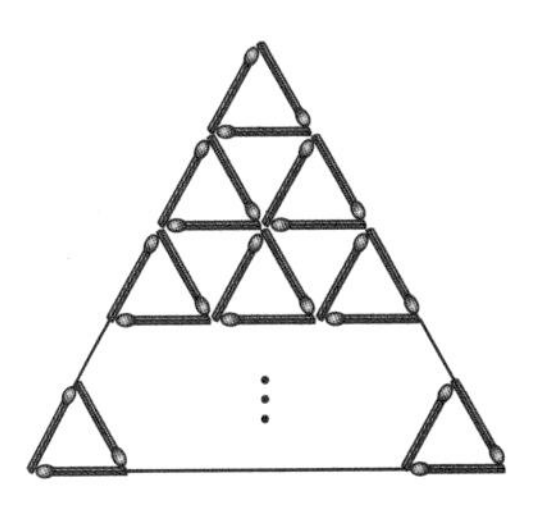

12 다음과 같은 규칙으로 수를 나열할 때, (14, 12)는 몇째 번입니까?

(0, 0)	(1, 0)	(1, 1)	(2, 0)	(2, 1)	(2, 2)	(3, 0)	⋯
1째 번	2째 번	3째 번	4째 번	5째 번	6째 번	7째 번	

13 다음 표와 같이 자연수를 규칙적으로 나열하였습니다. 위에서 3번째, 왼쪽에서 4번째 수를 [3, 4]=12로 표시할 때, □ 안에 알맞은 수를 구하시오.

1	2	5	10	17	
4	3	6	11	18	
9	8	7	12	19	
16	15	14	13	20	
25					

(1) [7, 5]=□

(2) [□, □]=150

14 오른쪽과 같이 수를 나열할 때, 모든 수의 합을 구하시오.

1, 2, 3, ⋯, 48, 49, 50
2, 3, 4, ⋯, 49, 50, 51
3, 4, 5, ⋯, 50, 51, 52
⋮ ⋮ ⋮ ⋮ ⋮ ⋮
50, 51, 52, ⋯, 97, 98, 99

15 규칙을 찾아 □ 안에 알맞은 수를 구하시오.

$$1+3=2\times2$$
$$1+3+5=3\times3$$
$$1+3+5+7=4\times4$$
$$1+3+5+7+9=5\times5$$
$$\vdots$$
$$1+3+5+7+\cdots+\square=93\times93$$

16 1부터 1001까지의 수를 다음과 같이 규칙적으로 배열하였습니다. 그림에서와 같이 9개의 수가 직사각형 안에 들어가게 한 후 합을 구하였습니다. 9개의 수의 합이 1989가 될 때 직사각형 안의 가장 큰 수와 가장 작은 수를 각각 구하시오.

1	2	3	4	5	6	7
8	9	10	11	12	13	14
15	16	17	18	19	20	21
22	23	24	25	26	27	28
⋮	⋮	⋮	⋮	⋮	⋮	⋮
995	996	997	998	999	1000	1001

17 오른쪽과 같은 모양으로 성냥개비를 늘어놓았습니다. 작은 삼각형을 182개 만들려면 성냥개비는 모두 몇 개 필요합니까?

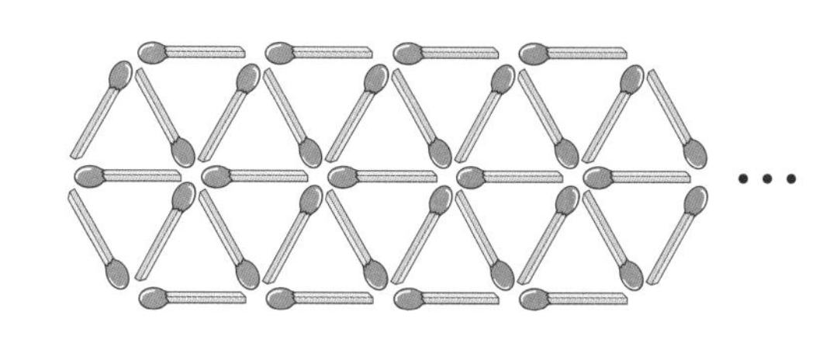

18 짝수 2, 4, 6, 8, …을 오른쪽과 같이 규칙적으로 5열로 배열해 놓았습니다. 수 2000은 몇 열에 위치하겠습니까?

1열	2열	3열	4열	5열
	2	4	6	8
16	14	12	10	
	18	20	22	24
32	30	28	26	

19 다음과 같은 규칙으로 분수가 나열되어 있습니다. 이때 $\frac{53}{101}$은 몇째 번에 있는 분수입니까?

$$\frac{1}{2}, \frac{1}{3}, \frac{2}{3}, \frac{1}{4}, \frac{2}{4}, \frac{3}{4}, \frac{1}{5}, \frac{2}{5}, \frac{3}{5}, \frac{4}{5}, \cdots$$

20 오른쪽과 같이 정오각형 ㄱㄴㄷㄹㅁ의 5개의 꼭짓점의 둘레에 시계 반대 방향으로 0부터 숫자를 쓸 때, 꼭짓점 ㅁ에서 50번째 수와 꼭짓점 ㄷ에서 80번째 수의 합은 꼭짓점 ㄴ에서 몇 번째 수입니까?

왕중왕문제

APPLICATION

전국 경시 예상 등위			
대상권	금상권	은상권	동상권
18/20	16/20	14/20	12/20

1 2021년의 1월 1일은 금요일이었습니다. 2033년 1월 1일은 무슨 요일입니까?
(단, 연도가 4의 배수인 경우 1년이 366일인 윤년이 됩니다.)

2 7자리 수 4786□7□가 8로 나누어떨어진다고 합니다. 7자리 수는 모두 몇 개입니까?

3 자연수 a, b에 대하여 $a*b=a\times(a+1)\times(a+2)\times\cdots\times(a+b-1)$이라고 약속합니다. 예를 들면 $5*3=5\times(5+1)\times(5+2)=5\times6\times7=210$입니다. 다음 식에서 ㉠을 구하시오.

$$(㉠*3)*4=421200$$

4 $ㄱ\times ㄱ=ㄱ^2$, $ㄱ\times ㄱ\times ㄱ=ㄱ^3$, $ㄱ\times ㄱ\times ㄱ\times ㄱ=ㄱ^4$, …로 나타내어집니다. $7^{100}+3^{99}$을 계산한 값의 일의 자리의 숫자를 구하시오.

5 어느 계단에는 모두 10개의 단이 있습니다. 이 계단을 올라갈 때에는 한 번에 1개 또는 2개의 단만을 올라갈 수 있습니다. 지면에서 가장 높은 단까지 올라가는 방법은 모두 몇 가지입니까?

6 1, 1989, 1988, 1, 1987, 1986, …과 같이 수가 나열되어 있습니다. 3번째 수부터는 바로 앞의 두 수의 차를 나타낸 것입니다. 1991번째 수를 구하시오.

7 13개의 수 7, 77, 777, 7777, … , 77…7(7이 13개)을 모두 더하였을 때, 일의 자리의 숫자, 십의 자리의 숫자, 백의 자리의 숫자를 차례로 써 보시오.

8 $1^2=1\times1$, $2^2=2\times2$, $3^2=3\times3$, … 을 나타냅니다. $1^2+2^2+3^2+4^2+\cdots+25^2=5525$일 때, $3^2+6^2+9^2+\cdots+75^2$은 얼마입니까?

9 그림과 같이 규칙을 정해 손가락 위에 수를 배열했습니다. 수 1950은 어떤 손가락 위에 오겠습니까? (단, 5개의 손가락은 엄지, 식지, 중지, 약지, 소지라고 명칭합니다.)

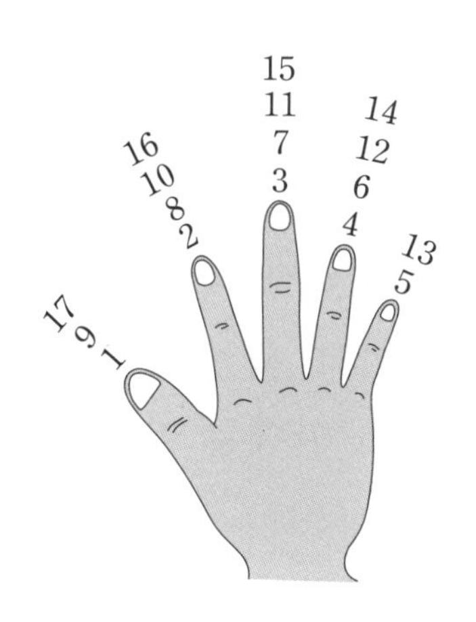

10 오른쪽 그림과 같이 흰색과 검은색 바둑돌을 번갈아 가며 규칙적으로 배열하였습니다. 맨 아랫줄에 검은색 바둑돌이 오도록 하였을 때, 검은색 바둑돌이 30개 더 많았다면, 바둑돌은 모두 몇 개를 놓은 것입니까?

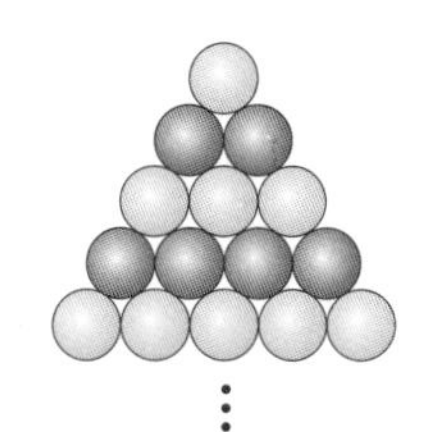

11 한솔이가 몇 개의 돌을 가지고 A 지점에서 시작하여 앞으로 5m씩 간 다음 그 지점에 돌 1개, 4개, 7개, 10개, … 를 규칙적으로 놓았습니다. 마지막에 도착한 곳은 B 지점이었고, 그 곳에 돌 64개를 놓았다면 A 지점에서 B 지점까지의 거리는 몇 m입니까?

12 A, B 두 개의 용기가 있습니다. A 용기에는 1L의 물이 들어 있고, B 용기는 비어 있습니다. 처음에 A 용기의 물의 $\frac{1}{2}$을 B 용기로 옮겼고, 둘째 번에는 B 용기의 물의 $\frac{1}{3}$을 A 용기로 옮겼습니다. 셋째 번에는 A 용기의 물의 $\frac{1}{4}$을 B 용기로 옮겼습니다. 이와 같이 계속해서 1990째 번까지 물을 옮겼다면 A, B 용기 안에는 각각 몇 L의 물이 들어 있겠습니까?

13 오른쪽과 같이 규칙적으로 수가 나열되어 있습니다. $\frac{1997}{1949}$은 몇 행 몇 열에 위치해 있습니까?

	1열	2열	3열	4열	5열	…
1행	$\frac{1}{1}$					
2행	$\frac{2}{1}$	$\frac{1}{2}$				
3행	$\frac{3}{1}$	$\frac{2}{2}$	$\frac{1}{3}$			
4행	$\frac{4}{1}$	$\frac{3}{2}$	$\frac{2}{3}$	$\frac{1}{4}$		
5행	$\frac{5}{1}$	$\frac{4}{2}$	$\frac{3}{3}$	$\frac{2}{4}$	$\frac{1}{5}$	
⋮			⋮			

14 오른쪽 그림과 같이 규칙적으로 정육면체를 쌓아 두고 번호를 붙여 나갔을 때 100번이 적힌 정육면체는 위에서부터 몇 번째 층에 있습니까?

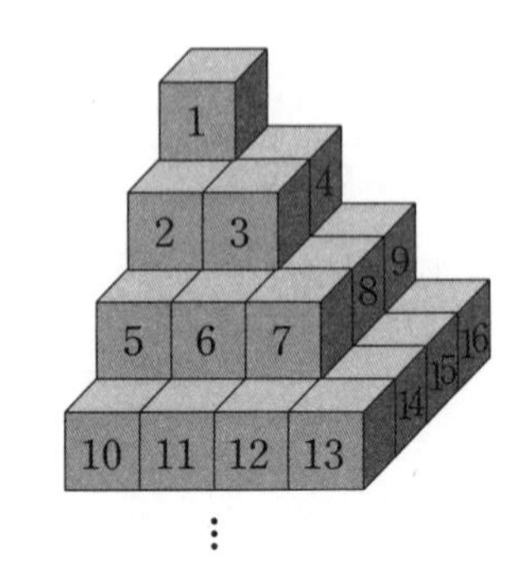

15 ( ) 안의 두 수를 한 묶음으로 하여 일정한 규칙에 따라 나열하였습니다. 30째 번 묶음의 두 수의 합을 구하시오.

(1, 1), (2, 4), (3, 10), (1, 19), (2, 31), (3, 46), …

16 자연수 1, 2, 3, …이 그림과 같이 배열되어 있습니다. 첫째 번으로 꺾이는 점의 수는 2, 둘째 번으로 꺾이는 점의 수는 3, 셋째 번으로 꺾이는 점의 수는 5, … 일 때, 40째 번으로 꺾이는 점의 수는 얼마입니까?

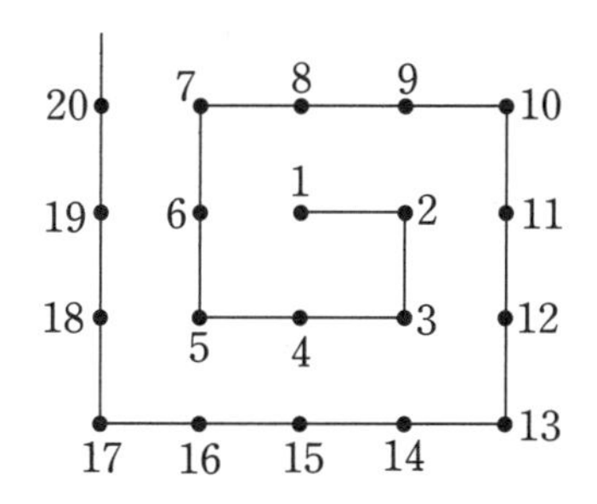

17 오른쪽 표와 같이 자연수를 규칙적으로 나열하였습니다. 10행 7열은 어떤 수입니까?

	1열	2열	3열	4열	5열	…
1행	1	2	4	7	11	…
2행	3	5	8	12	…	
3행	6	9	13	…		
4행	10	14	…			
5행	15	…				
⋮	…					

18 주스 1병에 800원씩 팔고 있는 가게가 있습니다. 이 가게에서는 주스를 사서 마신 후 빈 병을 되돌려 주면 빈 병 8개마다 1병의 주스와 바꾸어 줍니다. 170병의 주스를 마시려고 할 때, 주스는 최소한 몇 병을 사야 합니까?

19 오른쪽과 같이 네 개의 정육각형의 각 변에 같은 수의 바둑돌을 늘어놓았습니다. 늘어놓은 바둑돌이 모두 244개였다면, 정육각형의 한 변에 놓인 바둑돌은 몇 개입니까?

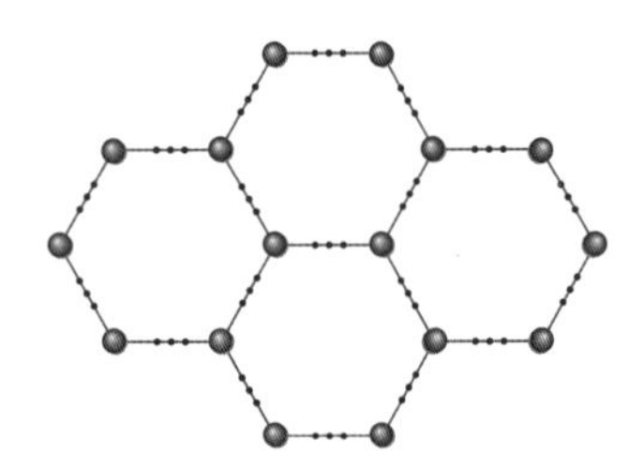

20 오른쪽과 같이 자연수를 나열해 갈 때, 3행 2열의 수는 6입니다. 5행 15열에 오는 수는 얼마입니까?

	1열		2열		3열		4열
1행	1	→	2		9	→	10
			↓		↑		↓
2행	4	←	3		8		11
	↓				↑		↓
3행	5	→	6	→	7		12
							↓
4행	16	←	15	←	14	←	13
	↓						
5행	17	→	18	→	⋯		

Search 탐구 2. 단위량의 모임을 이용하여 해결하기(단위산)

8사람이 30일 동안 일을 하고 임금을 960만 원 받았습니다. 만약 5사람이 12일 동안 일을 한다면 모두 얼마의 임금을 받을 수 있습니까?

풀이

한 사람이 하루 동안 하는 일의 양을 1이라 하면 8사람이 30일 동안 하는 일의 양은 한 사람이 8×☐=☐(일) 동안 일하는 양과 같습니다.

따라서 한 사람이 하루 동안 일하여 받는 임금은 9600000÷☐=☐(원)이므로 5사람이 12일 동안 일하여 받는 임금의 합계는

☐×5×12=☐(원)입니다.

답 ☐원

Point

한 사람이 하루 동안 하는 일의 양을 단위량으로 하여 문제를 해결합니다.

EXERCISE

5명이 12일 동안 일을 하고 300만 원의 임금을 받았습니다. 만약 7명이 8일 동안 일을 한다면 얼마를 받을 수 있는지 구하시오. (**1**~**3**)

1 5명이 12일 동안 한 일의 양은 한 사람이 며칠 동안 한 일의 양과 같습니까?

2 한 사람이 하루 동안 일하여 받는 임금은 얼마입니까?

3 7명이 8일 동안 일하여 받을 수 있는 임금은 얼마입니까?

왕문제

APPLICATION

전국 경시 예상 등위			
대상권	금상권	은상권	동상권
11/12	10/12	9/12	8/12

1 2개의 수도관으로 5시간 동안 30 t의 물을 받을 수 있습니다. 같은 수도관을 3개 더 늘린다면 8시간 동안 받을 수 있는 물의 양은 몇 t입니까?

2 말 8마리가 12일 동안 768 kg의 건초를 먹습니다. 말 9마리가 648 kg의 건초를 먹는 데는 며칠이나 걸립니까?

3 경운기 2대로 5일 동안 1500 m^2의 밭을 갑니다. 경운기 5대로 8일 동안 밭을 간다면 몇 m^2의 밭을 갈 수 있습니까?

4 7명이 18일 걸려 끝마칠 수 있는 일이 있습니다. 2명을 더 늘려 이 일을 한다면 며칠 만에 일을 끝마칠 수 있습니까?

5 매일 15명씩 일을 하면 30일 걸리는 일이 있습니다. 일할 사람을 몇 명 더 늘려서 일을 하면 5일 일찍 일을 끝낼 수 있습니다. 몇 명을 더 늘리면 됩니까?

6 5사람이 12일 동안 일을 하면 전체 일의 $\frac{1}{3}$을 할 수 있습니다. 9사람이 전체 일을 한다면 며칠 만에 끝낼 수 있습니까?

7 말 2마리로 30번 옮겨야 할 짐이 있습니다. 이 짐을 소 5마리가 옮기려면 몇 번을 옮겨야 합니까? (단, 일의 능력은 말이 소의 1.5배입니다.)

8 매일 20명씩 일을 하면 18일 걸리는 일이 있었습니다. 일 할 사람이 부족하여 몇 명을 줄여서 일을 하였더니 6일 늦게 끝내게 되었습니다. 부족한 사람은 몇 명이었습니까?

9 소형 트럭 5대로 12번 옮겨야 할 짐이 있습니다. 이 짐을 대형 트럭 3대로 옮기려면 몇 번을 옮겨야 합니까? (단, 대형 트럭 한 대에 싣는 짐의 양은 소형 트럭 두 대에 싣는 양과 같습니다.)

10 하루에 8명씩 일을 하면 40일 만에 끝낼 수 있는 일이 있습니다. 처음 15일 동안은 8명씩 일을 했지만 16일째부터는 3사람이 일을 하지 않았습니다. 이 일을 끝내는 데는 처음부터 며칠이 걸렸습니까?

11 8명이 15일 동안 생산한 생산량은 필요한 전체 생산량의 $\frac{2}{3}$입니다. 5명이 나머지를 모두 생산하려면 앞으로 며칠이 더 걸리는지 구하시오.

12 40명이 15일 동안 물건을 생산하여 필요한 전체 생산량의 $\frac{3}{8}$을 생산하였습니다. 쉬지 않고 이어서 나머지 물건을 50명이 생산한다고 할 때, 필요한 물건을 모두 생산하는 데는 처음부터 며칠이 걸리는지 구하시오.

전국 경시 예상 등위			
대상권	금상권	은상권	동상권
11/12	10/12	9/12	8/12

1 하루에 10명씩 일을 하여 25일 만에 끝낼 수 있는 일이 있습니다. 처음 17일 동안은 10명씩 일을 했지만 18일째부터는 2사람이 일을 하지 않았습니다. 이 일을 끝내는 데는 처음부터 며칠이 걸렸습니까?

2 소 2마리가 8일 동안 4000 m^2의 밭을 간다고 합니다. 6000 m^2의 밭을 6일 동안 모두 갈려면 몇 마리의 소가 더 필요합니까?

3 40명의 학생이 학교 버스를 이용해 2시간이 걸리는 곳까지 소풍을 가려고 합니다. 그런데, 운전석을 제외한 좌석의 수는 모두 32개 밖에 없습니다. 학생 모두가 똑같은 시간을 앉아서 가도록 하려면 한 사람당 몇 시간 몇 분씩 앉으면 됩니까?

4 오전 7시부터 오후 5시까지 교통 경찰관 4명이 교대로 3명씩 교통 정리를 하기로 하였습니다. 한 사람당 몇 시간 몇 분씩 교통 정리를 하면 되겠습니까?

5 어떤 일을 8사람이 15일 동안 하여 끝낼 예정이었습니다. 5일 동안 일을 한 뒤 6일째부터는 2사람이 더 일하게 되었습니다. 이 일은 예정보다 며칠 더 빨리 끝나겠습니까?

6 12사람이 12일 동안 끝낼 예정인 일이 있습니다. 예정대로 일을 5일간 했을 때, 앞으로 3일 동안 나머지 일을 모두 끝내라는 부탁을 받았습니다. 부탁대로 하려면 몇 명을 더 일하도록 하여야 합니까?

7 맞물려 돌아가는 두 톱니바퀴 ㉮, ㉯가 있습니다. ㉮ 톱니바퀴는 5분 동안 120번 회전을 하며, ㉯ 톱니바퀴는 8분 동안 96번 회전을 합니다. ㉮의 톱니의 수가 24개일 때, ㉯의 톱니의 수를 구하시오.

8 어린이 5명이 1시간 30분 동안 그네 3개를 교대로 타려고 합니다. 한 사람당 몇 분씩 타면 공평합니까?

9 매일 12명씩 일을 하여 30일 걸리는 일이 있습니다. 그런데 12명보다 적은 인원으로 일을 하였더니 6일이 더 걸렸습니다. 일한 사람 수를 구하시오.

10 8명이 일을 하여 25일 만에 끝낼 수 있는 일이 있었습니다. 이 일을 처음부터 10일 동안은 6명이 일을 했지만 11일째부터는 8명이 더 일을 하였습니다. 이 일을 끝내는 데는 처음부터 며칠이 걸렸는지 구하시오.

11 5명이 20일 걸려 마칠 수 있는 일의 양이 있습니다. 처음 3일 동안 몇 명이 일을 하고 다음 5일 동안 10명이 일을 했기 때문에 나머지 일은 전체 일의 $\frac{1}{20}$이 되었습니다. 처음 3일 동안은 몇 명이 일을 하였습니까?

12 300명의 사람이 120일 동안 일을 하여 마칠 예정인 공사가 있었습니다. 이 공사를 예정대로 30일 동안 진행한 뒤 사정이 생겨 40일 동안 공사를 중단하였습니다. 공사는 다시 시작되었지만 예정한 날짜에 맞추기 위해서는 사람이 더 필요했습니다. 더 필요한 사람은 몇 명입니까?

Search 탐구 3. 합이 일정함을 이용하여 해결하기 (합일정산)

신영이와 효근이는 합하여 14000원을 가지고 있습니다. 만일 신영이가 효근이에게 1200원을 주면 두 사람의 가진 금액은 같아집니다. 지금, 신영이와 효근이는 각각 얼마씩 가지고 있습니다까?

풀이

〈풀이 1〉 지금 신영이는 효근이보다 1200×☐=☐(원)을 더 가지고 있는 셈입니다.

따라서 신영이는 (14000+☐)÷2=☐(원),

효근이는 14000−☐=☐(원)을 가지고 있습니다.

〈풀이 2〉 14000원을 둘이 똑같이 나누어 갖는 것으로 생각하면 ☐원씩 갖는 셈이므로 신영이는 ☐+1200=☐(원),

효근이는 ☐−1200=☐(원)을 가지고 있습니다.

답 신영 : ☐원, 효근 : ☐원

Point

두 수량의 합은 항상 일정합니다.

EXERCISE

물탱크 ㉮에는 5200 L, 물탱크 ㉯에는 7600 L의 물이 들어 있습니다. 펌프를 사용하여 ㉯에서 ㉮로 1분에 150 L씩 물을 옮겨 넣으면 몇 분 만에 두 물탱크의 물의 양이 같아지는지 구하시오. (**1**~**3**)

1 두 물탱크의 물의 양이 같아질 때의 각각의 들이는 몇 L입니까?

2 물탱크 ㉯에서 물탱크 ㉮로 몇 L를 옮기면 됩니까?

3 두 물탱크의 물의 양은 몇 분 만에 같아지겠습니까?

왕 문제

전국 경시 예상 등위			
대상권	금상권	은상권	동상권
11/12	10/12	9/12	8/12

1 기름 탱크 A와 B에 각각 1850 L, 1080 L의 기름이 들어 있습니다. A에서 B로 1분에 35 L씩 몇 분 동안 기름을 옮겨 넣었더니 두 기름 탱크의 기름의 양이 같아졌습니다. 몇 분 동안 옮겨 넣었습니까?

2 한초와 석기는 각각 3600원씩 내서 연필을 2타 산 후 한초가 석기보다 8자루 더 많게 가졌습니다. 각자 가진 연필의 수만큼 공평하게 돈을 내려면 한초는 석기에게 얼마를 주면 됩니까?

3 한솔이와 한별이는 합하여 12800원을 가지고 있었습니다. 한솔이가 한별이에게 1400원을 주어 두 사람의 가진 금액이 같아졌다면 처음에 한솔이와 한별이는 각각 얼마씩 가지고 있었습니까?

4 용희는 바둑돌을 137개, 가영이는 바둑돌을 95개 가지고 있었습니다. 용희가 가영이에게 바둑돌을 몇 개 주고 나니, 용희는 가영이보다 16개 적었습니다. 용희가 가영이에게 준 바둑돌은 몇 개입니까?

5 형이 동생에게 2500원을 주면 형과 동생이 갖고 있는 금액이 같아지고, 동생이 형에게 2500원을 주면 형의 돈은 동생의 5배가 됩니다. 형이 처음에 갖고 있던 돈은 얼마인지 구하시오.

6 ㉮, ㉯, ㉰ 세 개의 컵에 물이 담겨 있습니다. 세 컵의 물의 양의 합은 12 L입니다. 지금 ㉰ 컵에서 ㉯ 컵으로 2 L, ㉮ 컵으로 1 L의 물을 옮기면 세 컵의 물의 양은 같아진다고 합니다. 각각의 컵에 들어 있던 물의 양을 구하시오.

7 율기는 한솔이의 2배의 돈을 가지고 있습니다. 율기가 한솔이에게 200원을 주면 율기는 한솔이보다 600원이 많게 된다고 합니다. 두 사람의 돈의 합을 구하시오.

8 ㉮, ㉯, ㉰ 3개의 물통에 들어 있는 물의 양의 합은 72 L입니다. ㉮ 물통의 물을 ㉯ 물통으로 5 L 옮기고 ㉰ 물통의 물을 ㉯ 물통으로 8 L 옮기면, 3개의 물통에 들어 있는 물의 양은 같아집니다. ㉯ 물통에 처음에 들어 있는 물은 몇 L입니까?

9 작년에 ㉮ 도시의 인구는 ㉯ 도시의 인구의 $1\frac{1}{4}$배였습니다. 올해는 ㉮ 도시에서 ㉯ 도시로 몇 명인가 이동하여 ㉯ 도시의 인구가 ㉮ 도시의 인구보다 1500명 더 많게 되었습니다. ㉮ 도시에서 ㉯ 도시로 몇 명 이동하였습니까? (단, ㉮, ㉯ 두 도시 사이에만 인구 이동이 있었으며 작년의 ㉮ 도시와 ㉯ 도시의 인구의 합은 126000명이었고, 출생자와 사망자의 수는 같은 것으로 합니다.)

10 율기와 상연이는 돈을 합하여 연필 3타를 샀습니다. 율기는 비용의 $\frac{9}{20}$를, 상연이는 그 나머지를 지불하였습니다. 연필 수를 지불한 비용에 비례하여 나누려 하니 여의치 않아 상연이가 율기보다 4자루 더 갖기로 하고 상연이는 율기에게 40원을 주었습니다. 연필 한 타의 값을 구하시오.

11 물탱크 ㉮에는 32 L, 물탱크 ㉯에는 40 L의 물이 들어 있었습니다. 물탱크 ㉯에서 ㉮로 얼마의 물을 옮겼더니 오히려 ㉮의 물이 ㉯의 물보다 4 L 더 많아졌습니다. 물탱크 ㉯에서 ㉮로 몇 L의 물을 옮겼는지 구하시오.

12 가 통에는 8.8 L, 나 통에는 5.6 L의 포도 주스가 들어 있었습니다. 가 통에서 나 통으로 몇 L의 포도 주스를 옮기고 나니 가 통이 나통보다 1.6 L 많았습니다. 가 통에서 나 통으로 몇 L의 포도 주스를 옮겼는지 구하시오.

왕중왕 문제

APPLICATION

전국 경시 예상 등위			
대상권	금상권	은상권	동상권
11/12	10/12	9/12	8/12

1 파란 주머니와 노란 주머니에 구슬이 각각 몇 개씩 들어 있습니다. 만일, 파란 주머니에서 구슬 5개를 꺼내 노란 주머니로 옮기면 두 주머니의 구슬 수는 같아지고, 노란 주머니에서 구슬 10개를 꺼내 파란 주머니로 옮기면 파란 주머니의 구슬 수는 노란 주머니의 구슬 수의 4배가 된다고 합니다. 파란 주머니에 들어 있는 구슬 수를 구하시오.

2 ㉮, ㉯ 두 사람이 각각 22400원, 17600원씩을 내어 배 한 상자를 샀습니다. ㉮가 ㉯보다 배를 10개 더 가지기로 하고 ㉮는 ㉯에게 1600원을 주었습니다. ㉮와 ㉯는 배를 각각 몇 개씩 가졌습니까?

3 동민이는 밤을 몇 개, 영수는 밤을 12개 가지고 있었습니다. 동민이가 영수에게 밤을 6개 주고 나니, 영수가 동민이보다 4개 더 많아졌습니다. 동민이는 영수의 밤의 개수의 $\frac{3}{5}$만큼 가지려면 동민이는 영수에게 앞으로 밤을 몇 개 더 주어야 합니까?

4 형은 나의 5배 되는 돈을 가지고 있었는데, 내가 형으로부터 1200원을 받은 후에 형의 돈이 나의 3배가 되었습니다. 처음에 형과 나는 각각 얼마씩 가지고 있었습니까?

5 ㉮ 주머니 속의 바둑돌 수는 ㉯ 주머니 속의 바둑돌 수의 $\frac{3}{7}$입니다. ㉯ 주머니에서 ㉮ 주머니로 바둑돌을 13개 옮기면 ㉯ 주머니 속의 바둑돌 수는 ㉮ 주머니 속의 바둑돌 수보다 10개 많게 된다고 할 때, 옮기기 전의 두 주머니 속의 바둑돌 수를 각각 구하시오.

6 만약 형이 동생에게 500원을 주면 형은 동생이 갖게 되는 금액의 $\frac{4}{5}$가 되고, 반대로 동생이 형에게 500원을 주면 형의 돈은 동생의 2배가 된다고 합니다. 형은 현재 얼마를 가지고 있습니까?

7 ㉮와 ㉯는 각각 구슬을 60개씩 가지고 놀이를 하였습니다. 가위, 바위, 보를 하여 이기면 상대방에게 2개씩 받기로 하고, 비기는 일 없이 10번을 실행한 결과 ㉮는 ㉯보다 16개 더 많아졌습니다. ㉮는 ㉯를 몇 번 이겼습니까?

8 한별이의 돼지 저금통에 들어 있는 돈은 지금 주머니에 가지고 있는 돈의 4배이지만, 주머니에 가지고 있는 돈 중에서 4000원을 저금통에 넣으면, 저금통의 돈은 주머니에 남게 되는 돈의 8배가 됩니다. 돼지 저금통 속에 들어 있는 돈은 얼마입니까?

9 한솔이가 유승이에게 2000원을 주면 두 사람이 갖고 있는 금액이 같아지고, 유승이가 한솔이에게 2000원을 주면 한솔이의 돈이 유승이의 돈의 2배가 됩니다. 두 사람이 갖고 있는 돈의 합을 구하시오.

10 상연이가 석기에게 구슬을 12개 주면 두 사람이 갖고 있는 구슬의 수가 같아지고, 석기가 상연이에게 구슬을 12개 주면 상연이가 갖고 있는 구슬의 수가 석기가 갖고 있는 구슬의 수의 5배가 됩니다. 상연이가 갖고 있는 구슬은 몇 개인지 구하시오.

11 A, B 두 개의 물통이 있습니다. B 물통에는 25 L, A 물통에는 몇 L 인가가 들어 있습니다. 지금 A 물통의 물 $\frac{1}{5}$을 B 물통에 옮겼더니 A의 물의 양은 B의 물의 양의 $1\frac{2}{9}$배가 되었습니다. 처음 A에는 몇 L의 물이 들어 있었습니까?

12 규형이가 가지고 있는 돈은 동민이가 가지고 있는 돈의 $1\frac{1}{4}$배입니다. 만약 규형이가 동민이에게 700원을 주면, 규형이는 동민이의 $\frac{2}{3}$배가 됩니다. 지금 규형이가 가지고 있는 돈은 얼마입니까?

Search 탐구

4. 한쪽을 다른 쪽으로 바꾸어 해결하기 (가정산)

공책 1권의 값은 연필 2자루의 값보다 50원 더 쌉니다. 공책 3권과 연필 5자루를 사고 2050원을 지불하였다면, 공책과 연필 각각 1개씩의 값은 얼마입니까?

풀이

연필 1자루의 값을 ①로 하면 공책 한 권의 값은 (②−☐원)이 되므로 공책 3권의 값은 (⑥−☐원)입니다.

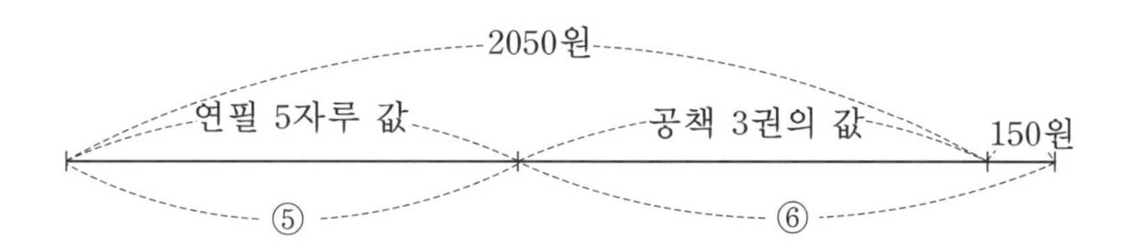

연필 1자루의 값을 뜻하는 ①은 (2050+☐)÷(5+6)=☐(원)입니다.

따라서 공책 1권의 값은 ☐×2−50=☐(원)입니다.

답 공책 : ☐원, 연필 : ☐원

Point

서로의 관계를 따져 한쪽 편으로 생각하고 바꾸어 해결합니다.

EXERCISE

축구공 1개의 값은 배구공 2개의 값보다 1000원 더 비쌉니다. 축구공 2개와 배구공 3개를 사고 33500원을 지불하였다면, 축구공과 배구공 각각 1개씩의 값은 얼마인지 구하시오. (1~2)

1 배구공 1개의 값을 ①로 하여 선분도로 나타낼 때, ☐ 안에 알맞은 수를 써넣으시오.

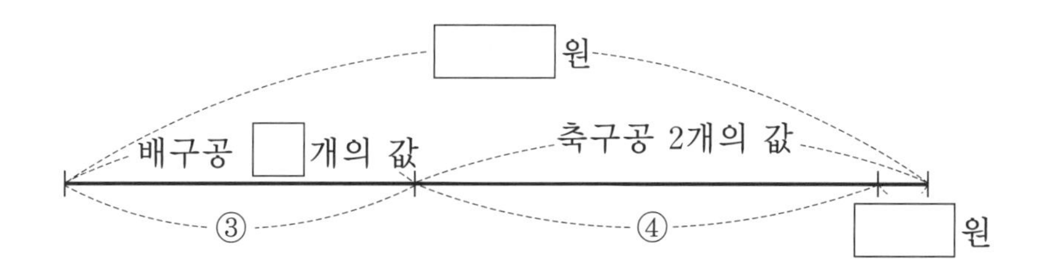

2 배구공과 축구공 각각 1개씩의 값은 얼마입니까?

왕 문제

APPLICATION

전국 경시 예상 등위			
대상권	금상권	은상권	동상권
11/12	10/12	9/12	8/12

1 율기가 10000원짜리 지폐로 공책 8권과 형광펜 5자루를 샀더니 3600원이 남았습니다. 공책 4권의 값이 형광펜 1자루의 값보다 400원 더 비싸다면, 형광펜 1자루의 값은 얼마입니까?

2 ㉮ 물건을 2개 살 돈으로 ㉯ 물건을 3개 살 수 있습니다. ㉮ 물건을 20개 살 돈으로 ㉮ 물건과 ㉯ 물건을 같은 개수씩 산다면 각각 몇 개씩 살 수 있습니까?

3 사과 1개의 값은 배 1개의 값의 $\frac{3}{5}$입니다. 사과 3개와 배 2개를 사고 11400원을 지불했다면, 사과 1개의 값은 얼마입니까?

4 어른 2명과 어린이 3명이 놀이동산에 입장하는 입장료는 36000원입니다. 어린이 1명의 입장료가 어른 1명의 입장료의 $\frac{2}{3}$일 때, 어른 7명의 입장료는 얼마입니까?

5 예슬이는 배 5개와 감 10개를 사고 22500원을 지불하였습니다. 감 1개의 값은 배 1개의 값의 $\frac{1}{3}$일 때, 배 3개의 값은 얼마입니까?

6 포도 1 kg과 복숭아 1개를 사는데 8000원이 들었습니다. 포도 3 kg의 값은 복숭아 6개의 값보다 4800원 더 싸다면, 포도 5 kg의 값은 얼마입니까?

7 예슬이 어머니는 40000원을 갖고 시장에 가서 양파 4 kg과 소고기 2 kg을 사고 800원을 거슬러 받았습니다. 양파 6 kg의 가격은 소고기 1 kg의 가격보다 1200원이 쌉니다. 양파 1 kg의 값은 얼마입니까?

8 과일가게에서 크기가 같은 사과 5개와 배 7개의 값은 12400원입니다. 사과 1개의 값은 배 1개의 값의 $\frac{2}{3}$일 때 같은 사과 3개와 배 4개의 값은 얼마입니까?

9 공책 3권과 연필 4자루의 값의 합은 3360원이고, 연필 8자루의 값은 공책 5권의 값보다 1200원 더 쌉니다. 공책 3권의 값은 얼마입니까?

10 연필 1자루의 값은 볼펜 1자루의 값의 $\frac{7}{10}$입니다. 연필 한 타와 볼펜 5자루를 사고 8040원을 지불하였다면, 연필 1자루의 값은 얼마입니까?

11 연필을 6자루 살 수 있는 돈으로 지우개를 17개 사면 120원이 남습니다. 연필 2자루의 값은 지우개 3개의 값보다 680원 더 비싸다면, 연필 1자루의 값은 얼마입니까?

12 공책 7권과 연필 10자루의 값은 8600원이고, 공책 2권의 값은 연필 5자루의 값보다 100원 더 비쌉니다. 공책 1권의 값은 얼마입니까?

왕중왕문제

APPLICATION

전국 경시 예상 등위			
대상권	금상권	은상권	동상권
11/12	10/12	9/12	8/12

1 서로 다른 두 자연수 ㉮, ㉯가 있습니다. ㉮는 ㉯의 3배보다 20 더 크고, ㉮의 3배와 ㉯의 7배의 합은 1020입니다. ㉮는 얼마입니까?

2 공책 2권과 도화지 5장의 값의 합은 2000원이고, 공책 1권의 값은 도화지 1장의 값의 4배보다 40원 더 쌉니다. 도화지 1장의 값은 얼마입니까?

3 A 상자 2개에 들어 있는 사과의 수는 B 상자 4개에 들어 있는 사과의 수보다 20개 더 적습니다. A 상자 5개와 B 상자 7개에 들어 있는 사과의 수는 모두 375개이며 가격은 300000원입니다. 사과 1개의 값은 모두 같고, 상자값은 생각지 않기로 할 때, A 상자 1개에 들어 있는 사과의 값을 구하시오.

4 A 물건 3개의 값과 B 물건 4개의 값이 같고, B 물건 5개의 값과 C 물건 6개의 값이 같습니다. A 물건 1개, B 물건 3개, C 물건 5개를 사고 5100원을 지불하였습니다. A, B, C 물건 1개의 값은 각각 얼마입니까?

5 한초는 사과 5개와 감 8개를 사고 15600원을 지불하였습니다. 감 1개의 값은 사과 1개의 값의 $\frac{1}{3}$보다 120원 더 싸다면, 감 1개의 값은 얼마입니까?

6 물건 ㉮를 3개 살 돈으로 물건 ㉯를 18개 사면 600원이 남습니다. 물건 ㉮ 1개의 값은 물건 ㉯ 4개의 값보다 2800원 더 비싸다면, 물건 ㉯ 1개의 값은 얼마입니까?

7 자연수 A, B, C가 있습니다. A는 B보다 65 더 크고, B는 C보다 35 더 큽니다. B의 3배와 C의 2배의 합은 A의 2배보다 35 더 작습니다. 자연수 A를 구하시오.

8 수박 1통과 참외 3개의 값은 20400원, 수박 1통과 감 5개의 값은 18750원입니다. 참외 1개의 값이 감 2개의 값보다 300원 더 비싸다면, 수박 1통의 값은 얼마입니까?

9 유승이는 ㉮지점을 출발하여 ㉯지점을 거쳐 ㉰지점까지 쉬지 않고 조깅을 하였습니다. ㉮지점에서 ㉯지점까지는 매분 150 m의 빠르기로, ㉯지점에서 ㉰지점까지는 매분 120 m의 빠르기로 조깅을 하였고 ㉮지점에서 ㉰지점까지의 거리는 4800 m, 걸린 시간은 36분이었습니다. 유승이가 ㉮지점에서 ㉯지점까지 가는 데는 몇 분이 걸렸는지 구하시오.

10 효근이는 매분 80 m의 빠르기로 집을 출발하여 은행 앞까지 걷다가 은행 앞에서부터는 매분 72 m의 빠르기로 가영이네 집까지 걸었습니다. 효근이네 집에서 은행을 거쳐 가영이네 집까지의 거리는 1 km이고, 걸린 시간은 13분이었습니다. 효근이가 은행에서 가영이네 집까지 걷는 데 걸린 시간은 몇 분인지 구하시오.

11 동민이네는 4월 1일부터 1200원짜리 우유를 매일 한 통씩 배달시켜 먹고 있었는데 도중에 값이 올라 1320원씩에 먹었습니다. 4월 한 달 동안의 우유 값으로 37080원을 내었다면 우유 값이 오른 것은 4월 며칠인지 구하시오.

12 ㉮ 기계와 ㉯ 기계가 각각 1대씩 있습니다. ㉮ 기계는 1분당 24개의 제품을 생산하고, ㉯ 기계는 ㉮ 기계의 1.5배의 생산력을 지니고 있습니다. 처음 몇 분 동안 ㉮ 기계를 가동시켰다가 멈춘 뒤 곧 바로 ㉯ 기계를 가동시켰습니다. 기계를 가동시킨지 40분 뒤 제품의 개수가 1140개였다면, ㉮ 기계를 가동시킨 시간은 몇 분인지 구하시오.

Search 탐구 5. 수량의 증감에 따른 변화를 배수 관계로 해결하기 (배수산)

율기는 예슬이보다 800원 더 많은 돈을 가지고 있었습니다. 율기가 예슬이에게 1200원을 준 후에, 예슬이는 율기가 가진 돈의 3배가 되었습니다. 처음에 두 사람이 가지고 있던 돈을 각각 구하시오.

풀이

율기의 남은 돈을 ①로 하여, 율기가 예슬이에게 1200원을 준 후의 선분도를 나타내면 오른쪽과 같습니다.

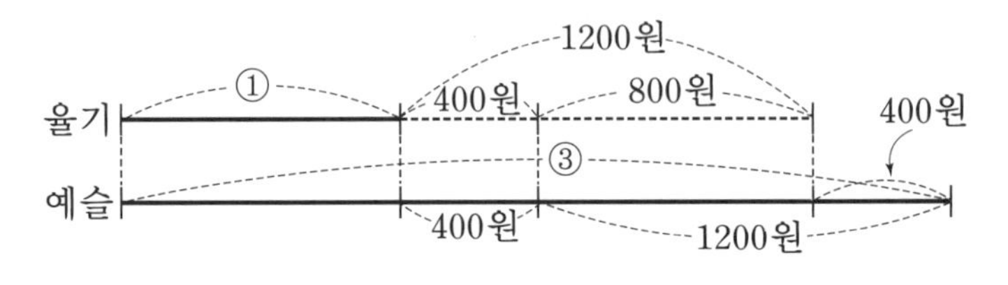

위 선분도에서 ③−①=②에 해당하는 금액은 400+☐=☐(원)이므로

율기의 남은 돈 ①은 ☐÷2=☐(원)입니다.

따라서 율기는 처음에 ☐+1200=☐(원),

예슬이는 처음에 ☐−800=☐(원)을 가지고 있었습니다.

답 율기 : ☐원, 예슬 : ☐원

Point

처음 수량이 변화한 뒤의 배수 관계를 따져 해결합니다.

EXERCISE

A, B 두 물통에 각각 같은 양의 물이 들어 있었습니다. A 물통에서 1.5 L의 물을 B 물통에 옮겼더니, A 물통의 물의 양은 B 물통의 물의 양의 $\frac{7}{13}$배가 되었습니다. 두 물통에 처음에 들어 있던 물의 양을 구하시오. (**1**~**2**)

1 옮긴 뒤에 B 물통의 물의 양은 A 물통의 물의 양보다 몇 L가 많아졌습니까?

2 두 물통에 처음 들어 있던 물의 양을 구하시오.

전국 경시 예상 등위			
대상권	금상권	은상권	동상권
11/12	10/12	9/12	8/12

1 율기와 예슬이는 같은 수의 만화책을 가지고 있었습니다. 한 달 후 율기는 3권의 책을 더 사고, 예슬이는 5권을 친구에게 빌려주고 보니, 율기는 예슬이의 5배의 책을 가지고 있었습니다. 처음에 두 사람은 각각 몇 권씩의 만화책을 가지고 있었습니까?

2 A, B 두 개의 수조에 같은 양의 물이 들어 있었습니다. A 수조에는 물을 800 mL 더 받고, B 수조에서는 물을 1 L 200 mL 쏟아 버렸더니 A 수조의 물의 양은 B 수조의 5배가 되었습니다. 처음에 수조에 들어 있던 물의 양은 각각 몇 L 몇 mL씩입니까?

3 석기와 한초는 같은 수의 구슬을 가지고 있었습니다. 석기가 한초에게 18개의 구슬을 주었더니 한초가 가진 구슬은 석기가 가진 구슬의 4배가 되었습니다. 처음에 두 사람은 각각 몇 개씩의 구슬을 가지고 있었습니까?

4 같은 개수씩 들어 있는 사탕 2봉지를 가영이와 예슬이가 1봉지씩 나누어 가졌습니다. 가영이는 예슬이에게 3개의 사탕을 준 후 3개를 먹고, 예슬이는 가영이에게 받은 사탕 중 1개를 먹었더니 예슬이가 가진 사탕은 가영이가 가진 사탕의 2배가 되었습니다. 처음 1봉지에 들어 있던 사탕 수를 구하시오.

5 율기는 석기보다 300원 더 많은 돈을 가지고 있었습니다. 율기가 석기에게 1200원을 주었더니 석기는 율기가 가진 돈의 4배를 갖게 되었습니다. 처음에 두 사람이 갖고 있던 돈을 각각 구하시오.

6 ㉮, ㉯ 두 물통에 각각 물이 들어 있었습니다. ㉮에서 물 500 mL를 ㉯로 옮겨 넣었더니 ㉯의 물의 양은 ㉮의 5배가 되었습니다. 처음에 두 물통에는 물이 각각 몇 mL씩 들어 있었습니까? (단, 처음에 ㉮의 물은 ㉯보다 100 mL 더 많았습니다.)

7 동민이는 한별이보다 15개의 구슬을 더 가지고 있었습니다. 동민이가 한별이에게 구슬을 3개 준 후에, 동민이의 구슬 수는 한별이의 2배가 되었습니다. 처음 동민이가 가지고 있던 구슬 수를 구하시오.

8 예슬이는 가영이보다 600원 적게 가지고 있었습니다. 예슬이가 가영이에게 1800원을 준다면 가영이의 돈은 예슬이의 돈의 5배가 된다고 합니다. 처음 가영이가 가지고 있던 돈은 얼마입니까?

9 현재 율기는 동민이의 5배 되는 돈을 가지고 있습니다. 동민이가 어머니에게 500원을 받는다면 율기는 어머니에게 얼마를 받아야 동민이의 돈의 5배가 되겠습니까?

10 어제 나는 동생이 갖고 있는 돈의 4배를 가지고 있었습니다. 오늘 동생은 500원을 사용하고 나는 2000원을 사용하였습니다. 나의 남은 돈은 동생의 남은 돈의 몇 배입니까?

11 동민이는 예슬이가 가진 돈의 3배를 가지고 있었지만 그 뒤 동민이는 3000원이 더 생겼고, 예슬이는 500원이 더 생겼기 때문에 동민이의 돈은 예슬이의 5배가 되었습니다. 처음에 예슬이가 가지고 있던 돈을 구하시오.

12 한초가 가지고 있던 색종이의 수는 가영이가 가지고 있던 색종이의 수의 3배였습니다. 한초가 색종이를 30장 더 사 오고, 가영이가 색종이를 50장 더 사오게 되면, 한초는 가영이가 가지고 있던 색종이의 2배가 된다고 합니다. 처음에 한초가 가지고 있던 색종이의 수를 구하시오.

전국 경시 예상 등위			
대상권	금상권	은상권	동상권
11/12	10/12	9/12	8/12

1 지금 주머니에 흰 바둑돌 몇 개와 흰 바둑돌 개수의 3배만큼의 검은 바둑돌이 들어 있습니다. 주머니에서 검은 바둑돌 5개와 흰 바둑돌 3개를 합하여 8개씩 반복하여 꺼내었더니 흰 바둑돌이 꼭맞게 없게 되었을 때 검은 바둑돌은 68개가 남아 있었습니다. 꺼낸 횟수는 몇 번입니까?

2 지금 상자에 들어 있는 파란 구슬은 노란 구슬의 개수의 4배입니다. 학생 몇 명에게 한 명당 파란 구슬 15개, 노란 구슬 6개를 주게 되면 노란 구슬은 나머지 없이 꼭맞고 파란 구슬은 54개가 남습니다. 지금 상자에 들어 있는 파란 구슬은 몇 개입니까?

3 ㉮ 창고에 보관되어 있는 사과 상자의 수는 ㉯ 창고에 보관되어 있는 사과 상자의 수의 3배였습니다. ㉮ 창고에서 사과 상자를 90개 꺼내 판매하고 ㉯ 창고에서도 몇 개를 꺼내 판매하였습니다. 남은 상자의 수를 각각 조사해 보니 우연히도 처음과 똑같이 ㉮ 창고가 ㉯ 창고의 3배가 되었습니다. ㉯ 창고에서 꺼내 판매한 사과 상자의 수를 구하시오.

4 한초는 영수가 가진 돈의 4배를 가지고 있었습니다. 그 후 두 사람에게 각각 1200원씩 더 생겨 한초가 가진 돈은 영수의 2배가 되었습니다. 한초는 처음에 얼마를 가지고 있었습니까?

5 석기는 38개, 율기는 42개의 사탕을 가지고 있었습니다. 두 사람이 각각 같은 개수만큼의 사탕을 먹은 후에, 율기의 남은 사탕 수는 석기의 1.2배가 되었습니다. 두 사람은 사탕을 몇 개씩 먹은 셈입니까?

6 처음에 가영이는 영수보다 100원 더 많이 가지고 있었으나 가영이가 1000원을 쓰고 영수가 300원을 쓴 후에, 가영이의 남은 돈은 영수의 남은 돈의 $\frac{7}{10}$이 되었습니다. 두 사람은 처음에 각각 얼마씩 가지고 있었습니까?

7 나와 동생, 아버지의 키의 합은 4 m 40 cm 입니다. 나의 키는 동생보다 40 cm 더 크고, 아버지의 키는 동생 키의 2 배보다 40 cm 더 작습니다. 나의 키는 몇 cm 인지 구하시오.

8 바둑돌 177 개를 한초, 예슬, 효근이가 나누어 가졌습니다. 예슬이는 한초의 $\frac{2}{3}$보다 2 개 많게, 효근이는 한초의 $1\frac{2}{3}$배보다 5 개 많게 가졌다면, 효근이는 몇 개를 가졌는지 구하시오.

9 빨간 풍선, 노란 풍선, 파란 풍선이 모두 120 개 있습니다. 빨간 풍선의 개수는 노란 풍선과 파란 풍선의 개수의 합과 같으며, 노란 풍선은 파란 풍선의 개수의 $\frac{3}{5}$보다 4 개 더 많습니다. 노란 풍선은 몇 개인지 구하시오.

10 200원짜리 귤 몇 개와 800원짜리 사과 몇 개를 사고 12400원을 지불하였습니다. 사과의 개수가 귤의 개수의 2배보다 2개 더 많다면 사과는 몇 개 샀는지 구하시오.

11 모양이 다른 2가지 종류의 사탕 ㉮와 ㉯가 있으며, ㉮의 개수는 ㉯의 개수의 2배만큼 있습니다. 이 사탕을 한 봉지당 ㉮는 12개, ㉯는 8개씩 섞어 넣으면 몇 봉지가 만들어지고 ㉮와 ㉯는 각각 20개, 4개가 남게 됩니다. 사탕 ㉮와 ㉯의 개수를 각각 구하시오.

12 한초는 동민이가 가지고 있는 사탕 수의 2배만큼, 석기는 한초가 가지고 있는 사탕 수의 3배만큼 가지고 있었습니다. 석기는 사탕을 10개 더 샀고, 한초는 5개를 먹었으며, 동민이는 3개를 먹었더니 석기가 가지고 있는 사탕 수는 한초가 가지고 있는 사탕 수의 6배보다 4개 더 많았습니다. 처음 동민이가 갖고 있던 사탕은 몇 개입니까?

초등
왕수학

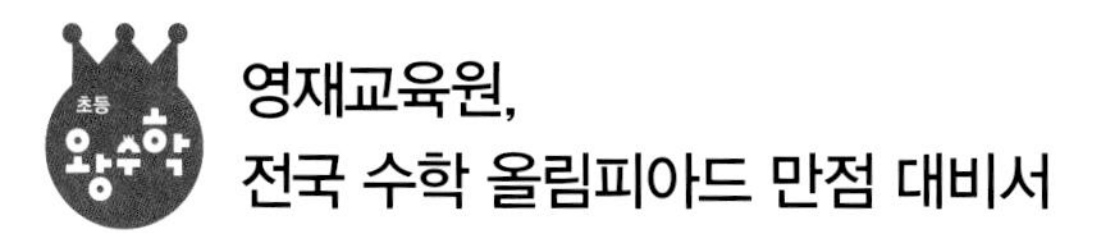

응용 왕수학

정답과 풀이

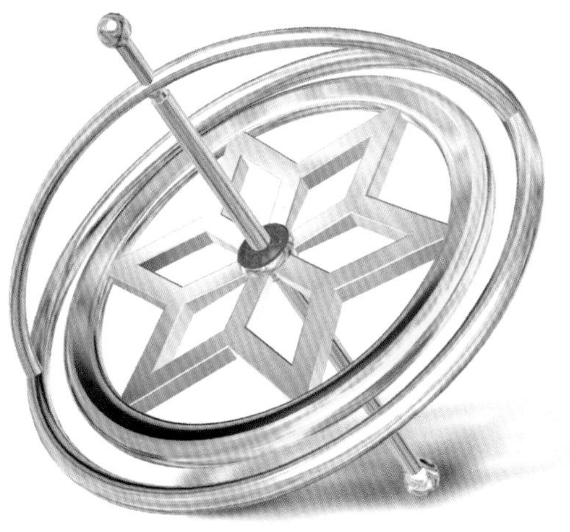

5학년

APPLICATION

정답 & 풀이

5학년

응용왕수학

1. 자연수의 혼합 계산

search 탐구 7

풀이

12, 48, 67, 55

54, 13, 24, 13, 11

55, 11, 44

답 44

EXERCISE

1 ⑤ **2** 6개

[풀이]

1 ⑤ $108-(63\div7)\times5=63$, $108-63\div7\times5=63$

2 $9\times\square<6\times12-36\div4$

$9\times\square<63$

$\square$ 안에 들어갈 수 있는 자연수는 1부터 6까지이므로 모두 6개입니다.

왕 문제 8~13

1 ③

2 (1) 16 (2) 12 (3) 80

3 (1) 39 (2) 8 (3) 3

4 10개 **5** 19

6 59

7 $52+153\div17-(4+28)=29$

8 27개 **9** 143

10 36

11 $25\times4-(18+54\div6)=73$

12 3060원 **13** 431

14 734 **15** 15

16 0 **17** 85

18 49개 **19** 150 g

20 2992개

[풀이]

1 석기가 가진 돈은 $(5800+600)\div2$이고 상연이는 석기가 가진 돈보다 1000원이 적으므로 상연이가 가진 돈을 구하는 식은 $(5800+600)\div2-1000$입니다.

2 (1) $250-\{72-(58-\square)\div7\}\times3=52$

$\{72-(58-\square)\div7\}\times3=198$

$72-(58-\square)\div7=66$

$(58-\square)\div7=6$

$58-\square=42$

$\square=16$

(2) $\{18-(\square-6)\}\times(20-8\div2)=192$

$\{18-(\square-6)\}\times16=192$

$18-(\square-6)=12$

$\square-6=6$

$\square=12$

(3) $(560\div\square+3\times8-64\div8)-24\div6=19$

$(560\div\square+24-8)-4=19$

$560\div\square+16=23$

$560\div\square=7$

$\square=80$

3 (1) $5※7=5\times5+2\times7=39$

(2) $5※\square=41$

$5\times5+2\times\square=41$

$2\times\square=16$

$\square=8$

(3) $\square※8=25$

$\square\times\square+2\times8=25$

$\square\times\square=9$

$\square=3$

4 $59+98\div7>12+\square\times6$

$73>12+\square\times6$

$61>\square\times6$

따라서 $\square$ 안에는 1부터 10까지 10개의 자연수가 들어갈 수 있습니다.

5 $(24\times5-3\times9)-(16\times8-9\times6)$

$=93-74=19$

6 $1*1=1\times4+1=5$

$5*3=5\times4+3=23$

$9*23=9\times4+23=59$

7 $52+153\div17-(4+28)=52+9-32=29$

8 $(49-25)\div3+2\times4=16$이므로

$\square\times4\div7<16$에서 $\square<16\times7\div4$, $\square<28$입니다.

따라서 $\square$ 안에 들어갈 수 있는 자연수는 1부터 27까지이므로 27개입니다.

9 $(32+3)\times4+15\div5=143$

$32+3\times(4+15\div5)=53$

따라서 계산 결과가 가장 큰 값은 143입니다.

10 계산 결과가 가장 크려면 나누는 수를 가장 작은 수인 5로 나누어야 합니다. 이때 계산 결과가 자연수가 되는 경우는
$(7+8)\times12\div5=36$, $(8+12)\times7\div5=28$이므로
가장 큰 계산 결과는 36입니다.

11 $25\times4-(18+54\div6)$
$=100-27=73$

12 $10000-(3120\div12\times8+540\times9)=3060$(원)

13 가장 큰 답 : $7\times[6\times\{5+(4+3)\}]=504$
가장 작은 답 : $7+[6+\{5\times(4\times3)\}]=73$
따라서 두 수의 차는 $504-73=431$입니다.

14 $25\bigstar13=(25+13)+(25-13)=50$
$50\blacklozenge16=(50\times16)-(50+16)=734$

15 $\{(\square+14)\times3-2\}\div5=17$
$(\square+14)\times3-2=17\times5=85$
$(\square+14)\times3=85+2=87$
$\square+14=87\div3=29$
$\square=29-14=15$

16 $8\bigstar4=8\times9-3\times8=48$
$12\bigstar48=12\times13-3\times52=156-156=0$

17 $(4+6)\div2+8\times10=85$

18 $102-39\div3\times4-25=102-52-25=25$
$24+56\div8+4=24+7+4=35$
$25<\square\div5+13<35$에서 $12<\square\div5<22$이므로
$60<\square<110$입니다.
따라서 $\square$ 안에는 61부터 109까지 49개의 자연수가 들어갈 수 있습니다.

19 (책 1권의 무게)$=(3030-2070)\div4=240$(g)
(상자만의 무게)$=2070-240\times8=150$(g)

20 (봉지 수)$=(32+346)\div(72-63)=42$(개)
(구슬 수)$=42\times72-32=2992$(개)

왕중왕 문제 14~19

1 3037	**2** 12000원
3 24, 55, 47, 38	**4** 16일
5 779	
6 사과 : 720원, 귤 : 80원	
7 545 m	**8** 8
9 최대 : 195명, 최소 : 181명	
10 17412명	**11** 1048
12 10000원	**13** 1488 m
14 13	**15** 4명
16 170700원	**17** 41
18 71	**19** 27200원
20 3288명	

[풀이]

1 가장 큰 수 : $74\times20+73=1553$
가장 작은 수 : $74\times20+4=1484$
따라서 두 수의 합은 3037입니다.

2

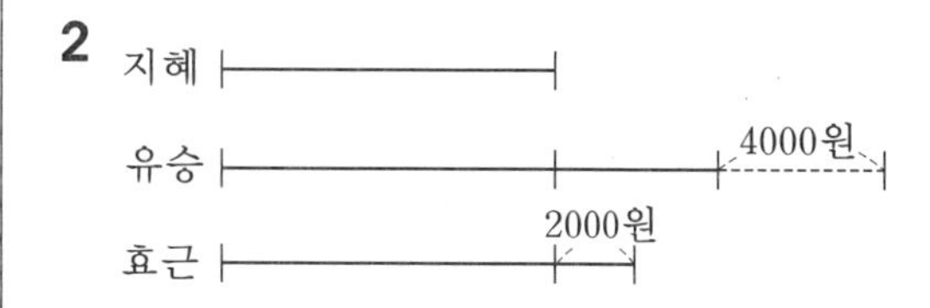

(지혜)$=(30000+4000-2000)\div4=8000$(원)
(유승)$=8000\times2-4000=12000$(원)

3 계산 결과의 일의 자리 숫자가 9이므로 적당한 수를 넣어 계산할 때 일의 자리 숫자가 9가 되는 경우를 알아봅니다.
$24+55\times(47-38)=519$

4 말 1마리가 1일 동안 먹는 건초의 양 :
$360\div(4\times5)=18$(kg)
말 32마리가 1일 동안 먹는 건초의 양 :
$18\times32=576$(kg)
따라서 $9216\div576=16$(일) 걸립니다.

5 ㉠㉡×㉢−㉣㉤÷㉥+㉦에서 계산한 값이 자연수이면서 가장 큰 값이 되려면 ㉠㉡×㉢의 결과가 가장 큰 값이 되어야 하므로 87×9이고,
㉣㉤÷㉥은 나누어떨어지면서 가장 작은 수가 되어야 하므로 $36\div4$입니다.
따라서 계산한 값이 가장 큰 때는
$87\times9-36\div4+5=779$입니다.

6 사과 10개와 귤 7개의 값 : 7760원
사과 30개와 귤 21개의 값 :
$7760\times3=23280$(원)
사과 30개와 귤 14개의 값 : 22720원
귤 1개의 값 : $(23280-22720)\div(21-14)=80$(원)
사과 1개의 값 : $(7760-80\times7)\div10=720$(원)

7 터널을 완전히 통과한다는 것은 기차의 맨 앞부분이 터널에 들어설 때부터 맨 끝부분이 완전히 나올 때까지이므로 기차가 18초 동안 간 거리에는 기차의 길이가 포함되어 있습니다.
터널의 길이는 $(140\div4)\times18-85=545$(m)입니다.

8 $(\square★5)★4=(\square★5)\times6+4\times7-8=470$에서
$\square★5=(470+8-28)\div6=75$입니다.
$\square\times6+5\times7-8=75$에서
$\square=(75+8-35)\div6$, $\square=8$입니다.

9 5학년 학생 수의 범위는 최대 $25\times7+21=196$(명)이고 최소 $21\times7+25=172$(명)이라고 생각할 수 있습니다.
196명을 14명씩 짝짓기 할 때 $196\div14=14$에서 짝을 짓지 못한 학생은 없게 되므로 13명이 짝을 짓지 못하려면 최대 학생 수는 $196-1=195$(명)입니다.
172명을 14명씩 짝짓기 할 때
$172\div14=12\cdots4$에서 4명이 짝을 짓지 못하므로 13명이 짝을 짓지 못하려면
최소 학생 수는 $172+(13-4)=181$(명)입니다.

10 국어와 수학을 모두 좋아하는 어린이는
$(26409+23786)-(34769-1986)$
$=50195-32783=17412$(명)입니다.

11 식을 보고 알맞은 규칙을 알아보면
*는 (앞의 수)+(뒤의 수),
◆는 (앞의 수)×(뒤의 수),
●는 (앞의 수와 뒤의 수의 합)×(앞의 수)입니다.
$9◆12=9\times12=108$, $108*15=123$,
$8●123=(8+123)\times8=1048$

12 자전거 4대는 3시간 동안 빌렸고, 1대는 30분 동안 빌렸습니다.
$2000\times6\times4+2000=50000$(원)
따라서 한 사람이 $50000\div5=10000$(원)씩 내야 합니다.

13 동생이 출발한 후 규형이와 만나는 데 걸리는 시간을 □분이라 하면
동생이 간 거리 : $189\times\square$
규형이가 간 거리 : $72\times13+72\times\square$
$189\times\square=72\times13+72\times\square$
$117\times\square=936$
$\square=8$
두 사람이 만나는 곳까지 간 거리는
$189\times8=1512$(m)이므로 서점으로 부터
$3000-1512=1488$(m) 떨어진 곳입니다.
별해 $3000-72\times13\div(189-72)\times189$
$=1488$(m)

14 $6*\square=175$
$6+\square+2\times6\times\square=175$
$6+\square+12\times\square=175$
$6+13\times\square=175$
$\square=(175-6)\div13=13$

15 $\{(600-50)\times160-600\times120\}\div\square=4000$
$(88000-72000)\div\square=4000$
$\square=16000\div4000=4$(명)

16 두 사람이 이번달에 각각 저금한 금액은
$(279000-248400)\div2=15300$(원)이고,
한별이가 지난달까지 저금한 금액은
$279000\div3\times2-15300=170700$(원)

17
㉢	×	㉣	+	㉤	=	60
+		×		÷		
㉠	÷	㉥	−	㉦	=	2
×		−		+		
㉧	+	㉨	×	㉩	=	㉡
‖		‖		‖		
25		19		10		

가로셈 ㉢×㉣+㉤=60에서
$7\times8+4=60$, $8\times7+4=60$을 생각할 수 있습니다.
이때 세로셈 ㉢+㉠×㉧=25에서 ㉢=8일 때
8+㉠×㉧=25가 되는 식을 만들 수 없으므로
㉢=7, ㉣=8, ㉤=4입니다.
세로셈 ㉤÷㉦+㉩=10에서
$4\div1+6=10$(○), $4\div2+8=10$(×),
$4\div4+9=10$(×)
이므로 ㉦=1, ㉩=6입니다.
가로셈 ㉠÷㉥−㉦=2에서 ㉠÷㉥=2+1=3
이므로 ㉠=9, ㉥=3입니다.

세로셈 ㉢+㉠×㉧=25에서

7+9×㉧=25, ㉧=2이고

세로셈 ㉣×㉥−㉨=19에서

8×3−㉨=19, ㉨=5입니다.

따라서 ㉡=2+5×6=32이므로

㉠+㉡=9+32=41입니다.

18 23으로 나눈 몫과 나머지를 각각 ㉠과 ㉡이라 하면 34로 나눈 몫과 나머지는 각각 ㉡과 ㉠입니다.

23×㉠+㉡−(34×㉡+㉠)=0

22×㉠−33×㉡=0

따라서 ㉠=3, ㉡=2일 때 가장 작은 수가 되므로 23×3+2=71입니다.

19 {(8000+10200)×3−18500}×2−45000

=27200(원)

20 (농구 또는 축구 또는 야구를 좋아하는 어린이 수)

=8749+10224+9215−2396−2547−2621+989

=21613(명)

따라서 농구, 축구, 야구를 모두 좋아하지 않는 어린이 수는 24901−21613=3288(명)입니다.

별해

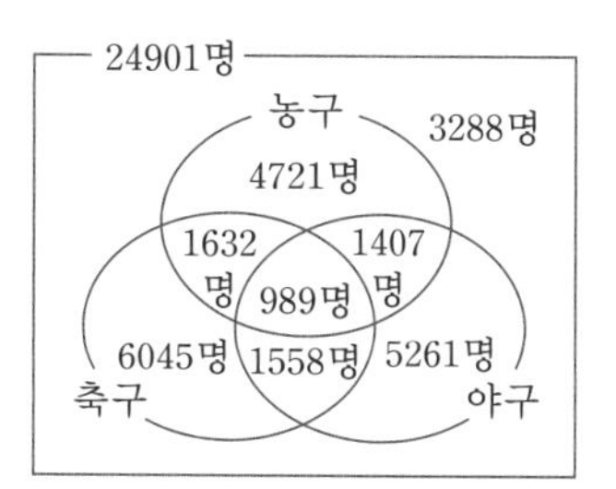

2. 배수와 약수

search 탐구 22

풀이

2, 3, 5, 2, 3, 5, 30, 2, 3, 5, 2, 3, 2, 3, 5, 2, 3, 180

답 30, 180

EXERCISE 1

1 (1) 60 (2) 216 (3) 83160

2 1, 3, 7, 11, 21, 33, 77, 231

3 ①

[풀이]

1 (1) 2) 12 30

3) 6 15

2 5 　2×3×2×5=60

(2) 3) 24 27 54

9) 8 9 18

2) 8 1 2 　3×9×2×4×1×1=216

4 1 1

(3) 2×2×2×3×3×3×5×7×11=83160

2 A=3×7×11일 때 A의 약수는 1, 3, 7, 11, 21, 33, 77, 231입니다.

3 공배수는 최소공배수의 배수입니다.

2×2×3×5와 2×5×5의 최소공배수는

2×2×3×5×5입니다.

search 탐구 23

풀이

10, 3, 30, 30, 30, 5, 30, 9, 5, 9, 45

답 30, 45

EXERCISE 2

1 14명 **2** 16 cm

3 9명, 사과 : 5개, 배 : 3개, 감 : 4개

[풀이]

1 될 수 있는 대로 많은 사람들에게 남김없이 똑같이 나누어 주어야 하므로 최대공약수를 구하는 문제입니다.

7) 84 70

2) 12 10

6 5 　7×2=14(명)

2 될 수 있는 대로 가장 큰 정사각형을 만들려면 한 변의 길이를 가로와 세로의 최대공약수로 하여야 합니다.

8) 48 32

2) 6 4

3 2 　8×2=16(cm)

3 $9\overline{)45\ \ 27\ \ 36}$ / $5\ \ 3\ \ 4$ 9명에게 사과는 5개씩, 배는 3개씩, 감은 4개씩 나누어 주면 됩니다.

search 탐구 24

풀이

12, 20, 12, 20, 4, 3, 5, 60, 60, 8

답 8

EXERCISE 3

1 9 cm **2** 5군데
3 3600개

[풀이]

1 가장 작은 정사각형을 만들기 위해서는 정사각형의 한 변의 길이가 가로와 세로의 최소공배수가 되어야 합니다.

$3\overline{)3\ \ 9}$ / $1\ \ 3$ $3\times1\times3=9$(cm)

2 동시에 점이 찍힌 간격의 거리는 각 점들 간격의 최소공배수입니다.

$7\overline{)21\ \ 28}$ / $3\ \ 4$ $7\times3\times4=84$(mm)

따라서 동시에 점이 찍힌 곳은 $500\div84=5\cdots80$에서 5군데입니다.

3 가장 작은 정육면체의 한 모서리의 길이는 가로, 세로, 높이의 최소공배수입니다.

$2\overline{)8\ \ 6\ \ 10}$ / $4\ \ 3\ \ 5$ $2\times4\times3\times5=120$(cm)

한 모서리의 길이가 120 cm이므로
가로는 $120\div8=15$(개)
세로는 $120\div6=20$(개)
높이는 $120\div10=12$(개)씩 쌓아야 합니다.
따라서 필요한 직육면체의 개수는
$15\times20\times12=3600$(개)입니다.

왕 문제 25~30

1 325 **2** (1) 24 (2) 24번째
3 (1) 7가지 (2) 5 **4** 5
5 17개 **6** 15개
7 545 **8** (1) 59 (2) 479
9 1, 3, 7, 9 **10** 5장
11 8 cm **12** 550원
13 12 **14** 10개
15 (20, 30), (50, 80) **16** 21장, 43 cm
17 9, 27 **18** 12명
19 24 cm **20** 42개

[풀이]

1 $(5+125)\times25\div2-(4+100)\times25\div2$
$=65\times25-52\times25$
$=13\times25=325$

2 (1) 2의 배수와 6의 배수의 차를 나열해 보면 92, 88, 84, 80, … 으로 두 수의 차가 4씩 작아집니다.
따라서 18번째에 있는 두 수의 차는
$92-(18-1)\times4=24$입니다.
(2) $92\div4=23$으로 24번째에 두 수가 같아집니다.

3 (1) 2개의 자연수의 곱이 210이 되는 경우는 (1, 210), (2, 105), (3, 70), (5, 42), (6, 35), (7, 30), (10, 21), (14, 15)이므로 (1, 210)을 제외하면 모두 7가지입니다.
(2) $210=2\times3\times5\times7$이므로
A와 B의 곱이 C보다 1 크려면
$A\times B=C+1$에서 $A=3$, $B=5$, $C=14$ 또는 $A=5$, $B=3$, $C=14$입니다.
이때 A가 가장 작은 수이므로 B는 5입니다.

4 18의 약수는 1, 2, 3, 6, 9, 18이므로 [18]=6
22의 약수는 1, 2, 11, 22이므로 [22]=4
7의 약수는 1, 7이므로 [7]=2
➜ ([18]+[22])÷[7]=$(6+4)\div2=5$

5

$50-\{(25+16)-8\}=17$(개)

6 2, 3, 4, 5, 6의 최소공배수를 구하면

2) 2 3 4 5 6
3) 1 3 2 5 3
  1 1 2 5 1 $2\times3\times1\times1\times2\times5\times1=60$

1부터 999까지 60의 배수는 16개, 1부터 99까지의 60의 배수는 1개이므로 세 자리 수 중 60의 배수는 15개입니다.

7 65와 91의 공배수에 90을 더한 수를 구합니다.

13) 65 91
  5 7 $13\times5\times7=455$

따라서 구하고자 하는 세 자리 수는
$455+90=545$입니다.

8 남는 수가 모두 다르므로 부족한 수를 생각해 봅니다.
2로 나누면 1이 남으므로 나누어떨어지려면
1이 부족합니다.
3으로 나누면 2가 남으므로 나누어떨어지려면
1이 부족합니다.
4로 나누면 3이 남으므로 나누어떨어지려면
1이 부족합니다.
5로 나누면 4가 남으므로 나누어떨어지려면
1이 부족합니다.
(1) 이러한 수 중 가장 작은 수는 2, 3, 4, 5의 최소공배수에서 1을 뺀 수입니다.

2) 2 3 4 5
  1 3 2 5 $2\times1\times3\times2\times5=60$
  $60-1=59$

(2) 60의 배수 중 450에 가까운 수는 420, 480이므로 $420-1=419$, $480-1=479$ 중에서 450에 가장 가까운 수는 479입니다.

9 (5, 10)은 5와 10의 최소공배수를 나타내므로 10입니다.
10과 □의 최대공약수가 1이며, □가 10보다 작은 자연수이려면 □ 안에 알맞은 수는 1, 3, 7, 9입니다.

10

45 cm
63 cm
9 cm
18 cm

➔ 5장

11 밑면의 가로를 □, 세로를 △, 높이를 ○라고 하면
□×△=216, □×○=144, △×○=96
□×○×△×○=144×96에서
○×○×216=144×96, ○=8
따라서 모서리 ㄱㄴ은 8 cm입니다.

12 100원짜리 동전은 43개 중 7개가 남았으므로 나누어떨어지는 개수는 36개입니다. 50원짜리 동전은 58개에서 2개가 부족하므로 나누어떨어지는 개수는 60개입니다.

12) 36 60
  3 5

따라서 한 사람에게 $100\times3+50\times5=550$(원)씩 나누어 주려고 하였습니다.

13 $117-9=108$, $183-3=180$
108과 180의 최대공약수는 36이며 공약수는 36의 약수인 1, 2, 3, 4, 6, 9, 12, 18, 36입니다.
이 수들 중 나머지 9보다 크면서 가장 작은 수는 12입니다.

14 15의 배수는 3의 배수이면서 5의 배수인 수입니다.
3의 배수는 각 자리의 숫자의 합이 3의 배수이고 5의 배수는 일의 자리 숫자가 0 또는 5인 수입니다.

0, 3을 사용할 때 : 3030, 3300(2개)
0, 6을 사용할 때 : 6060, 6600(2개)
1, 5를 사용할 때 : 1155, 1515, 5115(3개)
4, 5를 사용할 때 : 4455, 4545, 5445(3개)
➔ $2+2+3+3=10$(개)

15 a와 b가 10의 배수이므로 a를 5배 한 수는 50의 배수입니다. b의 3배에 10을 더한 수가 50의 배수이려면 b의 3배는 십의 자리의 숫자가 4 또는 9이어야 합니다.
a가 20일 때 b는 30
a가 50일 때 b는 80
a가 80일 때 b는 130에서
a와 b가 모두 두 자리 수이므로
(a, b)는 (20, 30), (50, 80)뿐입니다.

16 종이를 가로와 세로로 1장씩 늘일 때마다 가로는 6 cm, 세로는 14 cm씩 늘어나므로 6과 14의 최

소공배수를 구하면 42입니다.
따라서 가장 작은 정사각형의 한 변의 길이는 $42+1=43$(cm)이고, 이것은 가로로 7장, 세로로 3장 붙인 경우이므로 직사각형 모양의 종이는 21장이 필요합니다.

17 $59-5=54$, $140-5=135$, $194-5=189$
54와 135와 189의 최대공약수는 27이므로 공약수는 1, 3, 9, 27입니다.
구하고자 하는 어떤 수는 나머지 5보다 큰 수이어야 하므로 9, 27입니다.

18 공책은 52권 중 4권이 남았으므로 나누어떨어지는 수는 48권입니다.
연필은 54자루로 6자루 부족하므로 나누어떨어지는 수는 60자루입니다.
나누어 준 사람 수는 48, 60, 36의 최대공약수인 12명입니다.

19 오른쪽 그림과 같이 나누면 ㉮와 ㉯의 크기가 같으므로 세 수 144, 120, 72의 최대공약수 24가 가장 큰 정사각형 모양의 타일의 한 변의 길이가 됩니다.

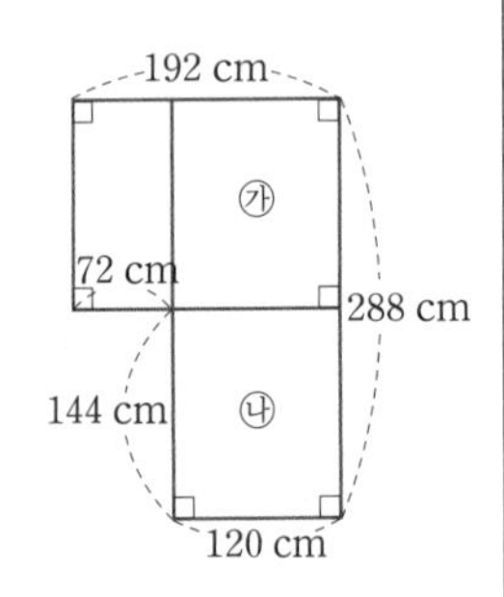

20 말뚝의 개수를 될 수 있는 한 적게 하려면 말뚝 사이를 될 수 있는 한 크게 하여야 합니다. 네 변 96, 160, 192, 224의 최대공약수는 32이므로 32의 공약수는 1, 2, 4, 8, 16, 32이며 20보다 작은 가장 큰 공약수는 16이므로 16 m마다 말뚝을 박아야 합니다.
필요한 말뚝의 개수 :
$(96+160+192+224)\div16=42$(개)

왕중왕문제 31~36

1 7개　**2** 3, 9, 7, 5
3 439　**4** 1499
5 2번　**6** 6번
7 22명　**8** 16명
9 (1) 10장 (2) 40장
10 32일　**11** 96
12 (1) 3 cm (2) 33 cm
13 가 : 88, 나 : 128
14 (1) 72명, 78명, 84명, 90명 96명
(2) 78명
15 (1) 60계단 (2) 20계단
16 506
17 의자 수 : 189개, 학생 수 : 795명
18 30분 후
19 9 cm　**20** A : 84, B : 36, C : 24

[풀이]

1 약수의 개수가 2개인 수는 2, 3, 5, 7, 11, 13, 17, 19, 23, 29, 31, 37, … 입니다.
약수가 3개인 수는 약수가 2개인 수를 두 번 곱한 수이므로 세 자리 수 중 약수의 개수가 3개인 수는
$11\times11=121$, $13\times13=169$, $17\times17=289$,
$19\times19=361$, $23\times23=529$, $29\times29=841$,
$31\times31=961$로 7개입니다.

2 $2925=3\times3\times5\times5\times13$이므로 ㄱ에 들어갈 수 있는 수는 3, 5, 9입니다.
$3\times975=39\times75=2925$(○)
$5\times585\neq55\times85$(×), $9\times325\neq93\times25$(×)

3 어떤 수가 9의 배수가 되기 위해서는 각 자리의 숫자의 합이 9의 배수가 되어야 합니다.
4□□−7이 9의 배수가 되려면 405, 414, 423, 432, 441, 450, 459, 468, 477, 486, 495이어야 합니다.
이 수들 중 16을 더하여 7의 배수가 되는 수는 432, 495이고 $432+7=439$, $495+7=512$이므로 구하고자 하는 수는 439입니다.

별해

7과 9의 공배수에서 2를 빼어 구할 수 있습니다.
7과 9의 최소공배수는 63이며 63의 배수 중 백의 자리가 4인 경우는 $63\times7=441$입니다.

따라서 구하고자 하는 세 자리 자연수는 $441-2=439$입니다.

4 2와 3의 최소공배수는 6이므로 6개의 수를 묶음으로 생각합니다.
1, 2, 3, 4, 5, 6 중 2의 배수와 3의 배수를 지우면 1과 5가 남게 되므로 한 묶음마다 2개씩 남게 됩니다.
$500\div2=250$이므로 500번째에 있는 수는 250번째 묶음의 2번째 수이므로 $250\times6-1=1499$입니다.

5 ㉮ 전구는 3초간 켜지고, 3초간 꺼지므로 6초마다 반복됩니다.
㉯ 전구는 4초간 켜지고, 4초간 꺼지므로 8초마다 반복됩니다.
따라서 ㉮와 ㉯는 6과 8의 최소공배수인 24초마다 똑같은 상황이 반복됩니다.

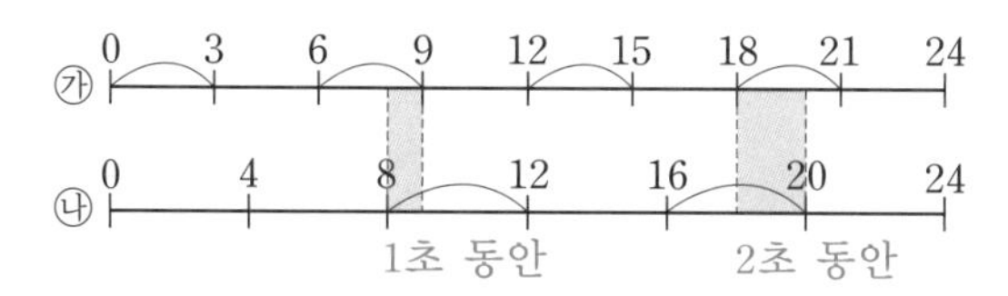

24초마다 ㉮와 ㉯가 동시에 2초 동안 켜지는 경우는 1번씩이므로 60초 동안에는 2번이 있습니다.

6 ㉰ 전구는 5초간 켜지고 5초간 꺼지므로 10초마다 반복되고 ㉮, ㉯, ㉰는 24와 10의 최소공배수인 120초마다 같은 상황이 반복됩니다.

(㉮와 ㉯가 2초 동안 켜지는 시간)	(㉰가 켜지는 시간)
18초~20초	×
(24) 42초~44초	40초~45초
(24) 66초~68초	×
(24) 90초~92초	90초~95초
(24) 114초~116초	×

따라서 2분 동안 2번씩 나타나므로 6분에는 모두 $2\times3=6$(번)이 있습니다.

7 생각할 수 있는 학생 수는 나누어 주고 같은 개수씩 남았으므로 개수의 차의 공약수입니다.
$92-26=66$, $158-92=66$으로 차가 같으므로 차의 최대공약수는 66이고 공약수는 66의 약수인 1, 2, 3, 6, 11, 22, 33, 66입니다. 지우개의 개수인 26보다 작으면서 가장 큰 수는 22입니다.

8 $68-4=64$, $109-13=96$, $232-8=224$
학생 수는 64, 96, 224의 공약수입니다.
최대공약수가 32이므로 공약수는 1, 2, 4, 8, 16, 32입니다. 그런데, 학생 수는 13보다 크고 25보다 작아야 하므로 16명입니다.

9 1부터 100까지의 카드 중 뽑은 카드의 수는 다음과 같습니다.
A : (3의 배수)=33장
B : (4의 배수)−(12의 배수)=25−8=17(장)
C : (5의 배수)−(15의 배수)−(20의 배수)
　+(60의 배수)=20−6−5+1=10(장)
따라서 C까지 뽑고 남은 카드의 수는
100−(33+17+10)=40(장)

10 $3+3=6$, $4+4=8$이므로 6과 8의 최소공배수는 24입니다.
24일마다 두 사람은 반복되므로 24일 동안 같이 일한 날수를 찾습니다.
1, 2, 3, 9, 19, 20 ➔ 6일
$(30+31+30+31)\div24=5\cdots2$
따라서 7월 31일까지 같이 일한 날수는
$6\times5+2=32$(일)입니다.

11 12) A　60　　　8) A　40
　　　ㄱ　5　　　　　ㄴ　5

A는 12와 8의 최소공배수인 24의 배수입니다. 24, 48, 72, 96, 120 중 A가 120이면 120과 60의 최대공약수는 60이므로 조건에 맞지 않습니다. 그러므로 A는 96입니다.

12 (1)

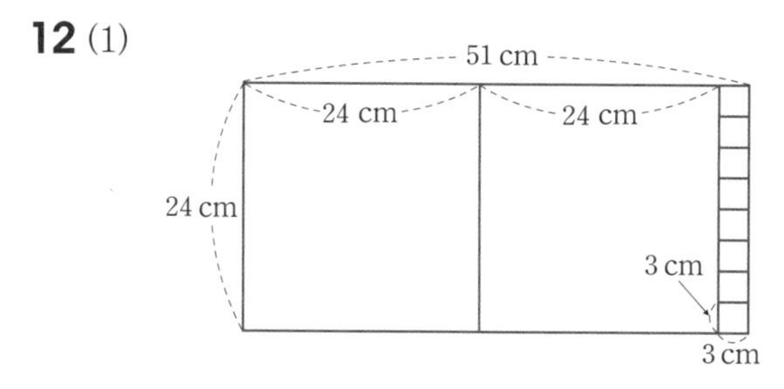

(2) (1)번에서 가장 작은 정사각형의 한 변의 길이는 직사각형 가로와 세로의 길이의 최대공약수임을 알 수 있습니다. 429와 924의 최대공약수는 33이므로 가장 작은 정사각형의 한 변의 길이는 33 cm입니다.

13 8) 가　나
　　㉮　㉯ → $8\times$㉮$\times$㉯$=1408$, ㉮$\times$㉯$=176$
(㉮, ㉯)=(1, 176), (11, 16)
가, 나 두 수의 차가 40이므로 ㉮와 ㉯의 차는 5

이어야 합니다.

따라서 가 $=11\times8=88$, 나 $=16\times8=128$입니다.

14 (1) B 단체의 인원 수는 70명과 100명 사이인 6의 배수이므로 72명, 78명, 84명, 90명, 96명이라 생각할 수 있습니다.

(2) A 단체 60명을 남는 사람 없이 조를 나누는 방법으로는 1, 2, 3, 4, 5, 6, 10, 12, 15, 20, 30, 60명으로 이 중 7명 이상으로 나누는 방법은 10, 12, 15, 20, 30, 60명씩 조를 나눌 수 있는데 B 단체는 위의 어떤 방법으로도 나누어지지 않았으므로 B 단체의 인원 수는 78명입니다.

15 (1) 형이 계단을 오르는 데 걸린 시간:

$2\times10\div(3-2)=20$(초)

따라서 계단은 모두 $20\times3=60$(계단)입니다.

(2) 형이 밟은 계단 수 : $60\div3=20$(계단)

동생이 밟은 계단 수 : $60\div2=30$(계단)

형과 동생이 함께 밟은 계단 수 :

$60\div6=10$(계단)

형과 동생이 모두 밟지 않은 계단 수 :

$60-(20+30)+10=20$(계단)

16 ㉠$+2$가 4의 배수이므로 (㉠$+2)-4=$㉠-2도 4의 배수입니다.

㉠-2가 4의 배수이면서 7의 배수이므로

㉠-2는 4와 7의 공배수입니다.

4와 7의 최소공배수는 28이므로

500에 가장 가까운 공배수는

$28\times18=504$이고 ㉠$=504+2=506$입니다.

17 의자에 4명씩 앉을 때 남은 학생 수를 이용합니다. 의자를 10개 늘려 4명씩 앉았더니 남은 의자는 없었으므로 처음에 의자에 4명씩 앉고 남은 학생 수는 37명, 38명, 39명, 40명 중 하나입니다.

처음의 의자 수를 □개라 하면

① $4\times\square+37=3\times(\square+10+66)$, $\square=191$(개)

(학생 수)$=(191+76)\times3=801$(명)

② $4\times\square+38=3\times(\square+10+66)$, $\square=190$(개)

(학생 수)$=(190+76)\times3=798$(명)

③ $4\times\square+39=3\times(\square+10+66)$, $\square=189$(개)

(학생 수)$=(189+76)\times3=795$(명)

④ $4\times\square+40=3\times(\square+10+66)$, $\square=188$(개)

(학생 수)$=(188+76)\times3=792$(명)

따라서 학생 수는 5의 배수이므로 795명, 처음의 의자 수는 189개입니다.

남은 학생 수	처음 의자 수	전체 학생 수
40명일 경우	$(76\times3-40)\div(4-3)=188$(개)	$(188+76)\times3=792$(명)
39명일 경우	$(76\times3-39)\div(4-3)=189$(개)	$(189+76)\times3=795$(명)
38명일 경우	$(76\times3-38)\div(4-3)=190$(개)	$(190+76)\times3=798$(명)
37명일 경우	$(76\times3-37)\div(4-3)=191$(개)	$(191+76)\times3=801$(명)

18 삼각형의 둘레의 길이가 630 m이므로 한 바퀴 도는데 걸리는 시간은 다음과 같습니다.

갑 : $630\div105=6$(분)

을 : $630\div126=5$(분)

병 : $630\div210=3$(분)

세 사람이 처음으로 출발 지점에 있게 되는 때는 6, 5, 3의 최소공배수인 30분 후입니다.

19 $134-90=44$(cm)는 타일의 한 변의 길이와 타일과 타일의 간격을 더한 길이의 배수입니다.

$134\div44=3\cdots2$, $90\div44=2\cdots2$이므로 타일과 타일 사이의 간격은 2 cm입니다.

전체를 6등분 하면 1등분은 $96\div6=16$(장)이므로 44 cm는 타일 4개와 간격 4개의 합입니다.

따라서 타일 한 변의 길이는 $44\div4-2=9$(cm)입니다.

20 (A+B) ➡ 5의 배수, (A+B) ➡ 4의 배수

A와 B가 12의 배수이므로 (A+B)는 12의 배수입니다.

따라서 (A+B)는 4와 5와 12의 공배수인 60, 120, 180으로 생각할 수 있습니다.

A와 B의 합이 60일 때 C는 $60\div5=12$이며 세 수의 합이 72이므로 조건에 맞지 않습니다.

A와 B의 합이 120일 때 C는 $120\div5=24$입니다.

$$\begin{array}{r|ll} 12 & A & B \\ \hline & a & b \end{array}$$

$a+b=10$이므로 $a=6$, $b=4$와 $a=8$, $b=2$는 최대공약수 12의 조건에 맞지 않습니다.

따라서, A와 B는 $a=7$, $b=3$일 때,

A$=84$, B$=36$, C$=24$입니다.

(A와 B의 합이 180일 때, C는 $180\div5=36$이므로 세 수의 합이 200보다 작은 조건에 맞지 않습니다.)

3. 약분과 통분

search 탐구 38

풀이

2, 3, 2, 3, 33, 33, 17

답 17

EXERCISE 1

1 47개

2 11번째

3 $\frac{75}{255}$

[풀이]

1 $80=2\times2\times2\times2\times5$이므로 분자가 2 또는 5의 배수인 분수는 약분이 됩니다.
2의 배수는 $79\div2=39\cdots1$에서 39개
5의 배수는 $79\div5=15\cdots4$에서 15개
10의 배수는 $79\div10=7\cdots9$에서 7개이므로
약분이 되는 분수는 모두 $39+15-7=47$(개)입니다.

2 분모와 분자의 차가 24인 분수를 나열한 것입니다.
$\frac{2}{5}$의 분모, 분자에 $24\div(5-2)=8$을 곱하면
분모와 분자의 차가 24인 분수가 됩니다.
$\frac{2}{5}=\frac{2\times8}{5\times8}=\frac{16}{40}$
따라서 $\frac{16}{40}$은 11번째 수입니다.

3 $\frac{5}{17}$의 분모와 분자의 합은 22입니다.
$\frac{5}{17}$와 크기가 같은 분수 중 분모와 분자의 합이 330인 분수는 $\frac{5}{17}$의 분모, 분자에 $330\div22=15$를 곱한 분수와 같습니다.
$\frac{5}{17}=\frac{5\times15}{17\times15}=\frac{75}{255}$

search 탐구 39

풀이

16, 10, 11, 12, 13, 14, 15, 11, 13, 15

답 11, 13, 15

EXERCISE 2

1 $\frac{4}{9}$, $\frac{5}{9}$, $\frac{7}{9}$

2 36개

3 $\frac{15}{19}$

[풀이]

1 $\frac{2}{7}<\frac{\square}{9}<\frac{6}{7}$ ➔ $\frac{18}{63}<\frac{\square\times7}{63}<\frac{54}{63}$
식을 만족시키는 □ 안의 수는 3, 4, 5, 6, 7이고, 이 중 기약분수가 되는 경우는 $\frac{4}{9}$, $\frac{5}{9}$, $\frac{7}{9}$입니다.

2 $\frac{3}{13}<\frac{11}{\square}<1$ ➔ $\frac{33}{143}<\frac{33}{3\times\square}<\frac{33}{33}$
식을 만족시키는 □ 안의 수는 12, 13, 14, ⋯, 47이므로 모두 36개입니다.

3 $\frac{7}{9}<\frac{15}{\square}<\frac{5}{6}$ ➔ $\frac{105}{135}<\frac{105}{7\times\square}<\frac{105}{126}$
식을 만족시키는 □ 안의 수는 19이므로 $\frac{15}{19}$입니다.

search 탐구 40

풀이

5, 8

답 $4\frac{3}{5}$, $3\frac{5}{8}$

EXERCISE 3

1 $\frac{13}{3}$, $3\frac{2}{3}$, $2\frac{4}{5}$, $2\frac{3}{4}$, $1\frac{3}{5}$

2 약국, 서점, 문방구점

3 나

[풀이]

1 $2\frac{4}{5}$, $1\frac{3}{5}$, $2\frac{3}{4}$, $3\frac{2}{3}$, $\frac{13}{3}$
➔ $2\frac{4}{5}$, $1\frac{3}{5}$, $2\frac{3}{4}$, $3\frac{2}{3}$, $4\frac{1}{3}$
➔ $2\frac{16}{20}$, $1\frac{3}{5}$, $2\frac{15}{20}$, $3\frac{2}{3}$, $4\frac{1}{3}$
가장 큰 순서대로 나열하면
$\frac{13}{3}$, $3\frac{2}{3}$, $2\frac{4}{5}$, $2\frac{3}{4}$, $1\frac{3}{5}$입니다.

2 $90\frac{5}{8}$, $90\frac{1}{2}$, $90\frac{3}{4}$ ➔ $90\frac{5}{8}$, $90\frac{4}{8}$, $90\frac{6}{8}$
학교에서 가장 먼 곳부터 차례대로 쓰면 약국, 서점, 문방구점입니다.

3 (가~나~라)$=1\frac{1}{5}+1\frac{3}{5}=2\frac{4}{5}$(km)
(가~다~라)$=1\frac{5}{7}+1\frac{1}{7}=2\frac{6}{7}$(km)
$\left(2\frac{4}{5}, 2\frac{6}{7}\right)$ ➔ $\left(2\frac{28}{35}, 2\frac{30}{35}\right)$ ➔ $2\frac{4}{5}<2\frac{6}{7}$

따라서 가에서 나를 거쳐 라까지 가는 것이 더 가깝습니다.

왕 문제 41~46

1 100개 2 68

3 74 4 $\frac{7}{12}$

5 ㉮ : 18, ㉯ : 15 또는 ㉮ : 50, ㉯ : 49

6 33개 7 80

8 (1) 24개 (2) 7개 9 17개

10 $\frac{16}{105}$, $\frac{17}{105}$, $\frac{6}{35}$, $\frac{19}{105}$, $\frac{4}{21}$

11 (1) $\frac{5}{7}$ (2) $\frac{21}{35}$ (3) $\frac{39}{91}$

12 가 : 8, 나 : 2

13 가 : 143, 나 : 44 14 $\frac{8}{339}$

15 (1) 7 (2) 7 (3) 30 (4) 67

16 $\frac{11}{13}$ 17 ㉰ 상점

18 $\frac{17}{24}$ 19 소수 63자리 수

20 $\frac{1}{9}$

[풀이]

1 $\frac{158}{316}$을 기약분수로 나타내면 $\frac{1}{2}$입니다.

$\frac{1}{2}=\frac{2}{4}=\frac{3}{6}=\frac{4}{8}=\cdots=\frac{100}{200}$

따라서 $\frac{158}{316}$과 크기가 같은 분수는 모두 100개입니다.

2 먼저 분모와 분자를 각각 계산한 후 분모와 분자의 최대공약수를 구합니다.

$\frac{9\times12+2\times2\times7}{(11+3\times4)\times5+89}=\frac{136}{204}$

136과 204의 최대공약수 : 68

3 $\frac{11+가}{147}=\frac{10}{21}=\frac{70}{147}$이므로 가$=70-11=59$

$\frac{11}{147-나}=\frac{1}{12}=\frac{11}{132}$이므로 나$=147-132=15$

가$+$나$=59+15=74$

4 $\frac{1}{2}$, $\frac{\triangle}{\square}$, $\frac{2}{3}$에서 분자가 연속되는 자연수가 되도록 통분하면 $\frac{6}{12}$, $\frac{\triangle}{\square}$, $\frac{8}{12}$입니다.

따라서 $\frac{\triangle}{\square}=\frac{7}{12}$입니다.

5 $\frac{99}{㉮-㉯}=㉮+㉯$이므로

$99=(㉮-㉯)\times(㉮+㉯)$입니다.

$99=9\times11=(10-1)\times(10+1)$

$99=3\times33=(18-15)\times(18+15)$

$99=1\times99=(50-49)\times(50+49)$

㉮, ㉯는 두 자리 수이므로 ㉮ : 18, ㉯ : 15 또는 ㉮ : 50, ㉯ : 49입니다.

6 분수를 차례로 나열하면 다음과 같습니다.

$\frac{15}{11}$, ($\frac{18}{15}$), $\frac{21}{19}$, $\frac{24}{23}$, ($\frac{27}{27}$), $\frac{30}{31}$, $\frac{33}{35}$, ($\frac{36}{39}$), …

약분되는 분수는 2, 5, 8, … 번째 수이므로 100번째 분수까지는 33개의 분수가 있습니다.

7 분자가 1, 3, 7, 9인 경우가 기약분수입니다.

$3\frac{1}{10}$, $3\frac{3}{10}$, $3\frac{7}{10}$, $3\frac{9}{10}$

$4\frac{1}{10}$, $4\frac{3}{10}$, $4\frac{7}{10}$, $4\frac{9}{10}$

$5\frac{1}{10}$, $5\frac{3}{10}$, $5\frac{7}{10}$, $5\frac{9}{10}$

$6\frac{1}{10}$, $6\frac{3}{10}$, $6\frac{7}{10}$, $6\frac{9}{10}$

위의 16개의 분수의 합을 구하면

$(3+4+5+6)\times4+\left(\frac{1}{10}+\frac{3}{10}+\frac{7}{10}+\frac{9}{10}\right)\times4=80$

8 (1) $56=2\times2\times2\times7$이므로 분자가 2의 배수나 7의 배수인 분수는 모두 약분이 됩니다. 분자가 2의 배수인 분수는 27개, 7의 배수인 분수는 7개, 14의 배수인 분수는 3개이므로 약분되지 않는 분수는 $55-27-7+3=24$(개)입니다.

(2) 56의 약수는 1, 2, 4, 7, 8, 14, 28, 56이므로 분자가 1, 2, 4, 7, 8, 14, 28인 분수는 약분하면 분자가 1이 되는 분수입니다.

9 $72=2\times2\times2\times3\times3$이므로

분자가 2나 3의 배수가 아닌 분수는 약분할 수 없습니다.

2의 배수의 개수 : 25개

3의 배수의 개수 : 17개

6의 배수의 개수 : 9개

2나 3의 배수의 개수 : $25+17-9=33$(개)

따라서 약분할 수 없는 분수는 $50-33=17$(개)입니다.

10 $\frac{1}{7}$과 $\frac{1}{5}$을 분자가 6 차이가 나도록 통분합니다.

$\left(\frac{1}{7}, \frac{1}{5}\right) \rightarrow \left(\frac{5}{35}, \frac{7}{35}\right) \rightarrow \left(\frac{15}{105}, \frac{21}{105}\right)$

따라서 $\frac{16}{105}, \frac{17}{105}, \frac{18}{105}, \frac{19}{105}, \frac{20}{105}$

즉, $\frac{16}{105}, \frac{17}{105}, \frac{6}{35}, \frac{19}{105}, \frac{4}{21}$를 넣었습니다.

11 (1) 5700과 7980의 최대공약수는 1140입니다.

$\frac{5700}{7980}=\frac{5700\div1140}{7980\div1140}=\frac{5}{7}$

(2) $\frac{3}{5}$의 분자와 분모의 합은 8입니다.

$\frac{3}{5}$과 크기가 같은 분수 중 분모와 분자의 합이 56인 분수는 $\frac{3}{5}$의 분모, 분자에 $56\div8=7$을 곱한 분수와 같습니다.

$\frac{3}{5}=\frac{3\times7}{5\times7}=\frac{21}{35}$

(3) $\frac{3}{7}$의 분자와 분모의 차는 4입니다.

$\frac{3}{7}$과 크기가 같은 분수 중 분모와 분자의 차가 52인 분수는 $\frac{3}{7}$의 분모, 분자에 $52\div4=13$을 곱한 분수와 같습니다.

$\frac{3}{7}=\frac{3\times13}{7\times13}=\frac{39}{91}$

12 $\frac{나}{가\times가\times가}=\frac{1}{256}=\frac{2}{8\times8\times8}$

따라서 가$=8$, 나$=2$입니다.

13 예를 들어 $\frac{2}{4}=\frac{1}{2}$이므로 $\frac{2-1}{4-2}=\frac{1}{2}$로 그 값은 변하지 않습니다.

$\frac{가-52}{나-16}$의 값이 처음과 같으려면 $\frac{가}{나}=\frac{52}{16}=\frac{13}{4}$과 크기가 같은 수입니다.

이때 가와 나의 최소공배수가 572이므로

$\square$) 가 나
　　13 4

에서 $\square\times13\times4=572$, $\square=11$입니다.

따라서 가$=13\times11=143$, 나$=4\times11=44$입니다.

14 분모를 통분하기 어려운 경우 분자를 같게 만들어 비교해 봅니다.

$\frac{11}{483}, \frac{1}{42}, \frac{6}{251}, \frac{8}{339}, \frac{2}{99}$

$\rightarrow \frac{264}{11592}, \frac{264}{11088}, \frac{264}{11044}, \frac{264}{11187}, \frac{264}{13068}$

(4)　(2)　(1)　(3)　(5)

따라서 세 번째로 큰 분수는 $\frac{8}{339}$입니다.

15 (1) $\frac{1}{6}<\frac{\square}{40}<\frac{1}{5}$

$\rightarrow \frac{20}{120}<\frac{\square\times3}{120}<\frac{24}{120}$ (분모를 120으로 통분)

$\rightarrow 20<\square\times3<24$ (분자끼리 비교)

$\rightarrow 6\frac{2}{3}<\square<8$

$\rightarrow \square=7$

(2) $\frac{4}{13}<\frac{\square}{20}<\frac{5}{13}$

$\rightarrow \frac{80}{260}<\frac{\square\times13}{260}<\frac{100}{260}$

$\rightarrow 80<\square\times13<100$

$\rightarrow 6\frac{2}{13}<\square<7\frac{9}{13}$

$\rightarrow \square=7$

(3) $\frac{11}{31}<\frac{11}{\square}<\frac{3}{8}$

$\rightarrow \frac{33}{93}<\frac{33}{\square\times3}<\frac{33}{88}$ (분자를 33으로 같게 함)

$\rightarrow 88<\square\times3<93$ (분모끼리 비교)

$\rightarrow 29\frac{1}{3}<\square<31$

$\rightarrow \square=30$

(4) $\frac{10}{21}<\frac{\square}{140}<\frac{12}{25}$

$\rightarrow \frac{1000}{2100}<\frac{\square\times15}{2100}<\frac{1008}{2100}$

$\rightarrow 1000<\square\times15<1008$

$\rightarrow 66\frac{2}{3}<\square<67\frac{1}{5}$

$\rightarrow \square=67$

16 $\frac{5}{6}<\frac{\triangle}{\square}<\frac{6}{7}$

분수의 분모와 분자의 차가 같으면 분모가 큰 분수가 큽니다.

$\frac{5\times2}{6\times2}<\frac{\triangle}{\square}<\frac{6\times2}{7\times2} \rightarrow \frac{10}{12}<\frac{\triangle}{\square}<\frac{12}{14}$

따라서 구하고자 하는 분수는 $\frac{11}{13}$입니다.

17 ㉮ 상점에서 쓴 돈 : 전체의 $\frac{1}{12}$

㉯ 상점에서 쓴 돈 : 전체의 $\frac{11}{12}\times\frac{3}{13}=\frac{11}{52}$

㉰ 상점에서 쓴 돈 : 전체의 $\frac{11}{12}\times\frac{10}{13}\times\frac{4}{5}=\frac{22}{39}$

$\left(\frac{1}{12}, \frac{11}{52}, \frac{22}{39}\right) \rightarrow \left(\frac{22}{264}, \frac{22}{104}, \frac{22}{39}\right)$

따라서 돈을 가장 많이 쓴 상점은 ㉰ 상점입니다.

18 어떤 분수를 $\frac{\triangle}{\square}$로 나타내면 $\frac{\triangle+3}{\square}=\frac{5}{6}$, $\frac{\triangle-7}{\square}=\frac{5}{12}$입니다.

분자에 3을 더할 경우와 분자에서 7을 뺄 경우에 분자끼리의 차는 $3+7=10$이 됩니다.

분자가 10 차이: $\frac{\triangle+3}{\square}=\frac{5}{6}=\frac{10}{12}=\frac{15}{18}=\frac{20}{24}$, $\frac{\triangle-7}{\square}=\frac{5}{12}=\frac{10}{24}$ (분자가 10 차이)

따라서 $\triangle+3=20$에서 $\triangle=17$, $\square=24$이므로 어떤 분수는 $\frac{17}{24}$입니다.

19 $945=3\times3\times3\times5\times7$이므로

주어진 분수를 약분한 후 변형시켜 봅니다.

$$\frac{21}{\underbrace{2\times2\times\cdots\times2}_{63개}\times\underbrace{5\times5\times\cdots\times5}_{26개}}$$

$$=\frac{21\times\overbrace{5\times5\times\cdots\times5}^{37개}}{\underbrace{2\times2\times\cdots\times2}_{63개}\times\underbrace{5\times5\times\cdots\times5}_{63개}}$$

$$=\frac{21\times\overbrace{5\times5\times\cdots\times5}^{37개}}{\underbrace{10000\cdots0000}_{63개}}$$

따라서 분수를 소수로 나타내면 소수 63자리 수가 됩니다.

20 $\frac{1}{15}<\frac{1}{10}<\frac{3}{17}<\frac{1}{2}$이므로

$\frac{1}{10}<\square<\frac{3}{17}$에서 $\square$ 안에 들어갈 수 있는 분수를 생각하면 됩니다.

$\frac{1}{10}<\frac{\square}{9}<\frac{3}{17} \rightarrow \frac{153}{1530}<\frac{170\times\square}{1530}<\frac{270}{1530}$

따라서 $\square=1$이므로 구하는 분수는 $\frac{1}{9}$입니다

왕중왕문제 47~52

1 38, 39	**2** 2
3 18개	**4** 11, 33, 73
5 $\frac{5}{9}$	**6** 39개
7 13	**8** $\frac{25}{144}$
9 (1) 177개 (2) 64개	**10** 30번째
11 (1, 12), (6, 3)	**12** $20\frac{4}{15}$
13 5	**14** 222
15 점 B: $\frac{1}{7}$, 점 C: $\frac{1}{6}$	**16** 33번째
17 8, 40	**18** $\frac{105}{264}$
19 ㄱ=40, ㄴ=29	
20 $\frac{1}{10}+\frac{1}{40}+\frac{1}{120}+\frac{1}{240}$ (이 외에도 여러 가지가 있습니다.)	

[풀이]

1 $\frac{8}{9}<\frac{35}{\square}<\frac{12}{13}$

$\rightarrow \frac{840}{945}<\frac{840}{\square\times24}<\frac{840}{910}$

$\rightarrow \square=38, 39$

2 선분 ㄴㄷ의 길이는 선분 ㄱㄴ의 길이와 같습니다.

(선분 ㄱㄴ의 길이)$=1\frac{1}{\triangle}-\frac{2}{\triangle}=\frac{\triangle+1}{\triangle}-\frac{2}{\triangle}$

$=\frac{\triangle-1}{\triangle}$

(점 ㄷ에 대응되는 수)$=1\frac{1}{\triangle}+\frac{\triangle-1}{\triangle}$

$=\frac{\triangle+1}{\triangle}+\frac{\triangle-1}{\triangle}=2$

3 4장으로 숫자 카드로 만들 수 있는 분수는 $4\times3\times2\times1=24$(개)입니다.

약분되는 분수가 $\frac{32}{54}, \frac{54}{32}, \frac{52}{34}, \frac{34}{52}, \frac{35}{42}, \frac{42}{35}$로 6개이므로 기약분수는 모두 $24-6=18$(개)입니다.

4 $\frac{A}{33333333}=\frac{A}{3\times11\times73\times101\times137}$

따라서 A는 11 또는 33 또는 73입니다.

5 $\frac{1}{2}=\frac{6}{12}$이므로 $\frac{7}{12}-\frac{6}{12}=\frac{1}{12}$을 6등분 하면 눈금 한 칸의 크기는 $\frac{1}{72}$입니다. 따라서 $\frac{1}{2}$과 $\frac{7}{12}$을 분

모 72로 통분하면 $\frac{1}{2}=\frac{36}{72}$, $\frac{7}{12}=\frac{42}{72}$이므로

$\bigstar=\frac{36}{72}+\frac{4}{72}=\frac{40}{72}=\frac{5}{9}$입니다.

6 $140=2\times2\times5\times7$이므로 기약분수는 분자가 2의 배수도, 5의 배수도, 7의 배수도 아닌 수입니다.

- (2의 배수)=56개
- (5의 배수)=23개
- (7의 배수)=16개

- (2와 5의 공배수)=12개
- (2와 7의 공배수)=8개
- (5와 7의 공배수)=3개
- (2와 5와 7의 공배수)=1개

따라서 기약분수의 개수는

$(120-8)-\{(56+23+16)-(12+8+3)+1\}$

$=39$(개)

7 ㄱ625ㄴ4가 8의 배수이면 5ㄴ4는 8의 배수이므로 ㄴ은 4 또는 8입니다.

11의 배수인 수는 홀수 자리의 합과 짝수 자리의 합의 차가 0이거나 11의 배수가 됩니다.

ㄴ=4인 경우 ㄱ62544가 11의 배수가 되려면

(6+5+4)−(ㄱ+2+4)=0, ㄱ=9

ㄴ=8인 경우 ㄱ62584가 11의 배수가 되려면

(6+5+4)−(ㄱ+2+8)=0, ㄱ=5

ㄱ<ㄴ에서 ㄱ=5, ㄴ=8이므로

ㄱ+ㄴ=13입니다.

8 $\frac{B+11}{A}=\frac{1}{4}$ ➡ $A=4\times B+44$ ⋯ ①

$\frac{B-1}{A-108}=\frac{2}{3}$ ➡ $2\times A-3\times B=213$ ⋯ ②

①식의 각 항을 2배하면

$2\times A=8\times B+88$이므로

①과 ②식에서

$8\times B+88-3\times B=213$

$5\times B+88=213$

$5\times B=125$, $B=25$이고

$A=4\times25+44=144$입니다.

따라서 구하는 분수는 $\frac{25}{144}$입니다.

9 (1) $\frac{3}{5}<\frac{\square}{12}<16\frac{7}{10}$

➡ $\frac{36}{60}<\frac{\square\times5}{60}<\frac{1002}{60}$

➡ $\square=8, 9, 10, \cdots, 200$

이 중 $\square=12, 24, \cdots, 192$인 경우 약분되어 자연수가 되므로 자연수가 되지 않는 분수는

$(200-8+1)-16=177$(개)입니다.

(2) $12=2\times2\times3$이므로 분자가 2 또는 3의 배수인 분수는 약분이 됩니다.

분자가 2의 배수인 분수 : 97개

분자가 3의 배수인 분수 : 64개

분자가 6의 배수인 분수 : 32개

따라서 기약분수는

$193-(97+64)+32=64$(개)입니다.

10 $\frac{2}{30}$, $\frac{5}{32}$, $\frac{8}{34}$, $\frac{11}{36}$, ⋯

분모와 분자의 차가 28, 27, 26, 25, ⋯로 1씩 작아지는 규칙이 있습니다.

분모와 분자의 차가 0인 경우는 처음부터

29번째 분수로 $\frac{2+3\times28}{30+2\times28}=\frac{86}{86}$입니다.

따라서 처음으로 1보다 크게 되는 분수는 30번째 분수입니다.

11 $(4+6\times■)\times●=120$이므로

●는 120의 약수가 됩니다.

(■, ●) ➡ (1, 12), (6, 3)

12 $\frac{1}{3}<\frac{2}{5}<1\frac{7}{10}<2.5$이므로

$\frac{2}{5}<\frac{\square}{15}<1\frac{7}{10}$

➡ $\frac{12}{30}<\frac{\square\times2}{30}<\frac{51}{30}$이므로

➡ $\square=7, 8, 9, \cdots, 25$

따라서 구하는 분수의 합은

$\frac{7+8+9+\cdots+25}{15}=\frac{304}{15}=20\frac{4}{15}$입니다.

13 $\frac{A+A+5}{A\times A}=\frac{6}{10}=\frac{3}{5}$이므로

$A+A+5=\frac{A\times A\times3}{5}$

A가 자연수이므로 A는 5의 배수이어야 합니다. 식을 만족시키는 A의 값은 5입니다.

14 $\frac{7}{ABABAB}=\frac{7}{AB\times10101}=\frac{7}{AB\times13\times777}$

$=\frac{1}{AB\times13\times111}=\frac{1}{AB}\times\frac{2}{13}\times\frac{1}{222}$

15 점 D가 $\frac{4}{21}$를 나타내므로

점 A는 $\left(\frac{4}{21}+\frac{1}{21}\right)\div 2=\frac{5}{42}$ 입니다.

$\left(\frac{5}{42}, \frac{4}{21}\right) \Rightarrow \left(\frac{5}{42}, \frac{8}{42}\right)$

$\frac{5}{42}, \frac{6}{42}, \frac{7}{42}, \frac{8}{42}$이므로

점 B는 $\frac{6}{42}=\frac{1}{7}$, 점 C는 $\frac{7}{42}=\frac{1}{6}$을 나타냅니다.

16 분모와 분자의 차는 항상 27로 일정하고 $\frac{13}{22}$의 분모와 분자의 차는 $22-13=9$입니다.

$27\div 9=3$에서 구하는 분수는 $\frac{13\times 3}{22\times 3}=\frac{39}{66}$이므로

$39-7+1=33$에서 33번째 분수입니다.

17 $\frac{([16, 24], [15, 18])}{([50, 35], \square)}$

$=\frac{(8, 3)}{(5, \square)}$

$=\frac{24}{(5, \square)}=\frac{3}{5}=\frac{24}{40}$

따라서 5와 □의 최소공배수가 40이 되어야 하므로 □=8 또는 □=40입니다.

18 $27720=2\times 2\times 2\times 3\times 3\times 5\times 7\times 11$

3으로 약분하여 기약분수가 되었으므로 $2\times 2\times 2$는 분자나 분모 한쪽의 약수가 됩니다.

$2\times 2\times 2\times 5\times 7\times 11$에서

$(2\times 2\times 2\times 11)+(5\times 7)=88+35=123$이므로

구하는 진분수는

$\frac{3\times 5\times 7}{3\times 2\times 2\times 2\times 11}=\frac{105}{264}$ 입니다.

19 $0.025\leq\frac{1}{■}<0.035$

$\frac{1}{40}\leq\frac{1}{■}<\frac{7}{200}$

$\frac{7}{280}\leq\frac{7}{■\times 7}<\frac{7}{200}$

따라서 ■$=29, 30, 31, \cdots, 40$이므로 분자가 1인 분수 중 가장 작은 분수는 $\frac{1}{40}$, 가장 큰 분수는 $\frac{1}{29}$ 입니다.

20 $\frac{11}{80}=\frac{22}{160}=\frac{33}{240}=\cdots$

분수 $\frac{33}{240}$에서 분모 240의 약수를 구해 보면

1, 2, 3, 4, 5, 6, 8, 10, 12, 15, 16, 20, 24, 30, 40, 48, 60, 80, 120, 240입니다.

약수 중 합이 33이 되는 4개의 수를 골라 분자로 하여 약분합니다.

i) $\frac{33}{240}=\frac{1}{240}+\frac{2}{240}+\frac{6}{240}+\frac{24}{240}$

$=\frac{1}{240}+\frac{1}{120}+\frac{1}{40}+\frac{1}{10}$

ii) $\frac{33}{240}=\frac{1}{240}+\frac{2}{240}+\frac{10}{240}+\frac{20}{240}$

$=\frac{1}{240}+\frac{1}{120}+\frac{1}{24}+\frac{1}{12}$

iii) $\frac{33}{240}=\frac{2}{240}+\frac{3}{240}+\frac{4}{240}+\frac{24}{240}$

$=\frac{1}{120}+\frac{1}{80}+\frac{1}{60}+\frac{1}{10}$

(이 외에도 여러 가지가 있습니다.)

4. 분수의 덧셈과 뺄셈

search 탐구 54

풀이

(1) 5, 12, $39\frac{17}{20}$

(2) 51, 50, 101, $42\frac{41}{60}$

답 (1) $39\frac{17}{20}$ (2) $42\frac{41}{60}$

EXERCISE 1

1 $2\frac{5}{12}$ **2** $41\frac{17}{20}$ L

3 $21\frac{11}{20}$ km

[풀이]

1 가장 큰 분수는 $1\frac{3}{5}, 1\frac{3}{4}, 1\frac{1}{6}$ 중에서 $1\frac{3}{4}$이고

가장 작은 분수는 $\frac{2}{3}, \frac{5}{6}, \frac{5}{7}$ 중에서 $\frac{2}{3}$이므로

두 분수의 합은 $1\frac{3}{4}+\frac{2}{3}=1\frac{9}{12}+\frac{8}{12}=2\frac{5}{12}$입니다.

2 $28\frac{1}{4}+13\frac{3}{5}=28\frac{5}{20}+13\frac{12}{20}=41\frac{17}{20}$(L)

3 $20\frac{3}{4}+\frac{4}{5}=20\frac{15}{20}+\frac{16}{20}=21\frac{11}{20}$(km)

search 탐구 55

풀이

(1) 5, 14, 21, 14, $1\frac{7}{16}$

(2) 5, 14, 12, $20\frac{7}{16}$

답 (1) $1\frac{7}{16}$ (2) $20\frac{7}{16}$

EXERCISE 2

1 $\frac{13}{40}$ L   2 $\frac{1}{36}$

[풀이]

1 $2\frac{1}{5}-\frac{1}{4}-1\frac{5}{8}=\frac{13}{40}$(L)

2 전체를 1이라 하면 가 또는 나 신문을 보는 가구는 전체의 $\frac{11}{12}+\frac{8}{9}-\frac{5}{6}=\left(\frac{33}{36}+\frac{32}{36}\right)-\frac{5}{6}$

$=1\frac{29}{36}-\frac{5}{6}$

$=1\frac{29}{36}-\frac{30}{36}$

$=\frac{35}{36}$

따라서 가, 나 어느 신문도 보지 않는 가구는 전체의 $1-\frac{35}{36}=\frac{1}{36}$입니다.

search 탐구 56

풀이

6, 7, 7, 8, 8, 9, 9, 10, 10, 11, 6, 11, 11, 6, 66, 5, 66

답 $\frac{5}{66}$

EXERCISE 3

1 $\frac{1365}{4096}$ 2 24

3 $\frac{9}{22}$

[풀이]

1 (주어진 식)$=\frac{1024+256+64+16+4+1}{4096}=\frac{1365}{4096}$

2 (주어진 식)

$=\left(3\frac{1}{2}+5\frac{5}{6}+3\frac{2}{3}\right)+\left(1\frac{2}{5}+4\frac{3}{5}\right)+\left(4\frac{5}{8}+\frac{3}{8}\right)$

$=13+6+5=24$

3 $\frac{1}{6}+\frac{1}{12}+\frac{1}{20}+\cdots+\frac{1}{110}$

$=\frac{1}{2\times3}+\frac{1}{3\times4}+\frac{1}{4\times5}+\cdots+\frac{1}{10\times11}$

$=\frac{1}{2}-\frac{1}{3}+\frac{1}{3}-\frac{1}{4}+\frac{1}{4}-\frac{1}{5}+\cdots+\frac{1}{10}-\frac{1}{11}$

$=\frac{1}{2}-\frac{1}{11}=\frac{9}{22}$

왕 문제 57~62

1 $2\frac{1}{4}$ kg
2 $33\frac{1}{3}$분
3 72
4 $49\frac{4}{5}$ cm
5 $10\frac{17}{20}$ km
6 (1) 18개 (2) 3
7 (1) $\frac{5}{14}$ (2) $\frac{4}{33}$
8 $2\frac{3}{5}$ cm
9 $2\frac{13}{15}$
10 $1\frac{31}{168}$
11 $60\frac{3}{5}$
12 $\frac{17}{80}$
13 3
14 $16\frac{1}{2}$ L
15 $\frac{5}{208}$
16 ㉮ : $2\frac{4}{5}$ kg, ㉯ : $1\frac{3}{4}$ kg, ㉰ : $3\frac{7}{10}$ kg
17 2, 3, 6 또는 2, 4, 4 또는 3, 3, 3
18 $\frac{7}{12}$
19 가 : $\frac{5}{6}$, 나 : $\frac{2}{9}$, 다 : $\frac{11}{12}$
20 4.5 km

[풀이]

1 (물의 절반의 무게)

$=15-8\frac{5}{8}=6\frac{3}{8}$(kg)

(물통만의 무게)

$=8\frac{5}{8}-6\frac{3}{8}=2\frac{1}{4}$(kg)

2 전체 일의 양을 1이라 하면

한별이가 1분에 할 수 있는 일의 양은 $\frac{1}{100}$,

한솔이가 1분에 할 수 있는 일의 양은 $\frac{1}{50}$이므로 두 사람이 1분에 할 수 있는 일의 양은 $\frac{1}{100}+\frac{1}{50}=\frac{3}{100}$입니다.

따라서 $100\div3=33\frac{1}{3}$(분) 만에 끝낼 수 있습니다.

3 $\left(3\frac{1}{6}+3\frac{5}{6}\right)+\left(4\frac{1}{6}+4\frac{5}{6}\right)+\left(5\frac{1}{6}+5\frac{5}{6}\right)+\left(6\frac{1}{6}+6\frac{5}{6}\right)$
$+\left(7\frac{1}{6}+7\frac{5}{6}\right)+\left(8\frac{1}{6}+8\frac{5}{6}\right)$
$=7+9+11+13+15+17$
$=72$

4 $4\frac{1}{2}$ cm, $3\frac{3}{4}$ cm, $4\frac{1}{5}$ cm가 4군데씩 사용되었습니다.
$4\frac{1}{2}+3\frac{3}{4}+4\frac{1}{5}=12\frac{9}{20}$(cm)이므로
사용된 끈의 길이는
$12\frac{9}{20}+12\frac{9}{20}+12\frac{9}{20}+12\frac{9}{20}=48\frac{36}{20}=49\frac{4}{5}$(cm)
입니다.

5 (경찰서와 소방서 사이의 거리)
$=4\frac{4}{5}-1\frac{1}{2}=3\frac{3}{10}$(km)
(걸은 거리)$=2\frac{3}{4}+4\frac{4}{5}+3\frac{3}{10}=10\frac{17}{20}$(km)

6 (1) $91=7\times13$이므로 분자가 7의 배수나 13의 배수인 분수는 약분이 됩니다.
7의 배수는 12개, 13의 배수는 6개이므로 약분할 수 있는 분수는 18개입니다.
(2) 분자가 13의 배수이면 약분되어 분모가 7로 될 수 있습니다.
$\frac{13}{91}+\frac{26}{91}+\frac{39}{91}+\frac{52}{91}+\frac{65}{91}+\frac{78}{91}$
$=\frac{1}{7}+\frac{2}{7}+\frac{3}{7}+\frac{4}{7}+\frac{5}{7}+\frac{6}{7}=3$

7 (1) $\frac{1}{3\times4}=\frac{1}{3}-\frac{1}{4}$이므로
(주어진 식)
$=\frac{1}{2}-\frac{1}{3}+\frac{1}{3}-\frac{1}{4}+\frac{1}{4}-\frac{1}{5}+\frac{1}{5}-\frac{1}{6}+\frac{1}{6}-\frac{1}{7}$
$=\frac{1}{2}-\frac{1}{7}=\frac{7-2}{14}=\frac{5}{14}$
(2) $\frac{1}{3\times5}=\left(\frac{1}{3}-\frac{1}{5}\right)\times\frac{1}{2}$이므로
(주어진 식)
$=\left(\frac{1}{3}-\frac{1}{5}+\frac{1}{5}-\frac{1}{7}+\frac{1}{7}-\frac{1}{9}+\frac{1}{9}-\frac{1}{11}\right)\times\frac{1}{2}$
$=\left(\frac{1}{3}-\frac{1}{11}\right)\times\frac{1}{2}$
$=\frac{11-3}{33}\times\frac{1}{2}=\frac{4}{33}$

8 $3\frac{7}{10}+1\frac{13}{20}=5\frac{7}{20}$(cm)이므로
㉮의 길이는
$3\frac{3}{4}+4\frac{1}{5}-5\frac{7}{20}=2\frac{3}{5}$(cm)입니다.

9 세 수의 합이 $3\times2=6$이므로
$\square+2\frac{1}{3}+\frac{4}{5}=6$, $\square=2\frac{13}{15}$

10 수의 크기를 비교하면 $\frac{7}{6}>\frac{8}{7}>\frac{9}{8}$이므로
가장 큰 계산 결과는
$\frac{7}{6}+\frac{8}{7}-\frac{9}{8}=\frac{196}{168}+\frac{192}{168}-\frac{189}{168}=\frac{199}{168}=1\frac{31}{168}$

11 $\frac{1+2+3+\cdots+27}{5}-(1+2+3+4+5)$
$=75\frac{3}{5}-15=60\frac{3}{5}$

12 충치나 근시가 있는 학생은 전체의 $\frac{7}{10}$이므로
충치도 있고, 근시도 있는 학생은
전체의 $\frac{9}{16}+\frac{7}{20}-\frac{7}{10}=\frac{17}{80}$입니다.

13 $\frac{\square}{4}+\frac{1}{5}+\frac{\square}{6}+\frac{2}{3}+\frac{\square}{8}=2\frac{59}{120}$
$\frac{\square}{4}+\frac{\square}{6}+\frac{\square}{8}=2\frac{59}{120}-\frac{1}{5}-\frac{2}{3}=1\frac{5}{8}$
$\frac{6\times\square+4\times\square+3\times\square}{24}=\frac{13}{8}=\frac{39}{24}$
$6\times\square+4\times\square+3\times\square=39$
$13\times\square=39$, $\square=3$

14 1분 동안 채워지는 물의 양:
$4\frac{3}{5}+2\frac{2}{5}-1\frac{1}{2}=5\frac{1}{2}$(L)
3분 동안 채워지는 물의 양:
$5\frac{1}{2}+5\frac{1}{2}+5\frac{1}{2}=16\frac{1}{2}$(L)

15 늘어놓은 분수는 $\frac{1}{3}$, $\frac{2}{4}$, $\frac{3}{5}$, $\frac{4}{6}$, $\frac{5}{7}$, $\frac{6}{8}$, ⋯의 분수를 기약분수로 나타낸 것입니다.
30번째 분수는 $\frac{30}{32}=\frac{15}{16}$,
50번째 분수는 $\frac{50}{52}=\frac{25}{26}$이므로
$\frac{25}{26}-\frac{15}{16}=\frac{200}{208}-\frac{195}{208}=\frac{5}{208}$입니다.

16 ㉯ $=\left(4\frac{11}{20}+5\frac{9}{20}\right)-8\frac{1}{4}$

$=10-8\frac{1}{4}=1\frac{3}{4}$(kg)

㉮ $=4\frac{11}{20}-1\frac{3}{4}=2\frac{4}{5}$(kg)

㉰ $=5\frac{9}{20}-1\frac{3}{4}=3\frac{7}{10}$(kg)

17 $\frac{1}{2}+\frac{1}{3}+\frac{1}{6}=1$

$\frac{1}{2}+\frac{1}{4}+\frac{1}{4}=1$

$\frac{1}{3}+\frac{1}{3}+\frac{1}{3}=1$

18 < >은 수의 각 자리의 숫자를 곱한 값입니다.

$\frac{<51>}{<23>}+\frac{<64\div2>}{<3\times8>}-\frac{<11\times11+1>}{<14\times3-1>}$

$=\frac{<51>}{<23>}+\frac{<32>}{<24>}-\frac{<122>}{<41>}$

$=\frac{5\times1}{2\times3}+\frac{3\times2}{2\times4}-\frac{1\times2\times2}{4\times1}$

$=\frac{5}{6}+\frac{6}{8}-\frac{4}{4}$

$=\frac{20}{24}+\frac{18}{24}-1=\frac{14}{24}=\frac{7}{12}$

19 가＋나＋나＋다＋가＋다

$=1\frac{1}{18}+1\frac{5}{36}+1\frac{3}{4}=3\frac{34}{36}=\frac{142}{36}$

➔ 가＋나＋다 $=\frac{71}{36}=1\frac{35}{36}$

가 $=1\frac{35}{36}-1\frac{5}{36}=\frac{30}{36}=\frac{5}{6}$

나 $=1\frac{35}{36}-1\frac{3}{4}=\frac{8}{36}=\frac{2}{9}$

다 $=1\frac{35}{36}-1\frac{1}{18}=\frac{33}{36}=\frac{11}{12}$

20 걸어서 간 거리는 전체의 $1-\left(\frac{2}{5}+\frac{1}{3}\right)=\frac{4}{15}$이고,

800＋400＝1200(m)입니다.

1200 m가 전체의 $\frac{4}{15}$에 해당되므로

전체의 거리는 1200÷4×15＝4500(m)＝4.5(km)

왕중왕 문제 63~68

1 2, 36	**2** 19
3 (1) $\frac{1}{2}$ (2) 4	**4** 7일
5 $\frac{1023}{1024}$	**6** $\frac{893}{2520}$
7 10개	**8** 6
9 19	**10** $55\frac{3}{14}$
11 $1\frac{3}{104}$	**12** (1) 4 (2) $\frac{1}{65}$
13 9개	**14** $\frac{5}{48}$
15 (1) 14개 (2) $\frac{33}{56}$	**16** $36\frac{3}{20}$
17 70개	**18** 280쪽
19 $\frac{11}{20}$	**20** $238\frac{89}{240}$

[풀이]

1 $7\div9=\frac{7}{9}$이므로 $\frac{1}{\square}+\frac{1}{\square}=\frac{7}{9}-\frac{1}{4}=\frac{19}{36}$입니다.

$\frac{19}{36}=\frac{18}{36}+\frac{1}{36}=\frac{1}{2}+\frac{1}{36}$이므로 $7\div9=\frac{1}{4}+\frac{1}{2}+\frac{1}{36}$

입니다.

2 $\frac{㉠}{5}<\frac{㉠}{4}$이므로 $\frac{㉠}{5}-1<\frac{㉠}{4}+\frac{2}{3}$입니다.

따라서 $\frac{㉠}{5}-1=2\frac{4}{5}$, ㉠ $=\left(1+2\frac{4}{5}\right)\times5=19$

3 (1) 뒤의 수는 앞의 수에 $\frac{1}{3}$을 곱한 수입니다.

$A=\frac{1}{3}+\frac{1}{9}+\frac{1}{27}+\frac{1}{81}+\frac{1}{243}+\cdots$

$-)\ \frac{1}{3}\times A=\frac{1}{9}+\frac{1}{27}+\frac{1}{81}+\frac{1}{243}+\cdots$

$\frac{2}{3}\times A=\frac{1}{3}$

$A=\frac{1}{2}$

(2) 뒤의 수는 앞의 수에 $\frac{1}{4}$을 곱한 수입니다.

$B=3+\frac{3}{4}+\frac{3}{16}+\frac{3}{64}+\frac{3}{256}+\cdots$

$-)\ \frac{1}{4}\times B=\frac{3}{4}+\frac{3}{16}+\frac{3}{64}+\frac{3}{256}+\cdots$

$\frac{3}{4}\times B=3$

$B=4$

4 $\frac{1}{8}+\frac{1}{4}+\frac{1}{16}+\frac{1}{8}+\frac{1}{4}+\frac{1}{16}+\frac{1}{8}=1$

따라서 7일 만에 끝낼 수 있습니다.

5 뒤의 수는 앞의 수에 $\frac{1}{2}$을 곱한 것입니다.

$$A=\frac{1}{2}+\frac{1}{4}+\frac{1}{8}+\cdots+\frac{1}{512}+\frac{1}{1024}$$

$$-)\ \frac{1}{2}\times A=\frac{1}{4}+\frac{1}{8}+\frac{1}{16}+\cdots+\frac{1}{1024}+\frac{1}{2048}$$

$$\frac{1}{2}\times A=\frac{1}{2}-\frac{1}{2048}$$

$$\frac{1}{2}\times A=\frac{1024-1}{2048}=\frac{1023}{2048}$$

$$A=\frac{1023}{2048}\times 2=\frac{1023}{1024}$$

6 $1-\frac{1}{2}+\frac{1}{3}-\frac{1}{4}+\frac{1}{5}-\frac{1}{6}+\frac{1}{7}-\frac{1}{8}+\frac{1}{9}=\frac{1879}{2520}$

$1-\left(\frac{1}{2}-\frac{1}{3}+\frac{1}{4}-\frac{1}{5}+\frac{1}{6}-\frac{1}{7}+\frac{1}{8}-\frac{1}{9}\right)=\frac{1879}{2520}$

$\frac{1}{2}-\frac{1}{3}+\frac{1}{4}-\frac{1}{5}+\frac{1}{6}-\frac{1}{7}+\frac{1}{8}-\frac{1}{9}$

$=1-\frac{1879}{2520}=\frac{641}{2520}$

➜ $\square=\frac{641}{2520}+\frac{1}{10}=\frac{641+252}{2520}=\frac{893}{2520}$

7 A : $\left(\text{전체의 }\frac{1}{4}-6\right)$개

B : $\left(\text{전체의 }\frac{1}{6}+2\right)$개

C : $\left(\text{전체의 }\frac{1}{4}-2\right)$개

따라서 세 사람이 가진 사탕은

전체의 $\frac{1}{4}+\frac{1}{6}+\frac{1}{4}=\frac{2}{3}$보다 6개가 적습니다.

$22-6=16$(개)가 전체의 $\frac{1}{3}$에 해당하므로 전체 사탕 수는 48개이고, B가 가진 사탕 수는 10개입니다.

8 $\frac{A}{3}+\frac{B}{5}+\frac{C}{7}=\frac{136}{105}$

$\frac{35\times A+21\times B+15\times C}{105}=\frac{136}{105}$

$35\times A+21\times B+15\times C=136$

A, B, C가 모두 자연수이므로

$136-35-21-15=65$가 되는 경우를 생각해 봅니다.

$35\times 1+15\times 2=65$이므로 $A=2$, $B=1$, $C=3$입니다. 따라서 $A\times B\times C=2\times 1\times 3=6$입니다.

9 $\frac{2}{4}+\frac{4}{8}=1$, $\frac{3}{4}+\frac{2}{8}=1$이므로 분자에 2와 4, 3과 2를 넣습니다.

$3\frac{2}{4}+5\frac{4}{8}=9$, $4\frac{3}{4}+5\frac{2}{8}=10$이므로 계산 결과가 될 수 있는 자연수의 합은 $9+10=19$입니다.

10 (1), $\left(\frac{1}{2}, 1\right)$, $\left(\frac{1}{3}, \frac{2}{3}, 1\right)$, $\left(\frac{1}{4}, \frac{2}{4}, \frac{3}{4}, 1\right)$, …

$1+2+3+\cdots+11+12+13=91$이므로

처음부터 100번째 수는 $\frac{9}{14}$입니다.

91번째 수까지의 합은

$1+1\frac{1}{2}+2+2\frac{1}{2}+\cdots+6+6\frac{1}{2}+7$

$=(1+2+\cdots+7)+\left(1\frac{1}{2}+2\frac{1}{2}+\cdots+6\frac{1}{2}\right)$

$=28+24=52$입니다.

따라서 100번째 수까지의 합은

$52+\frac{1+2+3+4+5+6+7+8+9}{14}=55\frac{3}{14}$입니다.

11 기약분수로 나타낼 때 분모와 분자의 합이 15인 분수는 $\frac{1}{14}$, $\frac{2}{13}$, $\frac{4}{11}$, $\frac{7}{8}$입니다.

이 분수들 중 분모와 분자의 차가 77인 분수는

$\frac{2\times 7}{13\times 7}=\frac{14}{91}$, $\frac{4\times 11}{11\times 11}=\frac{44}{121}$, $\frac{7\times 77}{8\times 77}=\frac{539}{616}$

입니다.

이 중 가장 큰 분수는 $\frac{539}{616}$, 가장 작은 분수는 $\frac{14}{91}$이므로 두 수의 합은

$\frac{539}{616}+\frac{14}{91}=\frac{7}{8}+\frac{2}{13}=\frac{107}{104}=1\frac{3}{104}$입니다.

12 (1) $\frac{1}{3\times 5}-\frac{1}{5\times 7}=\frac{7}{3\times 5\times 7}-\frac{3}{3\times 5\times 7}$

$=\frac{4}{3\times 5\times 7}$

$\frac{1}{3\times 5\times 7}=\frac{1}{4}\times\left(\frac{1}{3\times 5}-\frac{1}{5\times 7}\right)$

(2) (주어진 식)

$=\frac{1}{4}\times\left(\frac{1}{3\times 5}-\frac{1}{5\times 7}\right)+\frac{1}{4}\times\left(\frac{1}{5\times 7}-\frac{1}{7\times 9}\right)$

$+\cdots+\frac{1}{4}\times\left(\frac{1}{11\times 13}-\frac{1}{13\times 15}\right)$

$=\frac{1}{4}\times\left(\frac{1}{3\times 5}-\frac{1}{5\times 7}+\frac{1}{5\times 7}-\cdots-\frac{1}{13\times 15}\right)$

$=\frac{1}{4}\times\left(\frac{1}{3\times 5}-\frac{1}{13\times 15}\right)$

$=\frac{1}{4}\times\frac{12}{13\times 15}=\frac{1}{65}$

13 ㉠+㉡+㉢$=3\times 9=27$이고 ㉠, ㉡, ㉢과 9가 약분되지 않고 ㉠<㉡<㉢일 때 경우의 수를 알아봅니다.

(1, 4, 22), (1, 7, 19), (1, 10, 16), (2, 5, 20), (2, 8, 17), (2, 11, 14), (4, 7, 16), (4, 10, 13), (5, 8, 14)

따라서 만들 수 있는 서로 다른 덧셈식은 모두 9개입니다.

14 $\frac{1}{24}+\frac{1}{40}+\frac{1}{60}+\frac{1}{84}+\frac{1}{112}$

$=\left(\frac{1}{12}+\frac{1}{20}+\frac{1}{30}+\frac{1}{42}+\frac{1}{56}\right)\times\frac{1}{2}$

$=\left(\frac{1}{3\times4}+\frac{1}{4\times5}+\frac{1}{5\times6}+\frac{1}{6\times7}+\frac{1}{7\times8}\right)\times\frac{1}{2}$

$=\left(\frac{1}{3}-\frac{1}{4}+\frac{1}{4}-\frac{1}{5}+\frac{1}{5}-\frac{1}{6}+\frac{1}{6}-\frac{1}{7}+\frac{1}{7}-\frac{1}{8}\right)\times\frac{1}{2}$

$=\left(\frac{1}{3}-\frac{1}{8}\right)\times\frac{1}{2}=\frac{5}{24}\times\frac{1}{2}=\frac{5}{48}$

15 (1) $\frac{2}{3}$, $\frac{3}{4}$, $\frac{2}{5}$, $\frac{3}{5}$, $\frac{4}{5}$, $\frac{5}{6}$, $\frac{2}{7}$, $\frac{3}{7}$, $\frac{4}{7}$, $\frac{5}{7}$, $\frac{6}{7}$, $\frac{3}{8}$, $\frac{5}{8}$, $\frac{7}{8}$ ➔ 14개

(2) $\frac{7}{8}-\frac{2}{7}=\frac{49}{56}-\frac{16}{56}=\frac{33}{56}$

16 $1\frac{1}{10}+3\frac{1}{40}+5\frac{1}{88}+7\frac{1}{154}+9\frac{1}{238}+11\frac{1}{340}$

$=(1+3+\cdots+9+11)$

$\quad+\left(\frac{1}{2\times5}+\frac{1}{5\times8}+\cdots+\frac{1}{17\times20}\right)$

$=36+\frac{1}{3}\times\left(\frac{1}{2}-\frac{1}{5}+\frac{1}{5}-\frac{1}{8}+\cdots+\frac{1}{17}-\frac{1}{20}\right)$

$=36+\frac{1}{3}\times\left(\frac{1}{2}-\frac{1}{20}\right)=36+\frac{3}{20}=36\frac{3}{20}$

17

그림을 보면 36개가 $\frac{5}{7}-\frac{1}{5}=\frac{18}{35}$에 해당하므로 두 사람이 처음에 가지고 있던 구슬은 $36\div18\times35=70$(개)씩 이었습니다.

별해 두 사람이 처음에 가지고 있던 구슬을 □개씩이라 하면

$\square\times\frac{1}{5}+18=\square\times\frac{5}{7}-18$

$\square\times\left(\frac{5}{7}-\frac{1}{5}\right)=18+18$

$\square\times\frac{18}{35}=36$

$\square=70$

18 전체 쪽수를 1이라고 하면

$1-\frac{1}{2}-\frac{2}{5}=\frac{1}{10}$이 $30-10+8=28$(쪽)에 해당합니다.

따라서 전체 쪽수는 $28\times10=280$(쪽)입니다.

19 $\frac{1}{6}$과 $\frac{1}{5}$의 분자가 4 차이가 나도록 통분합니다.

$\left(\frac{1}{6}, \frac{1}{5}\right)$ ➔ $\left(\frac{5}{30}, \frac{6}{30}\right)$ ➔ $\left(\frac{20}{120}, \frac{24}{120}\right)$

따라서 분자가 연속되는 5개의 분수는

$\frac{20}{120}$, $\frac{21}{120}$, $\frac{22}{120}$, $\frac{23}{120}$, $\frac{24}{120}$이므로

세 분수의 합은 $\frac{21+22+23}{120}=\frac{66}{120}=\frac{11}{20}$

입니다.

20 $\frac{12!+11!}{3!\times9!}=\frac{12\times11!+11!}{3!\times9!}=\frac{13\times11!}{3!\times9!}$

$=\frac{13\times11\times10}{3\times2\times1}=\frac{715}{3}=238\frac{1}{3}$

$\frac{10!-9!}{4!\times10!}=\frac{10\times9!-9!}{4!\times10!}=\frac{9\times9!}{4!\times10!}$

$=\frac{9}{4\times3\times2\times1}\times\frac{1}{10}=\frac{3}{80}$

(주어진 식)$=238\frac{1}{3}+\frac{3}{80}=238\frac{89}{240}$

5. 분수의 곱셈

search 탐구 70

풀이

(1) 5, 9 (2) 5, 9, 5, 9, 40

답 (1) $\frac{5}{9}$ (2) 40

EXERCISE

1 $16\frac{4}{5}$ kg **2** $\frac{1}{5}$

3 2625 원

[풀이]

1 $5\frac{1}{4}\times3\frac{1}{5}=\frac{21}{4}\times\frac{16}{5}=\frac{84}{5}=16\frac{4}{5}$(kg)

2 저금한 돈을 1이라 하면

$1\times\left(1-\frac{2}{5}\right)\times\frac{1}{3}=\frac{1}{5}$

3 $1000\times1\frac{3}{4}\times1\frac{1}{2}=1000\times\frac{7}{4}\times\frac{3}{2}=2625$(원)

왕 문제 71~76

1 $\frac{1}{39}$ **2** $312\frac{1}{2}$

3 240 쪽 **4** $2\frac{1}{4}$ L

5 $142\frac{1}{2}°$ **6** $340\frac{1}{5}$ cm^2

7 $20\frac{1}{5}$ **8** $\frac{1}{5}$

9 $3\frac{22}{25}$ m **10** $1\frac{1}{2}$

11 배추, 300 m^2 **12** $43\frac{14}{25}$ cm^2

13 $\frac{10}{43}$ **14** $6\frac{41}{50}$ km

15 22 명 **16** 24

17 $\frac{9}{14}$ **18** 72 cm^2

19 200 cm **20** 130 명

[풀이]

1 $\frac{1}{13}\times\frac{1}{3}=\frac{1}{39}$

2 어떤 수를 □라 하면

□$=50\times2\frac{1}{2}=50\times\frac{5}{2}=125$ 입니다.

따라서 바르게 계산하면 $125\times2\frac{1}{2}=312\frac{1}{2}$입니다.

3 전체를 1이라 하면 내일 읽을 양은

전체의 $1\times\left(1-\frac{1}{5}\right)\times\left(1-\frac{3}{4}\right)=1\times\frac{4}{5}\times\frac{1}{4}=\frac{1}{5}$입니다.

$\frac{1}{5}$이 48쪽이므로 전체 쪽수는 $48\times5=240$(쪽)입니다.

4 (일주일 동안 사용한 물의 양)$=2\frac{3}{4}\times7=19\frac{1}{4}$(L)

(물통에 남은 물의 양)$=21\frac{1}{2}-19\frac{1}{4}=2\frac{1}{4}$(L)

5 $30°\times4+30°\times\frac{3}{4}=142\frac{1}{2}°$

별해

시침은 1분에 0.5° 씩 움직이므로

$30°\times4+0.5°\times45=142.5°$ 입니다.

6 $324\times\left(1+\frac{2}{5}\right)\times\left(1-\frac{1}{4}\right)=340\frac{1}{5}$($cm^2$)

7 (주어진 식)

$=\frac{6}{5}\times\frac{7}{6}\times\frac{8}{7}\times\frac{9}{8}\times\frac{10}{9}\times\cdots\times\frac{100}{99}\times\frac{101}{100}$

$=\frac{101}{5}=20\frac{1}{5}$

8 북반구의 바다 : $\frac{7}{10}\times\left(1-\frac{4}{7}\right)=\frac{7}{10}\times\frac{3}{7}=\frac{3}{10}$

북반구의 육지 : $\frac{1}{2}-\frac{3}{10}=\frac{1}{5}$

9 공이 첫 번째 튀어 오른 높이 :

$1\times\frac{4}{5}=\frac{4}{5}$(m)

공이 두 번째 튀어 오른 높이 :

$\frac{4}{5}\times\frac{4}{5}=\frac{16}{25}$(m)

공이 움직인 거리 :

$1+\frac{4}{5}\times2+\frac{16}{25}\times2=3\frac{22}{25}$(m)

10 $6*2=\frac{6\times2}{6-2}=3$

$4*12=\frac{4\times12}{4+12}=3$

$3*3=\frac{3\times3}{3+3}=1\frac{1}{2}$

11 배추 밭의 넓이 : $4500\times\frac{1}{3}=1500$($m^2$)

무 밭의 넓이 : $(4500-1500)\times\frac{2}{5}=1200$($m^2$)

따라서 배추를 300 m^2 더 심었습니다.

12 (끈 1개의 길이)$=8\frac{4}{5}\times3=26\frac{2}{5}$(cm)

(정사각형의 한 변의 길이)$=26\frac{2}{5}\times\frac{1}{4}$

$=\frac{33}{5}$(cm)

(정사각형의 넓이)$=\frac{33}{5}\times\frac{33}{5}$

$=\frac{1089}{25}=43\frac{14}{25}$(cm^2)

13 (10번째 분수)$=\frac{10}{1+2\times10}=\frac{10}{21}$

(21번째 분수)$=\frac{21}{1+2\times21}=\frac{21}{43}$

➔ $\frac{10}{21}\times\frac{21}{43}=\frac{10}{43}$

14 12분 24초는 $12\frac{2}{5}$분이고 1분당 간 거리의 차는

$1\frac{4}{5}-1\frac{1}{4}=\frac{11}{20}$(km)이므로

두 자동차 사이의 거리는

$\frac{11}{20}\times12\frac{2}{5}=6\frac{41}{50}$(km)입니다.

15 짜장면과 피자를 모두 좋아하지 않는 학생은 전체의 $1-\left(\frac{3}{7}+\frac{1}{2}-\frac{4}{21}\right)=\frac{11}{42}$이므로 학생 수는

$84\times\frac{11}{42}=22$(명)입니다.

16 (가장 큰 수)$=\frac{8}{2}\times9=36$

(가장 작은 수)$=\frac{2}{9}\times3=\frac{2}{3}$

➔ $36\times\frac{2}{3}=24$

17 (눈금 한 칸의 크기)$=\left(\frac{7}{8}-\frac{1}{3}\right)\times\frac{1}{7}=\frac{13}{168}$

㉮ $=\frac{1}{3}+\frac{13}{168}\times4=\frac{9}{14}$

18 뉴스면 : $60\times42\times\frac{1}{5}=504$(cm^2)

문화면 : $60\times42\times\frac{4}{5}\times\frac{2}{7}=576$(cm^2)

넓이의 차 : $576-504=72$(cm^2)

19 (잘라낸 후의 얼음의 높이)$=18\times10=180$(cm)

(처음 얼음의 높이)$=180\times\frac{10}{9}=200$(cm)

20 $\left(\text{전체 학생의 }\frac{7}{12}\right)-\left(\text{전체 학생의 }\frac{5}{12}\right)=52$(명)

전체 학생의 $\frac{1}{6}$이 52명에 해당하므로

전체 학생은 $52\times6=312$(명)입니다.

따라서 여학생은 $312\times\frac{5}{12}=130$(명)입니다.

왕중왕 문제 77~82

1 224개	
2 남학생 : 756명, 여학생 : 336명	
3 $37\frac{1}{3}$	**4** 80
5 $168\frac{3}{4}$	**6** $\frac{3}{10}$
7 12배	**8** 16000 m
9 (1) 80 cm	(2) 120 cm, 100 cm
10 540명	**11** 12 cm^2
12 ㉮ 넓이의 $\frac{4}{7}$가 $26\frac{117}{140}$ m^2 더 넓습니다.	
13 $522\frac{3}{20}$ m^2	**14** $\frac{5}{7}$
15 36	**16** 80시간
17 12분	**18** 6개
19 8.4 kg	**20** 5400원

[풀이]

1 처음에 전체의 $\frac{4}{7}$보다 48개 많이 꺼냈으므로

나머지는 전체의 $\frac{3}{7}$보다 48개 적게 남았습니다.

또한, 나머지의 $\frac{1}{3}$이 전체의 $\frac{1}{14}$과 같으므로

나머지는 전체의 $\frac{3}{14}$입니다.

$\left(\text{전체의 }\frac{3}{7}\right)-48=\left(\text{전체의 }\frac{3}{14}\right)$

$\left(\text{전체의 }\frac{3}{7}\right)-\left(\text{전체의 }\frac{3}{14}\right)=48$

$\left(\text{전체의 }\frac{3}{14}\right)=48$

(전체의 개수)$=48\div3\times14=224$(개)

2 5년 전 학생 수 : $1092-72=1020$(명)

5년 전 남학생 수를 □명이라 하면 여학생 수는 (1020−□)명입니다.

$□\times\frac{2}{25}+(1020-□)\times\frac{1}{20}=72$, □$=700$

따라서 5년 전 남학생 수는 700명, 여학생 수는 320명입니다.

현재의 남학생 수 : $700\times\left(1+\frac{2}{25}\right)=756$(명)

현재의 여학생 수 : $320\times\left(1+\frac{1}{20}\right)=336$(명)

3 곱해서 자연수가 되는 가장 작은 분수는 $\frac{(\text{분모끼리의 최소공배수})}{(\text{분자끼리의 최대공약수})}$ 입니다.

$2\frac{5}{8}=\frac{21}{8}$, $2\frac{1}{28}=\frac{57}{28}$

$(\text{가장 작은 분수})=\frac{(8\text{과 }28\text{의 최소공배수})}{(21\text{과 }57\text{의 최대공약수})}=\frac{56}{3}$

따라서 두 번째로 작은 분수는

$\frac{56}{3}\times2=\frac{112}{3}=37\frac{1}{3}$

4 $B=A\times\frac{3}{4}$

$C=B\times\frac{2}{3}=A\times\frac{3}{4}\times\frac{2}{3}=A\times\frac{1}{2}$

세 수를 A로 통일시키면

$A+B+C=180$에서

$A+A\times\frac{3}{4}+A\times\frac{1}{2}=180$

$A\times\frac{9}{4}=180$, $A=80$

5 어떤 분수 중 가장 작은 분수를 $\frac{\triangle}{\square}$라 하면 □는 4, 16, 8의 최대공약수인 4이고, △는 9, 25, 15의 최소공배수인 225입니다.

따라서 가장 작은 분수는 $\frac{225}{4}$이고, 두 번째로 작은 분수는 $\frac{225\times2}{4}=\frac{450}{4}$, 세 번째로 작은 분수는 $\frac{225\times3}{4}=\frac{675}{4}=168\frac{3}{4}$입니다.

6 삼각형 ㄱㄴㄷ의 넓이를 1이라 하면 색칠한 부분의 넓이는 $1\times\frac{3}{4}\times\frac{4}{5}\times\frac{1}{2}=\frac{3}{10}$입니다.

7 ㉮ $\times\frac{1}{3}=$ ㉯ $\times\frac{1}{24}$

㉯ $=$ ㉮ $\times\frac{1}{3}\times24=$ ㉮ $\times8$

㉯ $\times3=$ ㉰ $\times2$

㉮ $\times8\times3=$ ㉰ $\times2$

㉮ $\times12=$ ㉰

8 전체 거리를 1이라 하면

지하철로 간 거리 : $\frac{3}{10}$

버스로 간 거리 : $\frac{7}{10}\times\frac{1}{3}=\frac{7}{30}$

자전거로 간 거리 : $\frac{7}{30}\times\frac{1}{2}+\frac{3}{10}=\frac{25}{60}$

남은 거리 : $1-\left(\frac{3}{10}+\frac{7}{30}+\frac{25}{60}\right)=\frac{1}{20}$

따라서 전체 거리는 $800\times20=16000$(m)입니다.

9 (1) 연못의 깊이를 1이라 하면

큰 막대의 길이 : $1\div2\times3=\frac{3}{2}$

작은 막대의 길이 : $1\div4\times5=\frac{5}{4}$

$\frac{3}{2}-\frac{5}{4}=\frac{1}{4}$이 막대 길이의 차 20 cm에 해당하므로 연못의 깊이는 $20\times4=80$(cm)입니다.

(2) 긴 막대의 길이 : $80\times\frac{3}{2}=120$(cm)

짧은 막대의 길이 : $80\times\frac{5}{4}=100$(cm)

10 5학년 학생 수 : $4840\times\frac{5}{22}=1100$(명)

5학년 여학생 수 : $1100\times\frac{6}{11}=600$(명)

5학년 학생 중 충치가 없는 학생 수 :

$500\times\frac{3}{5}+600\times\frac{2}{5}=300+240=540$(명)

11 정육각형의 넓이 : $16\times\frac{3}{8}\times4=24(\text{cm}^2)$

정육각형과 정삼각형이 겹쳐진 부분의 넓이는 정육각형의 $\frac{1}{6}$이고 정삼각형의 $\frac{1}{3}$입니다.

따라서 정삼각형의 넓이는

$24\times\frac{1}{6}\times3=12(\text{cm}^2)$입니다.

12 (㉮ 넓이의 $\frac{4}{7}$)

$=\frac{17}{2}\times\frac{17}{2}\times\frac{4}{7}=\frac{289}{7}=41\frac{2}{7}(\text{m}^2)$

(㉯ 넓이의 $\frac{4}{5}$)

$=\frac{17}{4}\times\frac{17}{4}\times\frac{4}{5}=\frac{289}{20}=14\frac{9}{20}(\text{m}^2)$

따라서 ㉮ 넓이의 $\frac{4}{7}$가

$41\frac{2}{7}-14\frac{9}{20}=26\frac{117}{140}(\text{m}^2)$ 더 넓습니다.

13

가로 세로

(가로와 세로의 길이의 합)

$=94\frac{2}{5}\times\frac{1}{2}=47\frac{1}{5}$(m)

(가로의 길이)$=47\frac{1}{5}\times\frac{3}{8}=\frac{177}{10}$(m)

(세로의 길이)$=47\frac{1}{5}\times\frac{5}{8}=\frac{59}{2}$(m)

따라서 밭의 넓이는 $\frac{177}{10}\times\frac{59}{2}=522\frac{3}{20}$($m^2$) 입니다.

14 $3\frac{1}{2}\times$ ㉮ $\times$ ㉯ $\times 1\frac{2}{5}=1\frac{3}{4}\times1\frac{2}{3}\times1\frac{3}{5}\times\frac{3}{4}$

$\frac{49}{10}\times$ ㉮ $\times$ ㉯ $=\frac{7}{2}$

양변에 $\frac{10}{49}$을 곱하면 ㉮ $\times$ ㉯ $=\frac{5}{7}$입니다.

15 ㉮ $=3\times\frac{15}{8}=\frac{45}{8}=5\frac{5}{8}$

㉯ $=12\times\frac{8}{15}=\frac{32}{5}=6\frac{2}{5}$

㉮ $\times$ ㉯ $=5\frac{5}{8}\times6\frac{2}{5}=36$

16 4일 동안 $\frac{3}{10}$을 하였으므로 12일 동안 $\frac{3}{10}\times3=\frac{9}{10}$를 하게 됩니다.

13일 2시간 동안 일을 끝냈으므로

1일 2시간 동안 $1-\frac{9}{10}=\frac{1}{10}$을 하게 되고 $\frac{3}{10}$을 하려면 (1일 2시간)$\times3=$3일 6시간이 걸리고 이것은 4일에 해당됩니다.

따라서 하루에 일하는 시간은 6시간이므로 유승이가 일한 시간은 $6\times(4+9)+2=80$(시간)입니다.

17 연못의 둘레를 1로 생각하면 상연이는 1분 동안 $\frac{1}{8}$을 돌게 됩니다.

상연이와 예슬이가 1분 동안 움직인 거리의 합을 □라 하면 $\square\times4\frac{4}{5}=1$, $\square=\frac{5}{24}$이므로

예슬이가 1분 동안 간 거리는 $\frac{5}{24}-\frac{1}{8}=\frac{1}{12}$입니다.

따라서 예슬이가 연못을 한 바퀴 도는 데 걸리는 시간은 12분입니다.

18 $462=2\times3\times7\times11$이므로 20보다 작은 자연수 중 ㉠이 될 수 있는 수는 2, 3, 6, 7, 11, 14입니다. 그런데 ㉡은 100보다 작은 자연수가 되어야 하므로 ㉠은 2와 3이 될 수 없습니다.

(㉠$=6$, ★$=1$, ㉡$=77$)

(㉠$=7$, ★$=1$, ㉡$=66$)

(㉠$=11$, ★$=1$, ㉡$=42$)

(㉠$=11$, ★$=2$, ㉡$=84$)

(㉠$=14$, ★$=1$, ㉡$=33$)

(㉠$=14$, ★$=2$, ㉡$=66$)

(㉠$=14$, ★$=3$, ㉡$=99$)

따라서 ㉡이 될 수 있는 수는 33, 42, 66, 77, 84, 99로 모두 6개입니다.

19 (물의 무게)$\times\frac{5}{7}+$(물통의 무게)$=7.2$(kg)

$\left(\text{물}\times\frac{5}{7}\times\frac{1}{3}\right)+(\text{물통})=(\text{물}+\text{물통})\times\frac{1}{3}$

(물통)$\times\frac{2}{3}=$(물)$\times\frac{2}{21}$

(물통)$=$(물)$\times\frac{1}{7}$

물통의 무게는 물의 무게의 $\frac{1}{7}$이므로

(물)$\times\frac{5}{7}+$(물)$\times\frac{1}{7}=$(물)$\times\frac{6}{7}=7.2$(kg)

(물)$=7.2\times\frac{7}{6}=8.4$(kg)

20 석기가 가지고 있던 돈을 □원이라 하면 효근이가 가지고 있던 돈은 (8200−□)원입니다.

$(8200-\square)\times\left(1-\frac{2}{5}\right)+\square\times\left(1-\frac{5}{6}\right)=2580$

$4920-\frac{3}{5}\times\square+\frac{1}{6}\times\square=2580$

$\frac{13}{30}\times\square=2340$

$\square=5400$

따라서 석기가 처음에 가지고 있던 돈은 5400원입니다.

6. 소수의 곱셈

search 탐구 84

풀이

7.43, 7.43, 6.8356 / 7.43, 1486, 6687, 6.8356

답 6.8356

EXERCISE

1 39.76 kg **2** 77.6 kg

3 6.4

[풀이]

1 $1.42\times4\times7=39.76$(kg)

2 $48.5\times1.6=77.6$(kg)

3 $(5.6-1.6)\times1.6=6.4$

왕 문제 85~90

1 3
2 2.736 L
3 0
4 0.524
5 0.5663
6 16.25
7 70.6 L
8 174.96 m^2
9 0.01배
10 132.8 m
11 40.5 kg
12 227.9 cm^2
13 5.9 m
14 A:1, B:3, C:9
15 563.87
16 223.65 cm^2
17 2, 3, 0, 1, 5, 8, 6, 9, 3
18 669.9 m
19 60 kg
20 2700원

[풀이]

1 $0.25\times100=25$에서 $0.25\times300=75$이므로
㉠$=300$입니다.
$5.8\times0.01=0.058$이므로 ㉡$=0.01$입니다.
따라서 ㉠$\times$㉡$=300\times0.01=3$입니다.

2 4분 48초$=4.8$분이므로
$0.57\times4.8=2.736$(L)입니다.

3 $0.7=0.\underline{7}$
$0.7\times0.7=0.\underline{49}$
$0.7\times0.7\times0.7=0.3\underline{43}$
$0.7\times0.7\times0.7\times0.7=0.24\underline{01}$
$0.7\times0.7\times0.7\times0.7\times0.7=0.168\underline{07}$
⋮
따라서 0.7을 200번 곱했을 때 끝 두 자리 수는 01이므로 199째 번 자리의 숫자는 0입니다.

4 (가장 큰 값)$=(1.4\times0.8-0.3\times0.24)\times0.5$
$=0.524$

5 (가장 큰 곱)$=0.85\times0.93=0.7905$
(가장 작은 곱)$=0.38\times0.59=0.2242$
➔ $0.7905-0.2242=0.5663$

6 $16.2<$(정답)<16.3
$16.2\times8<$(자연수의 합)$<16.3\times8$
$129.6<$(자연수의 합)<130.4
따라서 자연수의 합이 130이므로
바른 정답은 $130\div8=16.25$입니다.

7 $70.6\times0.8\times1.25=70.6$(L)

8 (꽃밭의 세로의 길이)$=10.8\times1.5=16.2$(m)
(꽃밭의 넓이)$=10.8\times16.2=174.96$(m^2)

9 ㉮$\times0.25\times0.8\times500=$㉯
㉮$\times100=$㉯
따라서 ㉮는 ㉯의 0.01배입니다.

10 $32.4\times72-2200=132.8$(m)

11 $72\times\frac{3}{4}\times0.75=40.5$(kg)

12 색칠한 부분의 넓이는 직사각형 ㄱㅁㅈㅇ의 넓이와 같습니다.
➔ $26.5\times8.6=227.9$(cm^2)

13 (땅의 넓이)$=23.6\times15=354$(m^2)
가로를 □ m라 하면
$\square\times(15+5)=354$
$\square=354\div20=17.7$
따라서 가로를 $23.6-17.7=5.9$(m) 줄여야 합니다.

14 C$=$B$\times3$이고 B$\times$B$=$C이므로
B$\times$B$=$B$\times3$에서 B$=3$, C$=9$입니다.
B$\times$A$=$B가 되어야 하므로 A$=1$입니다.

15 0.03씩 커지는 수를 더하는 것이므로
$3.31+0.03\times\square=6.67$에서 $\square=112$입니다.
따라서 더하는 수는 113개의 수이므로 수의 합은 $(3.31+6.67)\times113\div2=563.87$입니다.

16 봉투의 가로의 길이 : $(22-1)\div2=10.5$(cm)
봉투의 세로의 길이 : $24-(1.5+1.2)=21.3$(cm)
봉투 한쪽 면의 넓이 : $10.5\times21.3=223.65$(cm^2)

17
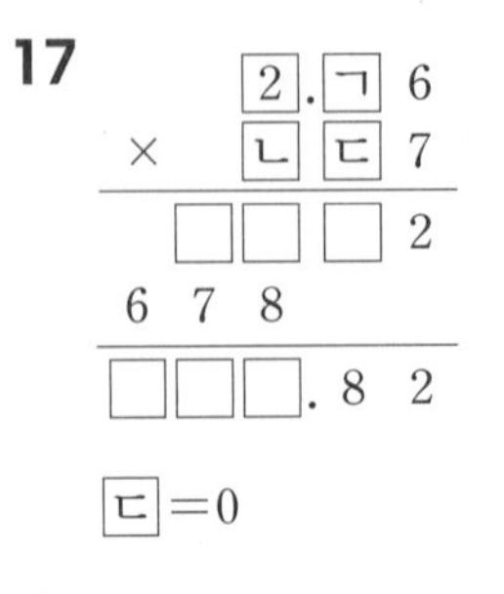

ㄷ$=0$

ㄴ×6의 일의 자리가 8이고
ㄴ×2는 6이므로
ㄴ은 3입니다.
또한, 2.ㄱ6×300=678에서
ㄱ은 2이므로
위의 □ 안의 수는 차례로
2, 3, 0, 1, 5, 8, 6, 9, 3입니다.

18 15분 24초는 15.4분이므로
학교까지의 거리는
$0.58\times75\times15.4=669.9$(m)입니다.

19 (㉮의 무게)$=42\times3.2+5.6=140$(kg)
(㉯의 무게)$\times2.5-10=140$
(㉯의 무게)$\times2.5=150$
(㉯의 무게)$=60$(kg)

20 (썩지 않은 복숭아 수)$=450\times(1-0.2)=360$(개)
(팔아야 하는 총 금액)$=810000\times(1+0.2)$
$=972000$(원)
따라서 복숭아 한 개에 $972000\div360=2700$(원)에 팔아야 합니다.

왕중왕 문제 91~96

1 6 m	**2** ★ : 0, ▲ : 4
3 136.3968 kg	**4** 4
5 0.4096	**6** 347.8 m
7 22.712	**8** 25
9 5.5225	**10** 가 : 8.375, 나 : 5.25
11 46.2 kg, 36.6 kg	**12** 4.75
13 9.1	**14** 0.0288
15 28 m	**16** 7 kg
17 75.25	**18** 19.8
19 235	**20** 2187 cm²

[풀이]

1

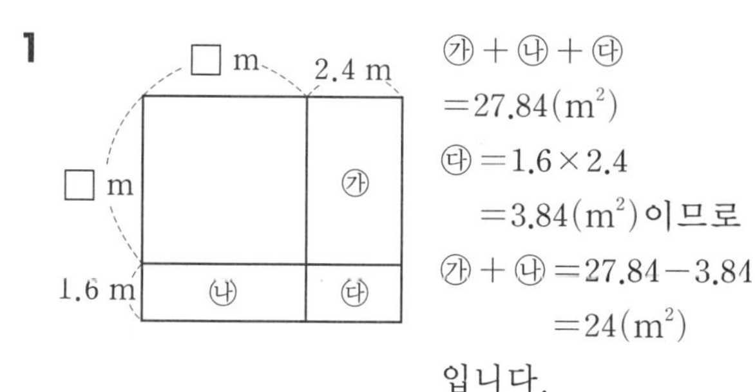

㉮+㉯+㉰
$=27.84(\text{m}^2)$
㉰$=1.6\times2.4$
$=3.84(\text{m}^2)$이므로
㉮+㉯$=27.84-3.84$
$=24(\text{m}^2)$
입니다.

㉮+㉯$=2.4\times\square+1.6\times\square$
$=4\times\square=24$
이므로 $\square=6$(m)입니다.

2 조건을 만족시키는 ★은 0뿐이고, 6과 ▲의 곱이 ▲가 되기 위해서는 ▲는 2, 4, 6, 8 중의 하나입니다.
$72\times6=432$ (×)
$74\times6=444$ (○)
$76\times6=456$ (×)
$78\times6=468$ (×)
따라서 ★은 0, ▲는 4입니다.

3 어머니의 몸무게 : 57.6 kg
효근이의 몸무게 : $57.6\times\frac{18}{25}=57.6\times0.72$
$=41.472$(kg)
한별이의 몸무게 : $41.472\times0.9=37.3248$(kg)
세 명의 몸무게의 합 :
$57.6+41.472+37.3248=136.3968$(kg)

4 1에 0.4를 70번 곱한 수와 1에 0.5를 70번 곱한 수의 곱은 1에 0.2를 70번 곱한 수와 같습니다.
$1\times0.2=0.2$, $1\times0.2\times0.2=0.04$,
$1\times0.2\times0.2\times0.2=0.008$
$1\times0.2\times0.2\times0.2\times0.2=0.0016$,
$1\times0.2\times0.2\times0.2\times0.2\times0.2=0.00032$
따라서 곱의 소수 끝 자리의 숫자는 2, 4, 8, 6이 반복되고 $70\div4=17\cdots2$에서 소수 70째 자리의 숫자는 2번째 숫자인 4입니다.

5 앞의 수에 0.2를 곱하는 방법으로 수를 늘어놓았습니다.
(네 번째 수)×(다섯 번째 수)$=2\times0.4=0.8$
(세 번째 수)×(여섯 번째 수)$=10\times0.08=0.8$
(두 번째 수)×(일곱 번째 수)$=50\times0.016=0.8$
(첫 번째 수)×(여덟 번째 수)$=250\times0.0032=0.8$
따라서 처음부터 8개의 수의 곱은
$0.8\times0.8\times0.8\times0.8=0.64\times0.64=0.4096$입니다.

6 기온이 5℃ 상승할 때 소리는 1초에 3 m씩 빨라졌으므로 1℃ 올라갈 때 1초에 0.6 m씩 빨라집니다.
따라서 기온이 28℃일 때의 소리는 1초에
$343+0.6\times(28-20)=347.8$(m)씩 갑니다.

7 ㉮의 소수점을 빠트린 수는 ㉮$\times100$입니다.

㉮ × 100 − ㉯ = 832.28에서 ㉯의 소수점 부분은 1 − 0.28 = 0.72입니다.
두 수의 합이 11.07이므로 두 수의 자연수 부분의 합은 10이고 ㉮의 소수점 부분은 1.07 − 0.72 = 0.35입니다.
따라서 ㉮는 8.35이고 ㉯는 2.72이므로 ㉮ × ㉯ = 8.35 × 2.72 = 22.712입니다.

8 어떤 자연수를 □라 하면
$3.5 \times 7 \leqq □ < 4.5 \times 7$
$24.5 \leqq □ < 31.5$에서
어떤 자연수 □는 25, 26, 27, 28, 29, 30, 31 중 하나입니다.
$7.5 \times 3 \leqq □ < 8.5 \times 3$
$22.5 \leqq □ < 25.5$에서
어떤 자연수 □는 23, 24, 25 중 하나입니다.
따라서 두 조건을 모두 만족한 자연수는 25입니다.

9 어떤 소수 두 자리 수를 $a.bc$라고 하면
㉮ $= ab.c$, ㉯ $= 0.abc$이므로

$$\begin{array}{r} ab.c \\ -\ 0.abc \\ \hline 23.265 \end{array}$$

에서 $c=5$, $b=3$, $a=2$입니다.
따라서 ㉮ × ㉯ = 23.5 × 0.235 = 5.5225입니다.

10 가 + 나 × 0.5 = 11,
가 − 0.5 = 나 × 1.5 ➔ 가 = 나 × 1.5 + 0.5
나 × 1.5 + 0.5 + 나 × 0.5 = 11, 나 × 2 = 10.5,
나 = 5.25, 가 = 8.375

11 A > B > C라 하면
A + B = 43.3 × 2 = 86.6
A + C = 41.4 × 2 = 82.8
B + C = 38.5 × 2 = 77
(A + B + C) × 2 = 246.4
A + B + C = 123.2이므로 가장 무거운 사람 A는 123.2 − 77 = 46.2(kg), 가장 가벼운 사람 C는 123.2 − 86.6 = 36.6(kg)입니다.

별해
세 사람의 몸무게의 합은
43.3 + 41.4 + 38.5 = 123.2이므로
가장 무거운 사람은 123.2 − 38.5 × 2 = 46.2(kg)
가장 가벼운 사람은 123.2 − 43.3 × 2 = 36.6(kg)

12 3 × A는 3의 배수이고 15도 3의 배수이므로 4 × B도 3의 배수입니다.
4 × B = 3에서 B = 0.75,
A = (15 − 3) ÷ 3 = 4이므로
구하고자 하는 수는 4.75입니다.

13 ㉠.㉡ × ㉢.㉣의 곱이 소수 한 자리 수이므로 ㉡ × ㉣의 일의 자리 숫자는 0입니다.
따라서 ㉡과 ㉣ 중 한 숫자는 5, 다른 숫자는 짝수입니다.
㉠.㉡ − ㉢.㉣ = 6.1에서 ㉡은 ㉣보다 1 큰 숫자입니다.
· ㉡ = 5, ㉣ = 4인 경우 ㉠.5 − ㉢.4 = 6.1이므로 ㉠ − ㉢ = 6이고, ㉠ × ㉢은 12보다 작아야 하므로 ㉠ = 7, ㉢ = 1입니다.
➔ 7.5 × 1.4 = 10.5(×)
· ㉡ = 6, ㉣ = 5인 경우 ㉠ = 7, ㉢ = 1이므로 7.6 × 1.5 = 11.4(○)입니다.
따라서 ㉠.㉡ + ㉢.㉣ = 7.6 + 1.5 = 9.1입니다.

14 가 ÷ 나 = 0.15, 나 ÷ 다 = 1.2, 다 ÷ 라 = 0.16
이것을 분수로 나타내면, $\frac{가}{나}$, $\frac{나}{다}$, $\frac{다}{라}$이고,
가 ÷ 라 = $\frac{가}{라}$이므로
$\frac{가}{\cancel{나}} \times \frac{\cancel{나}}{\cancel{다}} \times \frac{\cancel{다}}{라} = \frac{가}{라}$를 구할 수 있습니다.
따라서 가 ÷ 라 = 0.15 × 1.2 × 0.16 = 0.0288

15 ㉮ 막대의 길이를 □m라 하면 ㉯ 막대의 길이는 (□ × 4) m입니다.
□ × 4 + (□ × 4) × 4 = 5.6에서 □ × 20 = 5.6이고
□ × 10 = 2.8이므로 □ × 100 = 28(m)입니다.

16 (사과 4개) + (배 5개) = 5.1(kg) ⋯ ①
(사과 3개) + (배 2개) = 2.6(kg) ⋯ ②
①과 ②를 더하면
(사과 7개) + (배 7개) = 7.7(kg),
(사과 1개) + (배 1개) = 1.1(kg)
(사과 3개) + (배 3개) = 3.3(kg) ⋯ ③
③에서 ②를 빼면 (배 1개) = 3.3 − 2.6 = 0.7(kg)
따라서 배 10개는 0.7 × 10 = 7(kg)입니다.

17 나열된 수의 규칙은
(가운데 수) × 6 + 0.2
= (둘러싸고 있는 6개의 수의 합)입니다.
(21.2 − 0.2) ÷ 6 = 3.5,

$(129.2-0.2)\div6=21.5$에서
두 수는 3.5와 21.5이므로
두 수의 곱은 $3.5\times21.5=75.25$입니다.

18 연속하는 세 개의 소수에서 일의 자리 숫자의 곱을 생각해 보면 $5\times5\times5=125$, $6\times6\times6=216$, $7\times7\times7=343$이므로 이 소수의 일의 자리 숫자는 6입니다.
소수 한 자리 수를 3개 곱하면 곱의 소수점은 소수 세 자리 수가 되어야 하는데 소수 두 자리 수가 되었으므로 맨 뒤의 0이 지워진 것을 알 수 있습니다. 연속한 세 수의 곱의 일의 자리 숫자가 0이 되는 경우는
(3, 4, 5), (4, 5, 6), (5, 6, 7)일 때입니다.
$6.3\times6.4\times6.5=262.08$
$6.4\times6.5\times6.6=274.56$
$6.5\times6.6\times6.7=287.43$이므로
구하는 세 소수는 6.5, 6.6, 6.7입니다.
따라서 세 소수의 합은 $6.5+6.6+6.7=19.8$입니다.

19 493.5÷(□ 안에 들어갈 수)
=(◇ 안에 들어갈 수)
493.5=(□ 안에 들어갈 수)
×(◇ 안에 들어갈 수)
493.5×10=(□ 안에 들어갈 수)
×(◇ 안에 들어갈 수)×10
4935=(세 자리의 자연수)×(두 자리의 자연수)가 되므로
곱이 4935가 되는 여러 가지 경우를 찾아보면
$4935=3\times5\times7\times47$
$=15\times329=21\times235=35\times141=105\times47$
따라서 □ 안에 들어갈 세 자리 수는 329, 235, 141, 105 중 하나이고 이 중에서 200보다 크고 250보다 작은 수는 235입니다.

20 4장만 겹쳐지는 부분은 다음 그림과 같이 색칠한 부분입니다.

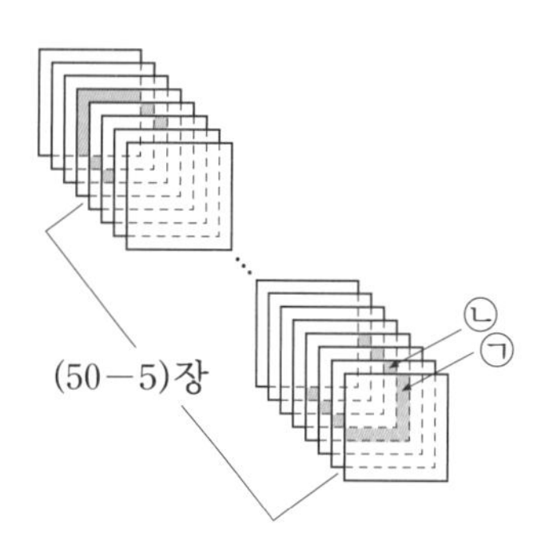

그 넓이는 한 변이 4.5 cm인 작은 정사각형의 개수를 세어 구할 수 있습니다. 앞에서부터 3번째 장까지는 4번 겹치는 곳이 없고 4번째 장과 마지막 50번째 장에는 작은 정사각형이 9개씩 있고 나머지에는 작은 정사각형이 2개씩 있습니다.
따라서 작은 정사각형의 개수는
$9\times2+(50-5)\times2=108$(개)이고 4장이 겹쳐지는 부분의 넓이는
$4.5\times4.5\times108=2187(cm^2)$입니다.

1. 합동과 대칭

search 탐구 99

풀이

○, ×

답 ②, ③

EXERCISE 1

1 ②, ④

2 (1) 사다리꼴 (2) 각 ㄹㄷㅁ (3) 90°

[풀이]

1 합동인 삼각형을 그릴 수 있는 조건
- 세 변의 길이를 알 때
- 두 변과 그 사이의 각의 크기를 알 때
- 한 변과 양 끝각의 크기를 알 때

2 (3) $180° - (60° + 30°) = 90°$

search 탐구 100

풀이

(1) O, T, E, H, I (2) O, H, I (3) O, H, I

답 (1) 5 (2) 3 (3) O, H, I

EXERCISE 2

1 80° **2** 14 cm

[풀이]

1 (각 ㄷㄹㅁ)=(각 ㄷㅇㅅ)=110°
(각 ㄹㄷㅂ)=(각 ㅇㄷㅂ)=90°
사각형의 네 각의 크기의 합은 360°이므로
(각 ㄷㅂㅅ)=(각 ㄷㅂㅁ)
$=360° - 90° - 110° - 80° = 80°$ 입니다.

2

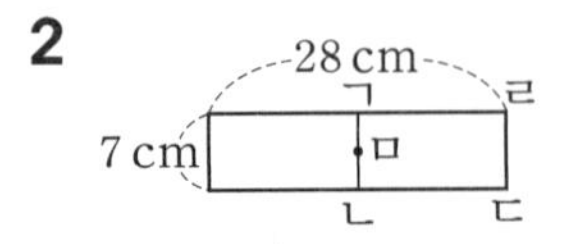

➜ $28 \times 2 + 7 \times 2 = 70$(cm)

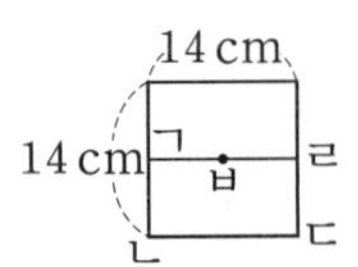

➜ $14 \times 4 = 56$(cm)
따라서 $70 - 56 = 14$(cm)입니다.

APPLICATION

왕 문제 101~106

1 ③, ⑤	**2** ④, ⑤
3 72 cm^2	**4** 15°
5 각 ㉮ : 70°, 각 ㉯ : 20°	
6 정이십각형	
7 (1) ①, ⑤, ⑥, ⑨ (2) ③ (3) ④, ⑧, ⑩	
8 32 cm	**9** 풀이 참조
10 (1) 60°	(2) 10 cm
11 64 cm	
12 (1) 56 cm	(2) 72 cm
13 128 cm^2	**14** 40 cm^2
15 75°	**16** 25 cm^2
17 148 cm	**18** 320 cm^2

[풀이]

1 ③ 변 ㄱㄴ과 ㄱㄷ의 길이가 주어졌으므로 각 ㄴㄱㄷ의 크기를 알아야 합니다.
⑤ 세 각을 알 경우 모양은 결정되나 크기는 결정할 수 없습니다.

2 ④ 합동인 두 도형은 넓이가 같으나 넓이가 같은 두 도형이 반드시 합동인 것은 아닙니다.
⑤ 합동인 두 도형은 둘레가 같으나 둘레가 같은 두 도형이 반드시 합동인 것은 아닙니다.

3 $12 \times 12 \div 2 = 72(cm^2)$

4 $(70° - 20° \times 2) \div 2 = 15°$

5 (각 ㉮)$=180° - 90° - (90° - 35° \times 2) = 70°$
(각 ㉯)$=90° - 35° \times 2 = 20°$

6

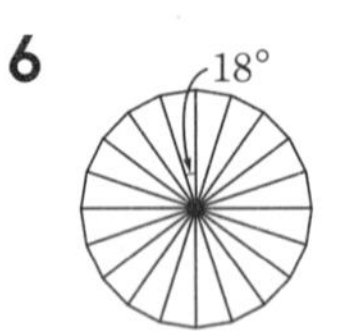

➜ $360° \div 18° = 20$

따라서 정이십각형이 됩니다.

7 ① 정삼각형 : 선대칭도형
③ 평행사변형 : 점대칭도형
④ 직사각형 : 선대칭도형, 점대칭도형
⑤ 반원 : 선대칭도형
⑥ 이등변삼각형 : 선대칭도형
⑧ 마름모 : 선대칭도형, 점대칭도형
⑨ 정오각형 : 선대칭도형
⑩ 원 : 선대칭도형, 점대칭도형

8 $20+20-4\times2=32(\text{cm})$

9 ① 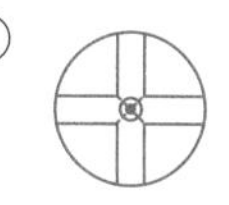

 ② 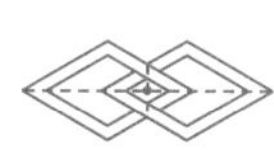

 ④ 

 ⑤ 

⑥ 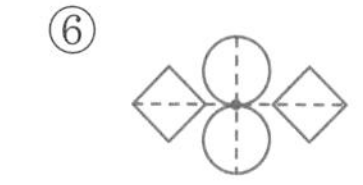

10 (1) 삼각형 ㄴㄷㄹ은 이등변삼각형이므로 각 ㄷㄴㄹ과 각 ㄴㄹㄷ의 크기는 같습니다.
또, 변 ㄴㄷ과 변 ㄹㅁ이 평행하므로 각 ㄱㄹㅁ과 각 ㄱㄴㄷ의 크기는 같습니다.
따라서 (각 ㉮)$=180^\circ\div3=60^\circ$입니다.

(2) 삼각형 ㄱㄴㄷ을 변 ㄱㄷ을 대칭축으로 하여 선대칭도형을 그리면 삼각형 ㄱㄴㅂ은 정삼각형이 됩니다.

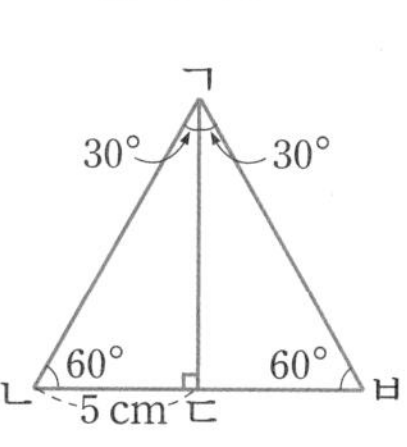

따라서 변 ㄱㄴ의 길이는 $5\times2=10(\text{cm})$입니다.

11 정사각형 2개의 넓이는 $10\times10\times2=200(\text{cm}^2)$입니다. 그런데 선대칭도형의 넓이는 $184\ \text{cm}^2$이므로 $16\ \text{cm}^2$가 겹쳐졌습니다.

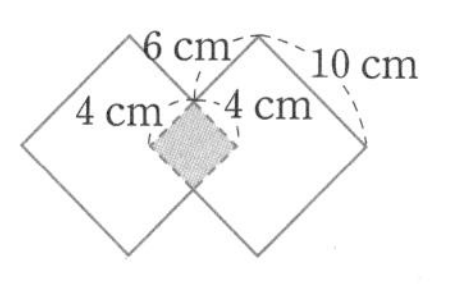

따라서 둘레의 길이는 $10\times4+6\times4=64(\text{cm})$입니다.

12 먼저 점대칭도형을 완성합니다.

(1) 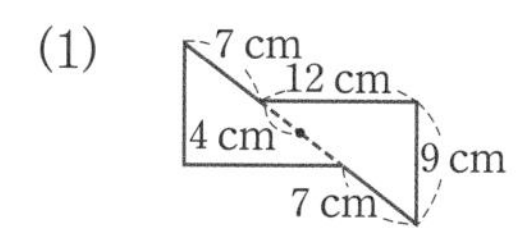

둘레의 길이는 $12\times2+9\times2+7\times2$
$=56(\text{cm})$입니다.

(2) 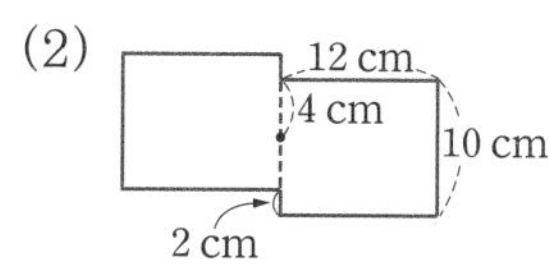

둘레의 길이는 $10\times2+12\times4+2\times2$
$=72(\text{cm})$입니다.

13 삼각형 ㄱㄴㅁ과 삼각형 ㄷㄹㅁ은 합동이므로 선분 ㄴㅁ의 길이는 6 cm, 선분 ㄱㄴ의 길이는 8 cm입니다.

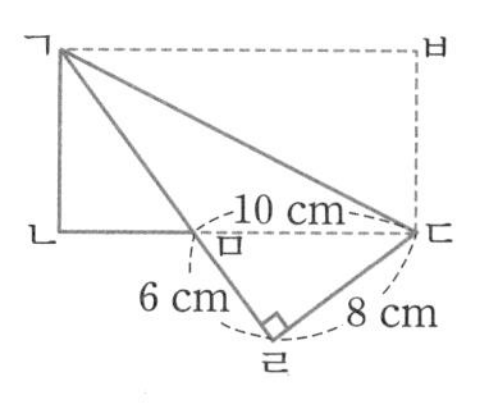

따라서 직사각형 ㄱㄴㄷㅂ의 넓이는 $(10+6)\times8=128(\text{cm}^2)$입니다.

14 다음 도형에서 ㉠과 ㉩, ㉡과 ㉨, ㉢과 ㉧, ㉣과 ㉦, ㉤과 ㉥은 각각 합동입니다.
따라서 ㉦을 ㉣로, ㉢을 ㉧으로 이동시키면 색칠한 부분의 넓이는 삼각형 ㄱㄴㄷ의 넓이와 같습니다.

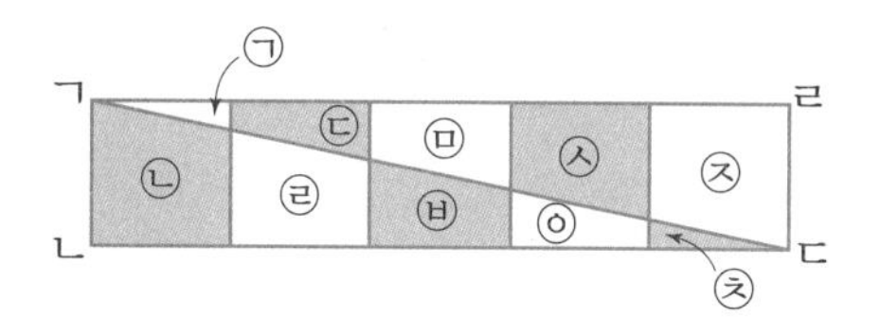

➜ $(4\times5)\times4\div2=40(\text{cm}^2)$

15 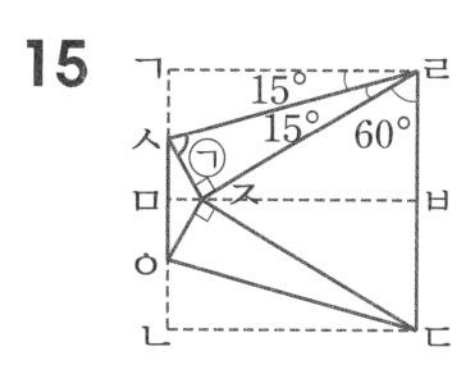

변 ㄹㅈ, ㄹㄷ, ㄷㅈ의 길이가 모두 같으므로 삼각형 ㄹㅈㄷ은 정삼각형이 됩니다. 또한 삼각형 ㄱㄹㅅ과 ㄴㄷㅇ이 합동이므로 각 ㄱㄹㅅ과 각 ㄴㄷㅇ의 크기는 같습니다.
따라서 (각 ㅈㄹㅅ)$=(90^\circ-60^\circ)\div2=15^\circ$이므로
(각 ㉠)$=180^\circ-90^\circ-15^\circ=75^\circ$입니다.

16 삼각형 ㄱㅁㄹ과 삼각형 ㄱㄷㄴ은 합동이므로 겹쳐진 부분의 넓이는 삼각형 ㄱㄴㄹ의 넓이와 같습니다.

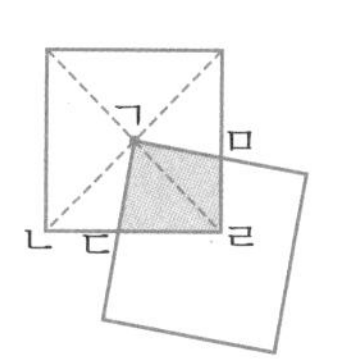

삼각형 ㄱㄴㄹ의 넓이는 정사각형 넓이의 $\frac{1}{4}$이므로
$10\times10\times\frac{1}{4}=25(\text{cm}^2)$입니다.

17 $25\times4+14\times2+10\times2=148(\text{cm})$

18 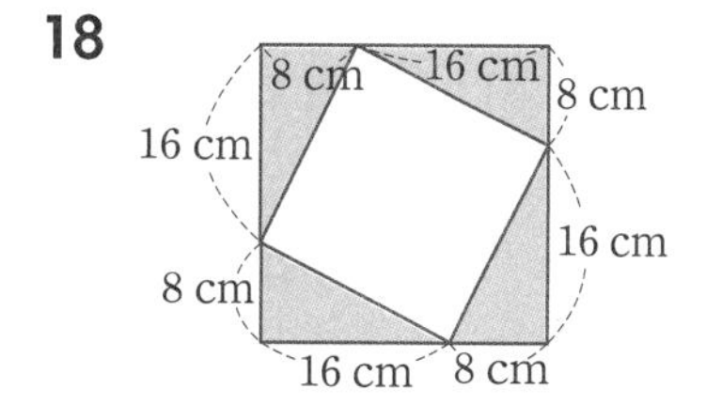

(정사각형의 넓이)$=24\times24-8\times16\div2\times4$
$=576-256=320(\text{cm}^2)$

왕중왕 문제 107~112

1 6 **2** 49

3 90° **4** 9가지
5 21° **6** 18 cm
7 95° **8** 60°
9 (1) 2개 (2) 180°
10 30개 **11** 144 cm^2
12 108 cm^2 **13** 34 cm
14 80° **15** 120°
16 선분 ㄷㅁ **17** 7바퀴
18 44번

[풀이]

1 직사각형을 정사각형과 정사각형이 아닌 직사각형으로 생각해 봅니다. 정사각형의 대칭축은 4개, 정사각형이 아닌 직사각형의 대칭축은 2개, 정삼각형의 대칭축은 3개입니다.
대칭축이 43개로 홀수이므로 정삼각형은 홀수 개 있습니다.
정삼각형이 최대 13개일 때 :
$3\times13+4\times1=43$(○)
정삼각형이 최소 1개일 때 :
$3\times1+4\times7+2\times6=43$(○)
따라서 정사각형은 최대 7개, 최소 1개이므로
㉠−㉡$=7-1=6$입니다.

2 삼각형의 한 변의 길이는 나머지 두 변의 길이의 차보다 크고 합보다 작아야 합니다.
$7-4<\square<7+4$, $3<\square<11$
따라서 □는 4, 5, 6, 7, 8, 9, 10이 될 수 있으므로 합은 49입니다.

3 선분 ㄴㄷ과 선분 ㄷㄹ의 길이가 같고, 선분 ㄷㅁ과 선분 ㄷㅂ의 길이가 같습니다.
또, 각 ㄴㄷㅁ과 각 ㅂㄷㄹ의 크기가 같으므로 삼각형 ㅁㄴㄷ과 삼각형 ㄹㄷㅂ은 합동입니다.
따라서 각 ㄷㅂㅇ과 각 ㄷㅁㄴ의 크기는 같습니다.
사각형 ㄴㅇㅂㄷ에서
(각 ㄴㅇㅂ)+(각 ㅇㄴㄷ)+(각 ㄴㄷㅂ)
+(각 ㄷㅂㅇ)=360°
(각 ㄴㅇㅂ)=360°−{(각 ㅇㄴㄷ)+(각 ㄴㄷㅁ)
+90°+(각 ㄷㅁㄴ)}
=360°−(180°+90°)
=90°

4

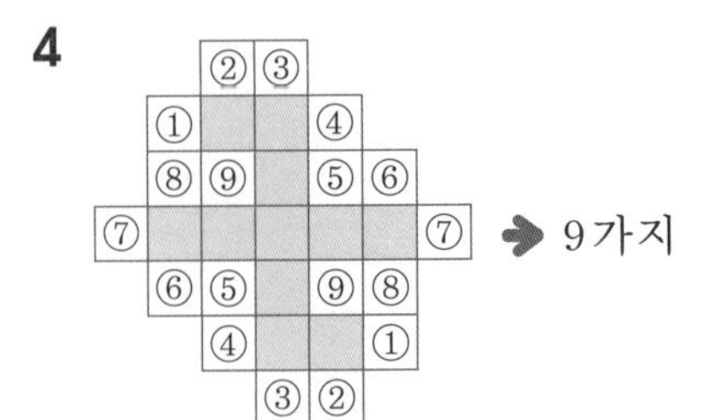

5 (각 ㄱㅁㄷ)=180°−92°=88°이므로
(각 ㅂㅁㄷ)=88°÷2=44°입니다.
(각 ㅁㄱㅂ)=(각 ㅁㄷㅂ)
=180°−90°−44°=46°이므로
(각 ㄴㄱㄹ)=46°÷2=23°입니다.
(각 ㄱㄴㄹ)=180°−23°−90°=67°이므로
(각 ㄴㄷㅁ)=180°−92°−67°=21°입니다.

6 삼각형의 합동의 성질에 의하여 선분 ㄱㄷ의 길이와 선분 ㄱㅁ의 길이가 같으므로
삼각형 ㄱㄷㅁ은 이등변삼각형입니다.
따라서 각 ㄱㄷㅁ과 각 ㄱㅁㄷ의 크기가 같습니다.
사각형 ㄱㅂㄷㅁ에서
(각 ㅂㄷㅁ)+(각 ㄱㅁㄷ)=180°
따라서 (각 ㄱㅁㄷ)=60°이므로
삼각형 ㄱㄹㅁ에서 선분 ㄹㅁ의 길이는 24 cm입니다.
또, 선분 ㄱㄷ의 길이가 12 cm이므로 선분 ㅂㄷ의 길이는 6 cm입니다.
그러므로 선분 ㄴㅂ의 길이는 18 cm입니다.

7 (각 ㄹㄱㄷ)=60°−35°=25°
(각 ㄹㅂㄱ)=180°−(60°+25°)=95°

8 (각 ㄹㅁㄷ)=90°−35°=55°
(각 ㄱㄷㅁ)=90°−25°=65°
(각 ㉠)=180°−55°−65°=60°

9 (1) 삼각형 ㄱㄴㄷ과 합동인 삼각형은
삼각형 ㅂㅁㄷ, 삼각형 ㄹㄴㅁ입니다.
(두 변과 그 사이의 각이 같은 합동입니다.)
(2) 사각형 ㅁㄹㄱㅂ은 평행사변형입니다.
따라서 360°÷2=180°입니다.

10 가운데 숫자가 0일 때 :
101, 202, 505, 609, 808, 906 (6개)
가운데 숫자가 1일 때, 2일 때, 5일 때 8일 때도 각각 6개씩입니다.
따라서 점대칭인 수는 $6\times5=30$(개)입니다.

11 삼각형 ㄹㄴㄷ과 삼각형 ㄹㅁㄷ이 합동이므로
(선분 ㄷㅁ)=24 cm, (선분 ㄱㅁ)=16 cm입니다.
삼각형 ㄱㄹㅁ의 넓이를 16이라 가정하면
삼각형 ㄹㅁㄷ과 삼각형 ㄹㄴㄷ의 넓이는 각각 24이므로 삼각형 ㄱㄴㄷ의 넓이는
16+24+24=64입니다.
또한 삼각형 ㅂㄴㄷ의 넓이는 삼각형 ㄹㄴㄷ의 넓이와 같으므로 24입니다.
따라서 사각형 ㄹㄴㅂㅁ의 넓이는 24에 해당됩니다.

➡ $24\times32\div2\times\dfrac{24}{16+24+24}=144(\text{cm}^2)$

12 대칭축이 4개이므로 사각형 ㄱㄴㄷㄹ과 ㅁㅂㅅㅇ은 모두 정사각형입니다.
정사각형 ㄱㄴㄷㄹ의 넓이가 576 cm^2이므로
정사각형 ㅁㅂㅅㅇ의 넓이는
$576\div4=144(\text{cm}^2)$이고
(사각형 ㄱㄴㅂㅁ의 넓이)
$=(576-144)\div4=108(\text{cm}^2)$입니다.

13 삼각형 ㄱㄴㄷ과 ㄷㄹㅁ은 합동인 삼각형이므로
각 ㄱㄷㄴ과 각 ㅁㄷㄹ의 합은 90°입니다.
따라서 삼각형 ㄱㄷㅁ은 직각이등변삼각형입니다.
(삼각형 ㄱㄷㅁ의 넓이)
=(사다리꼴 ㄱㄴㄹㅁ의 넓이)
−{(삼각형 ㄱㄴㄷ의 넓이)
+(삼각형 ㄷㄹㅁ의 넓이)}
$=1058-30\times16$
$=1058-480=578(\text{cm}^2)$
따라서 변 ㄱㄷ의 길이를 □라 하고 삼각형 ㄱㄷㅁ을 2개 붙여 한 변을 ㄱㄷ으로 하는 정사각형을 만들면 정사각형의 넓이는
$\square\times\square=578\times2=1156=34\times34$이므로 변 ㄱㄷ의 길이는 34 cm입니다.

14 

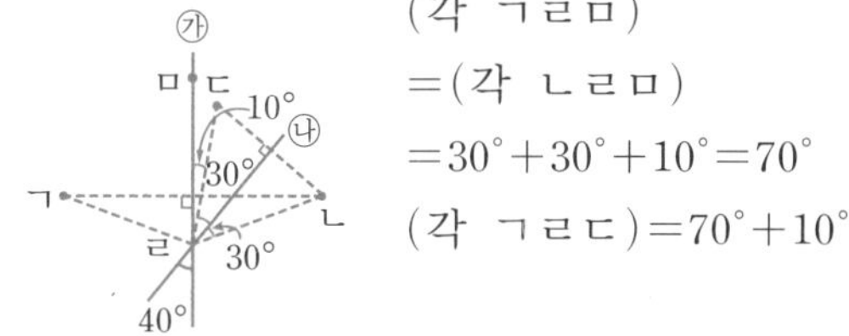

(각 ㄱㄹㅁ)
=(각 ㄴㄹㅁ)
$=30°+30°+10°=70°$
(각 ㄱㄹㄷ)$=70°+10°=80°$

15 각 ㄱㄷㅁ의 크기는 120°이므로
각 ㄷㄱㅁ과 각 ㄱㅁㄷ의 합은 60°입니다.
삼각형 ㄱㄷㅁ과 삼각형 ㄹㄷㄴ은 합동이므로
각 ㄱㅁㄷ과 각 ㄹㄴㄷ의 크기는 같습니다.
따라서 각 ㅂㄴㄱ과 각 ㅂㄱㄴ의 크기의 합은 60°이므로 각 ㄱㅂㄴ은 $180°-60°=120°$입니다.

16 꼭짓점에 겹쳐지는 곳의 기호를 붙이면 다음과 같습니다.

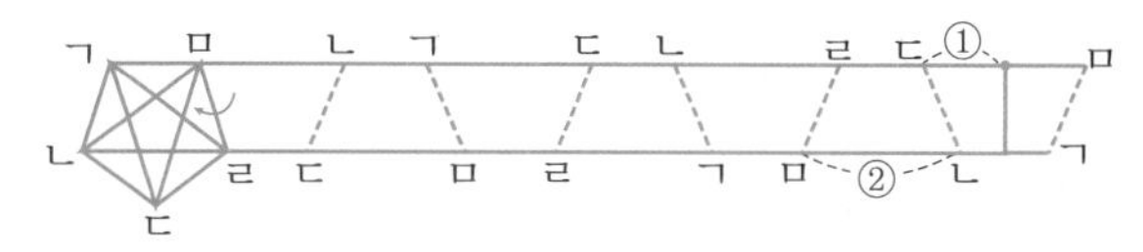

17 (각 ㄱㅇㄴ)$=180°-62°\times2=56°$
360°와 56°의 최소공배수는 2520°이므로
$2520°\div360°=7$(바퀴)

18 $2520°\div56°=45$
원 주위에 점 ㄱ을 포함하여 45개의 점을 지났으므로 반사한 횟수는 $45-1=44$(번)입니다.

2. 직육면체

search 탐구 114

풀이
6, 12, 8, 3, 3, 5

답 3 cm, 5 cm

EXERCISE 1

1 ③, ⑤ **2** 풀이 참조

[풀이]

2

10 cm, 3 cm, 7 cm, 6 cm

search 탐구 115

답

EXERCISE 2

1 풀이 참조 　　2 10개

[풀이]

1 (1) (2) 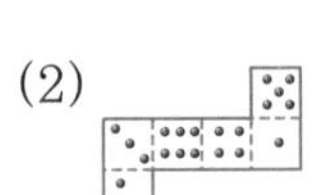 (3) 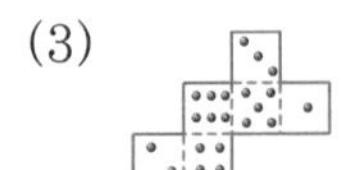

2 1+3+6=10(개)

왕문제 116~121

1 ②, ④, ⑤, ⑥, ⑧ 　　2 풀이 참조
3 풀이 참조 　　4 70 cm
5 14 　　6 7군데
7 풀이 참조 　　8 ①
9 풀이 참조 　　10 419 cm²
11 풀이 참조 　　12 풀이 참조
13 1980 　　14 442 cm
15 풀이 참조 　　16 352 cm²
17 8개 　　18 30
19 풀이 참조
20 ㉠ : 3개, ㉡ : 2개, ㉢ : 6개

[풀이]

2 (1) (2)

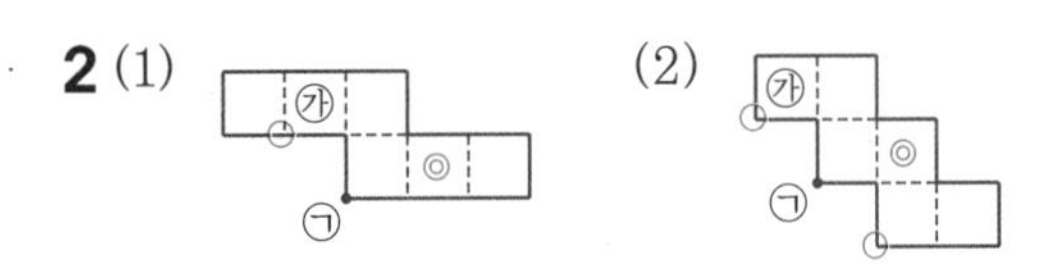

3 마주 보는 모서리를 평행하게 그려 완성합니다.

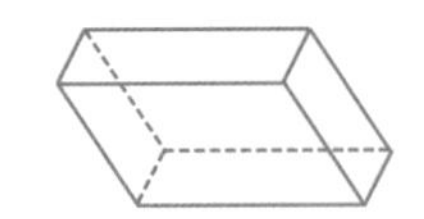

4

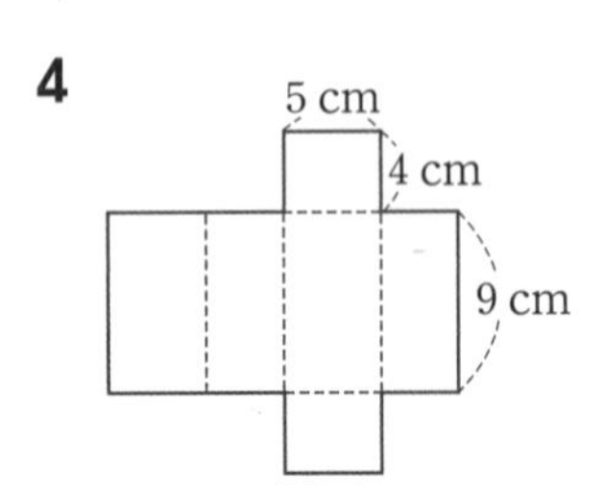

$5\times4+4\times8+9\times2=70$(cm)

5 세 면 위의 수의 합이 가장 큰 것은 $5+6+3=14$입니다.

6 모서리끼리 겹치는 부분은 7군데 있습니다.

7

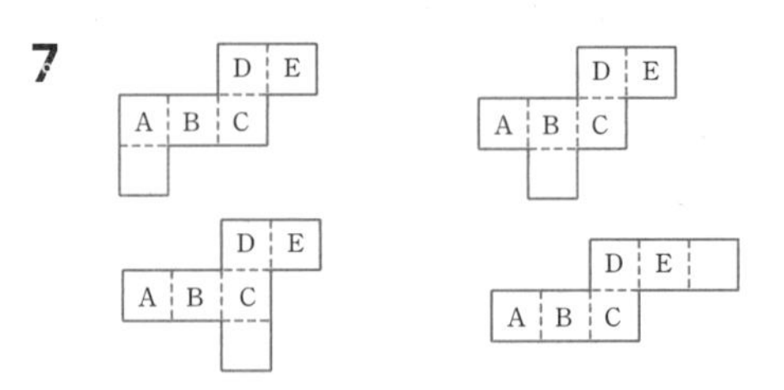

8 두 개의 대각선이 한 꼭짓점에서 만나는지 확인합니다.

9 (가) (나)

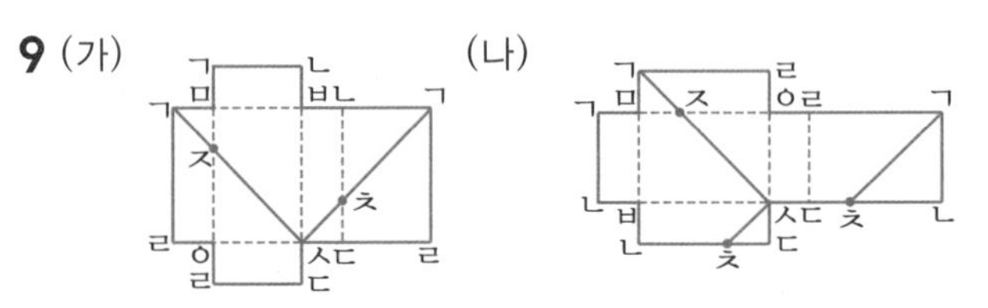

10

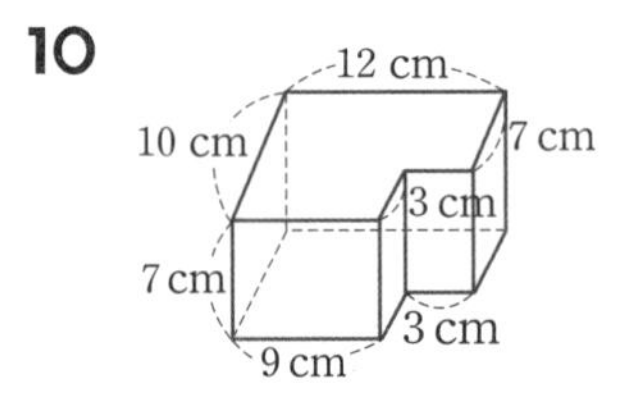

밑면의 넓이 : $12\times10-3\times3=111$(cm²)

옆면의 넓이들의 합 : $(10+12)\times2\times7$
$=308$(cm²)

➜ $111+308=419$(cm²)

11

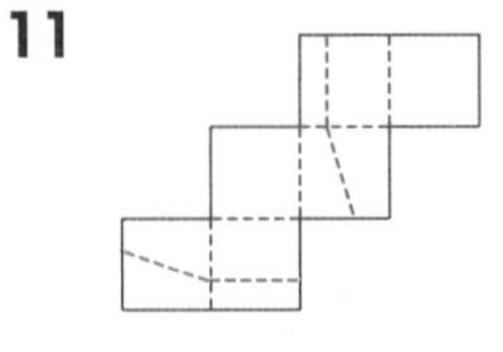

12

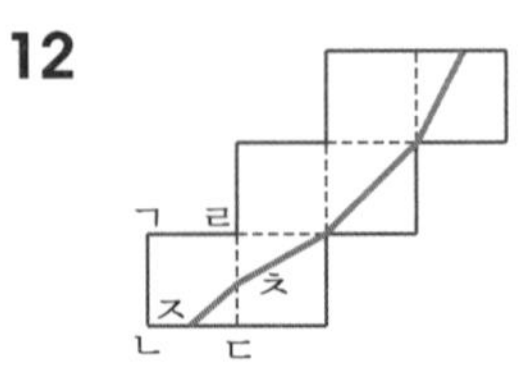

13 밑면의 가로 : $36-3-3=30$(cm)

밑면의 세로 : $28-3-3=22$(cm)

높이 : 3 cm

따라서 $30 \times 22 \times 3 = 1980$

14 $24 \times 8 + 15 \times 10 + 10 \times 10 = 442(\text{cm})$

15

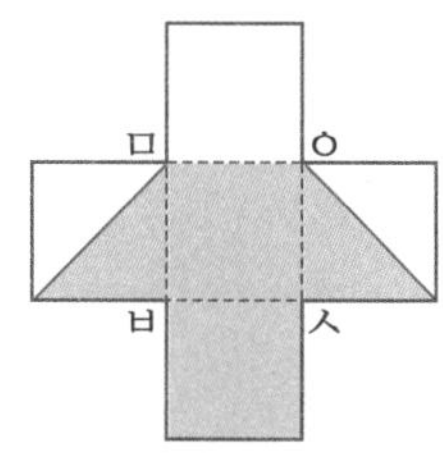

입체도형의 꼭짓점을 전개도에 써넣고 색칠합니다.

16 $(10 \times 6 - 4 \times 3) \times 2 + (10 + 6) \times 2 \times 8 = 352(\text{cm}^2)$

17

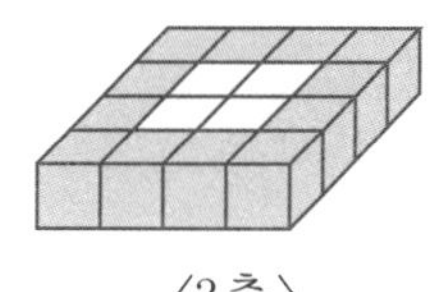

〈2층〉

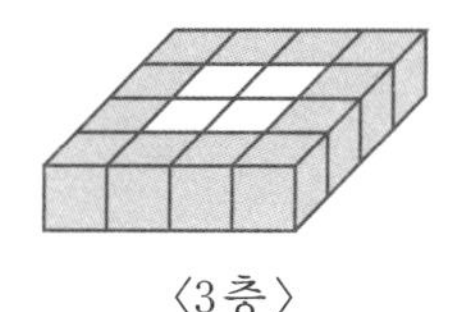

〈3층〉

한 면도 페인트가 칠해지지 않는 쌓기나무는 2층에 4개, 3층에 4개로 모두 8개입니다.

18 먼저 마주 보고 있는 면의 숫자를 알아봅니다. 1과 3, 2와 4, 5와 6이 마주 보고 있으므로 보이지 않는 뒷면의 숫자의 합은 $1+6+4+5+3+3+1+5+2=30$ 입니다.

19

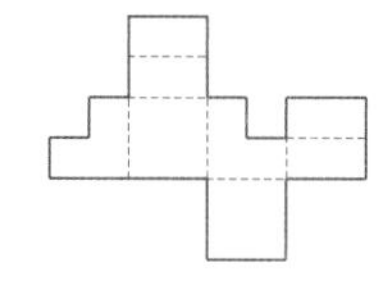

20

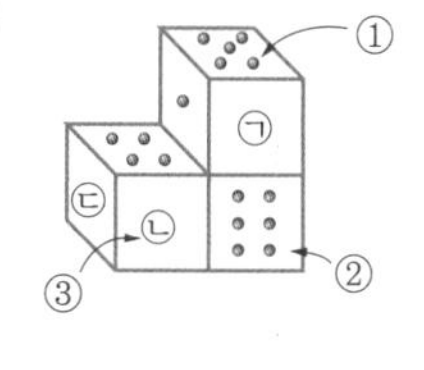

① 주사위의 아랫면의 눈의 수는 2이고, 오른쪽 옆면의 눈의 수는 6이므로 ㉠의 눈의 수는 3이 되고, ② 주사위의 윗면의 눈의 수는 4가 됩니다.

따라서 ② 주사위의 왼쪽 옆면의 눈의 수는 5이고, ③ 주사위의 오른쪽 옆면의 눈의 수는 1이 됩니다. 그러므로 ㉡의 눈의 수는 2, ㉢의 눈의 수는 6입니다.

왕중왕 문제 122~127

1 ④, ⑤

2 가와 라, 나와 마, 다와 바

3 풀이 참조

4 A의 맞은편 : F, B의 맞은편 : E, C의 맞은편 : D

5 (그림)

6 C

7 풀이 참조

8 168개

9 풀이 참조

10 풀이 참조

11 풀이 참조

12 (1) 마름모 (2) 풀이 참조

13 4가지

14 ①, ③

15 점 ㅋ

16 176 cm

17 9가지

18 116

19 $170.88\ \text{cm}^2$

20 7번

[풀이]

1 전개도를 접으면 각각 다음과 같은 모양이 나와야 합니다.

①   ②  ③  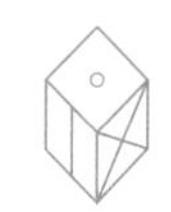

2

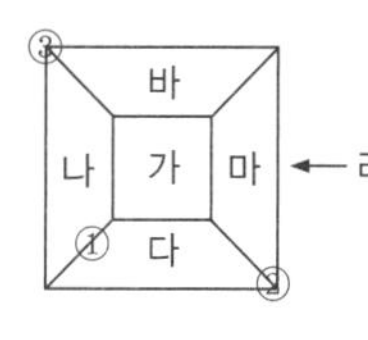

[그림 1]은 ①의 위치에서 본 겨냥도이고 [그림 2]는 ②의 위치에서 본 겨냥도이며 [그림 3]은 ③의 위치에서 본 겨냥도입니다.

3

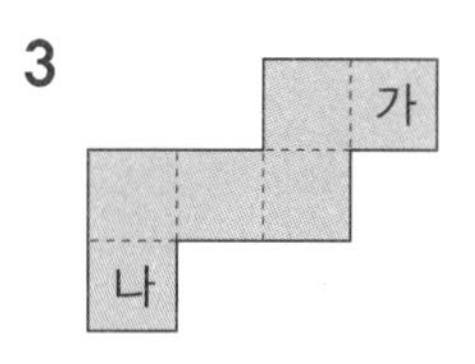

4 각각의 정육면체를 보고 오른쪽 그림에 문자를 정리합니다. 맨 위의 정육면체는 ①의 위치에서 본 모양, 아래의 왼쪽에 있는 정육면체는 ②의 위치에서 본 모양, 아래의 오른쪽에 있는 정육면체는 ③의 위치에서 본 모양을 나타냅니다.

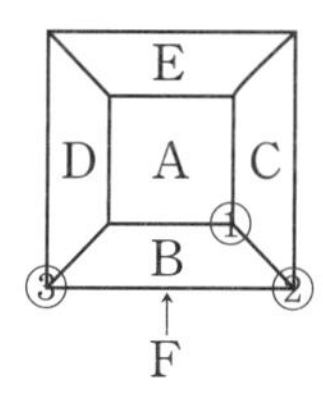

5 전개도를 그리면 다음과 같습니다.

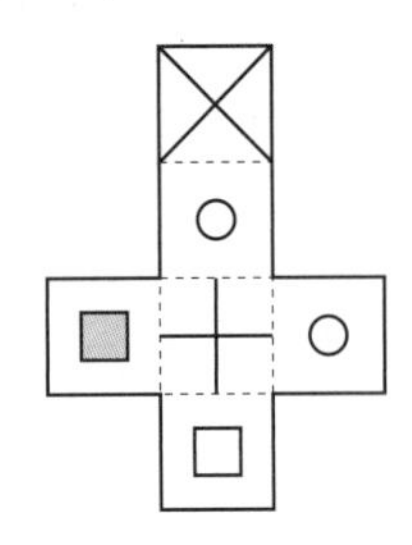

6 처음 정육면체는 오른쪽 그림 ① 번의 위치에서 본 모양입니다.
두 번째 정육면체는 ②번의 위치에서 본 모양입니다.
세 번째 정육면체는 ③번의 위치에서 본 모양이므로
C가 두 번 쓰여져 있습니다.

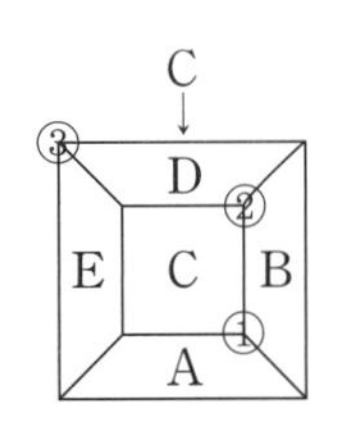

7 정육면체에 있는 문자를 나타내면 오른쪽과 같습니다.

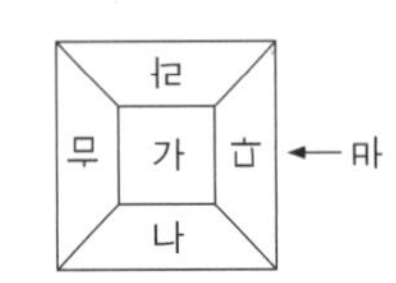

이 정육면체를 펼쳐서 전개도로 나타내면 다음과 같습니다.

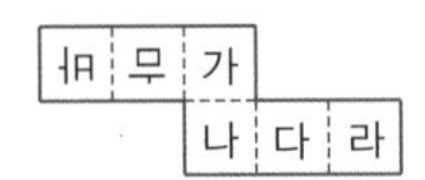

8 위에서 보이는 쌓기나무가 42개이므로 가로, 세로의 쌓기나무의 개수는 다음 중 하나입니다.

가로	1	2	3	6	7	14	21	42
세로	42	21	14	7	6	3	2	1

앞에서 보이는 쌓기나무가 28개이므로 가로, 높이의 쌓기나무의 개수는 다음 중 하나입니다.

가로	1	2	4	7	14	28
높이	28	14	7	4	2	1

옆에서 보이는 쌓기나무의 개수가 24개이므로 가로의 개수가 같으면서 (세로)×(높이)=24가 되는 경우를 찾으면 됩니다.
따라서 (가로)=7, (세로)=6, (높이)=4이므로 7×6×4=168(개)입니다.

9

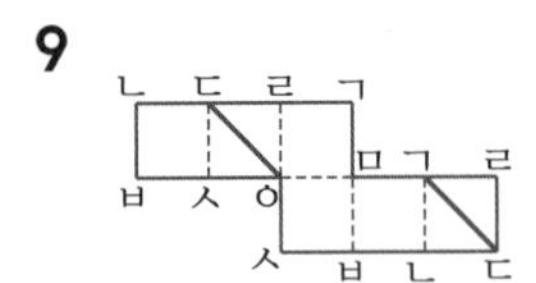

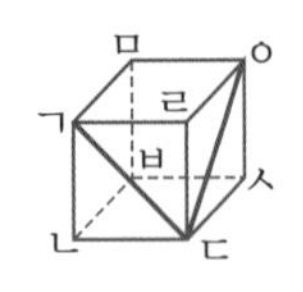

10

11 (1)

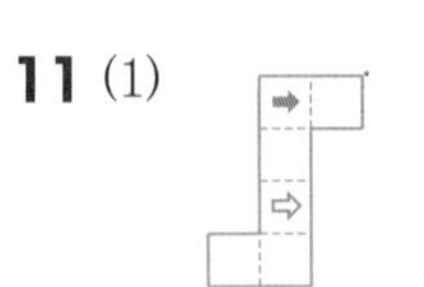

(2)

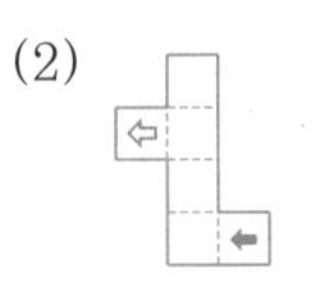

(3)

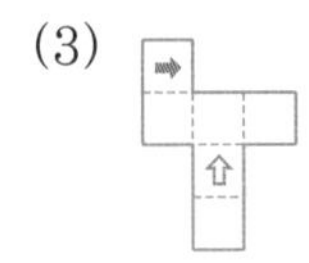

12 (1)

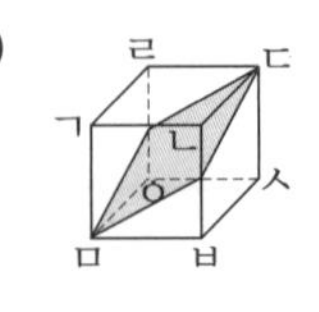

(2)

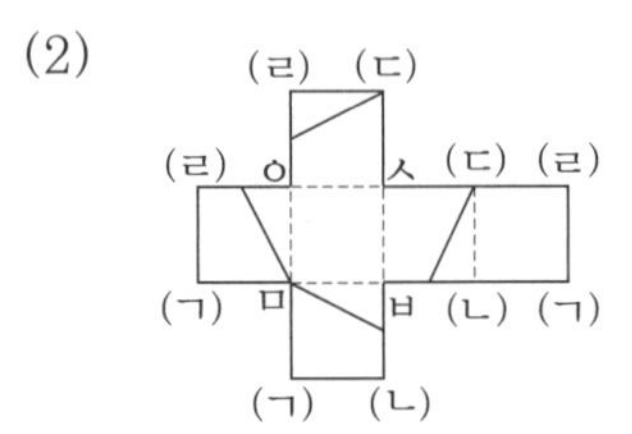

13

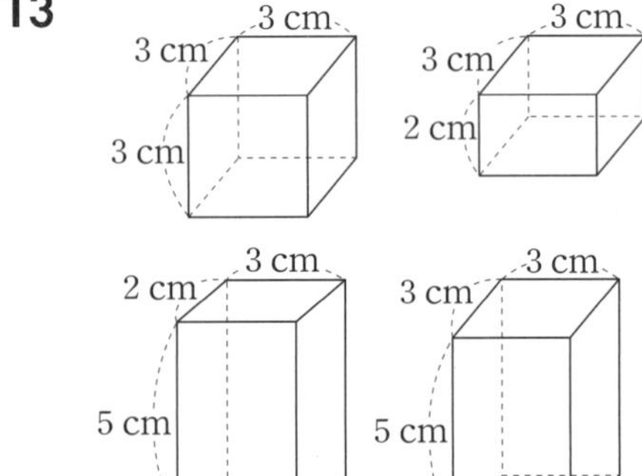

14 ②

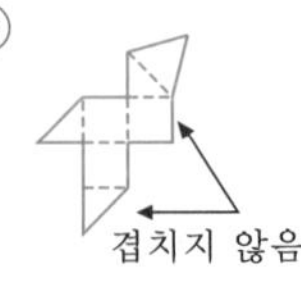

④

⑤

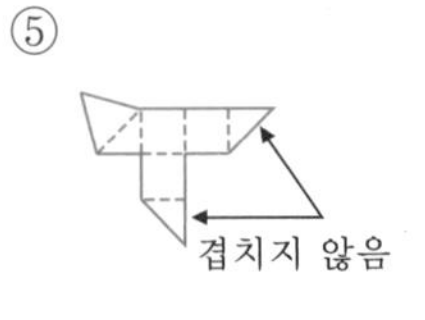

15 전개도를 접으면 오른쪽과 같은 입체도형이 됩니다.

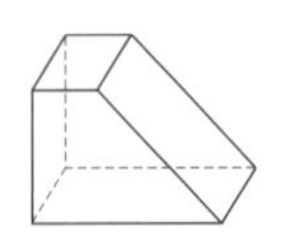

16

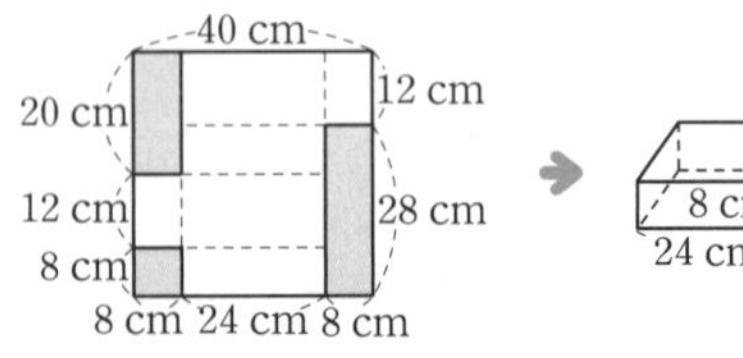

직육면체의 모서리의 길이의 합은
(24+12+8)×4=176(cm)입니다.

17 (가로로 자르는 횟수, 세로로 자르는 횟수)라 하면 (1, 0), (3, 0), (7, 0), (1, 1), (1, 3), (1, 7), (3, 3), (3, 7), (7, 7)
따라서 9가지 방법으로 자를 수 있습니다.

18 겉면의 눈의 합이 가장 크려면 안쪽에 겹쳐지는 수들은 가장 작아야 합니다.

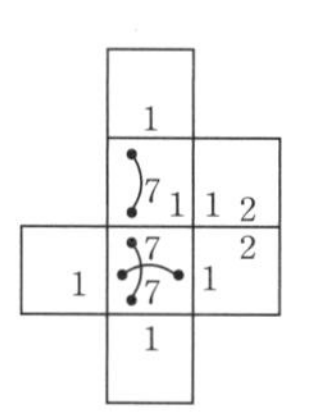

$(1+2+3+4+5+6)\times7$
$-(7\times3+1\times6+2\times2)=116$

19

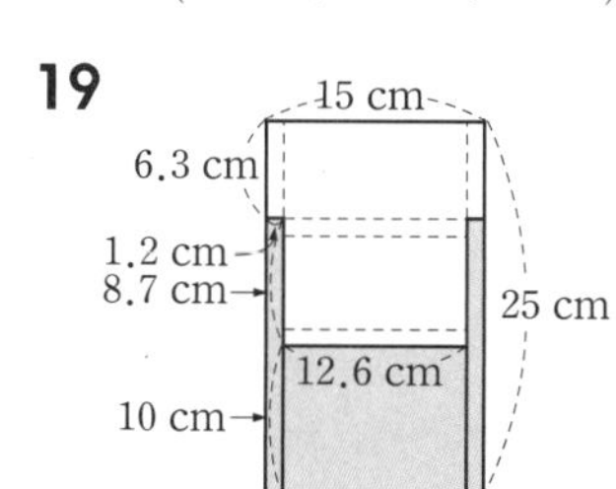

(색칠한 부분의 넓이)
$=1.2\times18.7\times2+12.6\times10$
$=170.88(\text{cm}^2)$

20 두 번씩 자를 때 1개, 세 번씩 자를 때 8개, 네 번씩 자를 때 27개의 페인트가 칠해져 있지 않은 정육면체가 생기므로 □번씩 자를 때마다 $(□-1)\times(□-1)\times(□-1)$개가 나타납니다.
따라서 $6\times6\times6=216$이므로 7번씩 잘라야 합니다.

search 탐구 131

풀이

24, 18, 18, 24, 12, 108

답 108

EXERCISE 1

1 76 cm　　**2** 108 m
3 120 cm

[풀이]

1

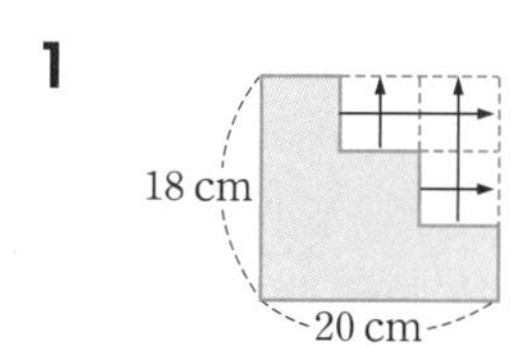

왼쪽 도형의 둘레의 길이는 가로 20 cm, 세로 18 cm인 직사각형의 둘레의 길이와 같음을 알 수 있습니다.
$(18+20)\times2=76(\text{cm})$

2

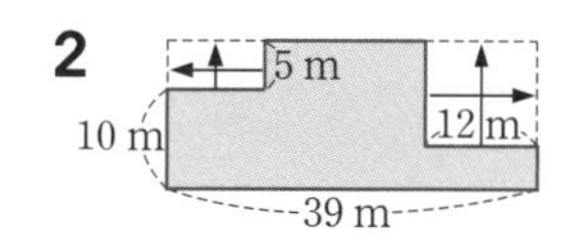

왼쪽 도형의 둘레의 길이는 가로 39 m, 세로 15 m인 직사각형의 둘레의 길이와 같음을 알 수 있습니다.
$(39+15)\times2=108(\text{m})$

3

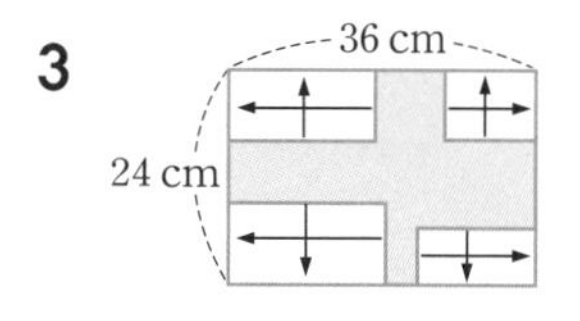

왼쪽 도형에서 색칠한 부분의 둘레의 길이는 가로 36 cm, 세로 24 cm인 직사각형의 둘레의 길이와 같음을 알 수 있습니다.
$(36+24)\times2=120(\text{cm})$

search 탐구 132

풀이

24, 6, 9, 8, 252 / 24, 6, 24, 16, 9, 252 / 24, 24, 16, 252

답 252

EXERCISE 2

1 74 cm^2　　**2** 430 cm^2
3 212.5 cm^2

[풀이]

1

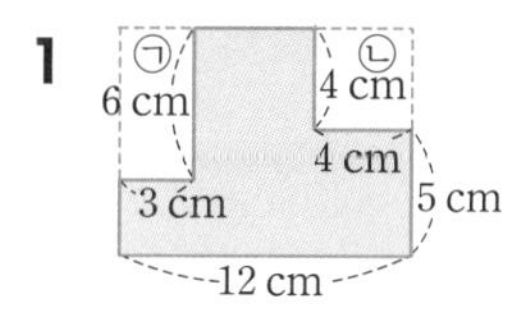

왼쪽 도형의 넓이는 가로 12 cm, 세로 9 cm인 직사각형의 넓이에서 ㉠ 부분과

㉡ 부분의 넓이의 합을 뺀 것과 같으므로
$(12\times9)-(6\times3+4\times4)=74(\text{cm}^2)$입니다.

2 왼쪽 도형에서 색칠한 부분의 넓이는 직사각형의 넓이에서 ㉠과 ㉡의 넓이의 합을 뺀 것과 같습니다.
㉠의 넓이는 $10\times6\div2=30(\text{cm}^2)$,
㉡의 넓이는 $12\times10\div2=60(\text{cm}^2)$이므로
$(26\times20)-(30+60)=430(\text{cm}^2)$입니다.

3

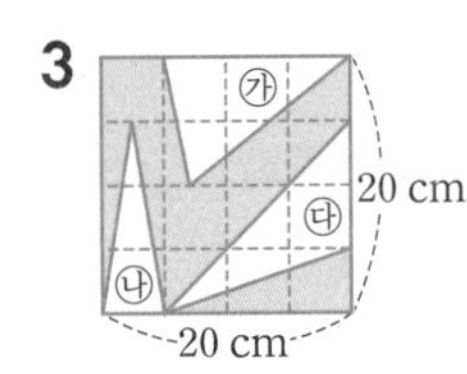

왼쪽 도형에서 색칠한 부분의 넓이는 한 변의 길이가 20 cm인 정사각형의 넓이에서 ㉮, ㉯, ㉰의 넓이의 합을 뺀 것과 같으므로
$(20\times20)-\{(15\times10\div2)+(5\times15\div2)+(10\times15\div2)\}$
$=212.5(\text{cm}^2)$

search 탐구 133

풀이

5, 8, 5, 8, 68

답 68

EXERCISE 3

1 $\frac{5}{24}$ **2** 48 cm^2
3 270 cm^2

[풀이]

1 삼각형 ㄱㄴㄷ의 넓이는 사다리꼴 ㄱㄴㄷㄹ의 넓이의 $\frac{5}{8}$이고, 삼각형 ㄴㅁㅂ의 넓이는 삼각형 ㄱㄴㄷ의 넓이의 $\frac{1}{3}$이므로 색칠한 부분의 넓이는 전체의 $\frac{5}{8}\times\frac{1}{3}=\frac{5}{24}$입니다.

2 한 변이 8 cm인 정사각형의 넓이에서 두 대각선의 길이가 4 cm인 마름모 2개의 넓이를 빼서 구합니다.
$(8\times8)-\{(4\times4\div2)\times2\}=64-16=48(\text{cm}^2)$

3 $24\times30\div2-(12\times15\div2)=360-90=270(\text{cm}^2)$

왕 문제 134~139

1 20 cm^2	**2** 30 m^2
3 144 cm^2	**4** 54 cm^2
5 308 m^2	**6** 34 cm
7 140 m^2	**8** 204 cm^2
9 64 cm^2	**10** 36 cm^2
11 1 cm^2	**12** 5 cm
13 18 cm^2	**14** 12 cm
15 112 cm	**16** 80 cm^2
17 40 cm^2	**18** 440 cm^2
19 6560 cm^2	**20** 36 cm^2

[풀이]

1 삼각형 ㄹㄴㄷ의 넓이는 240 cm^2의 반이므로 120 cm^2이고, 삼각형 ㅁㄴㄷ의 넓이는 120 cm^2의 반이므로 60 cm^2입니다.
삼각형 ㅁㅅㄷ의 넓이는 60 cm^2의 $\frac{1}{3}$이므로
$60\div3=20(\text{cm}^2)$입니다.

2

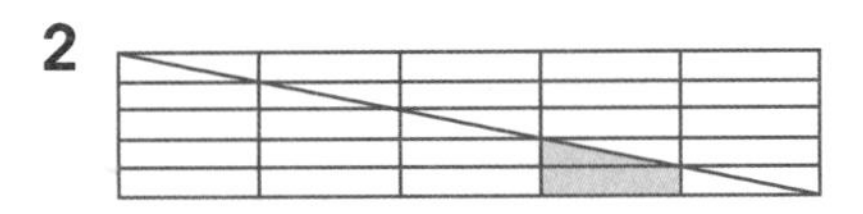

색칠한 부분은 정사각형의 넓이의 $\frac{3}{10}$이므로
넓이는 $10\times10\times\frac{3}{10}=30(\text{m}^2)$입니다.

3 삼각형 ㄱㄴㄷ의 넓이가 120 cm^2이므로 변 ㄴㄷ의 길이는 $120\times2\div10=24(\text{cm})$입니다.
따라서 삼각형 ㄴㄷㄹ의 넓이는
$24\times12\div2=144(\text{cm}^2)$입니다.

4 삼각형 ㄱㄴㄹ의 넓이가 225 cm^2이므로
선분 ㄱㄹ의 길이는 $225\times2\div15=30(\text{cm})$이고,
선분 ㅁㄹ의 길이는 $30-18=12(\text{cm})$입니다.
따라서 삼각형 ㅂㄷㄹ의 넓이는
$9\times12\div2=54(\text{cm}^2)$입니다.

5

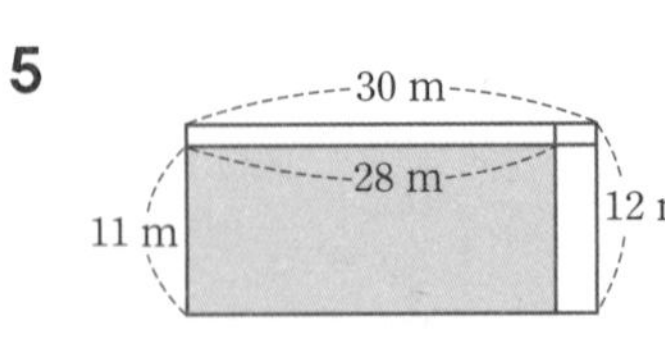

그림과 같이 모양을 변형시키면 밭의 넓이는 색칠한 부분의 넓이를 구하는 것과 같아지므로 $28\times11=308(\text{m}^2)$입니다.

6 삼각형 ㄱㄴㄷ과 사다리꼴 ㄱㅁㅂㄹ의 높이는 서로 같으므로 삼각형의 밑변의 길이와 사다리꼴의

윗변과 아랫변의 길이의 합이 서로 같으면 두 도형의 넓이는 같게 됩니다.
변 ㄴㄷ의 길이는 $12+50=62$(cm)
변 ㅁㅂ의 길이는 $40-12=28$(cm)
따라서 변 ㄱㄹ의 길이는 $62-28=34$(cm)입니다.

7

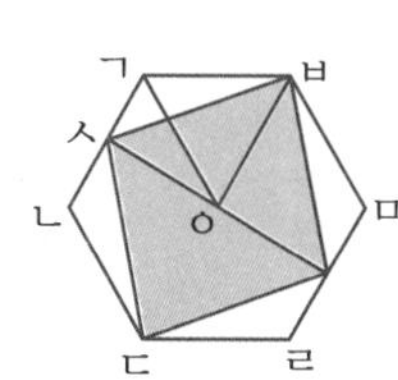

마름모의 $\frac{1}{4}$인 삼각형 ㅂㅅㅇ의 넓이가 정육각형의 $\frac{1}{6}$인 삼각형 ㅂㄱㅇ의 넓이와 같으므로 마름모의 넓이는 정육각형의 넓이의 $\frac{4}{6}$에 해당합니다.
마름모의 넓이는 $210\times\frac{4}{6}=140$(m^2)입니다.

8 색칠한 부분을 2개의 삼각형으로 나누어 넓이를 구합니다.
$6\times28\div2+24\times10\div2=204$(cm^2)

9

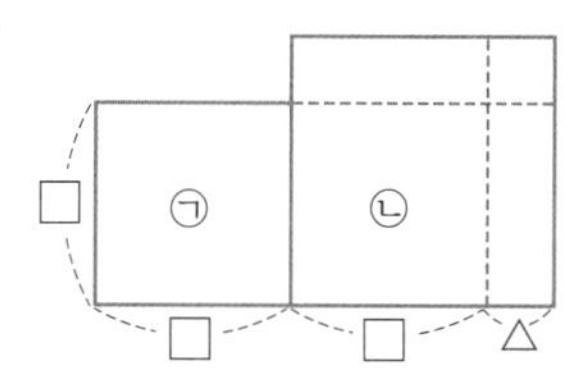

㉠과 ㉡의 넓이가 같다고 하면,
$\triangle\times14=28$, $\triangle=2$(cm)입니다.
$2+2\times\square=14$, $\square=6$(cm)
따라서 큰 정사각형의 넓이는 $8\times8=64$(cm^2)입니다.

10

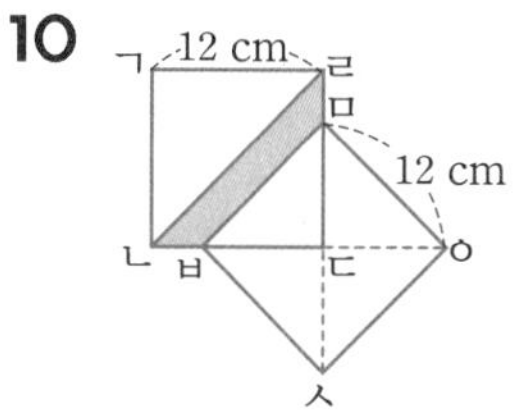

삼각형 ㄹㄴㄷ은 정사각형 넓이의 $\frac{1}{2}$, 삼각형 ㅁㅂㄷ은 정사각형 넓이의 $\frac{1}{4}$이므로 색칠한 부분의 넓이는 정사각형 넓이의 $\frac{1}{2}-\frac{1}{4}=\frac{1}{4}$입니다.
따라서 $12\times12\times\frac{1}{4}=36$(cm^2)입니다.

11 삼각형 ㄱㄴㄷ의 넓이가 64 cm^{2}이므로 삼각형 ㄹㅁㅂ의 넓이는 64의 $\frac{1}{4}$인 $64\div4=16$(cm^2)입니다.
삼각형 ㅅㅇㅈ의 넓이는 $16\div4=4$(cm^2), 색칠한 삼각형의 넓이는 $4\div4=1$(cm^2)입니다.

12 삼각형 ㄱㄴㄹ과 삼각형 ㅂㄷㅁ은 서로 합동이므로 사다리꼴 ㄱㄴㄷㅅ과 사다리꼴 ㅅㄹㅁㅂ의 넓이는 같습니다.
(선분 ㅅㄹ의 길이)$=45\times2\div6-10=5$(cm)

13

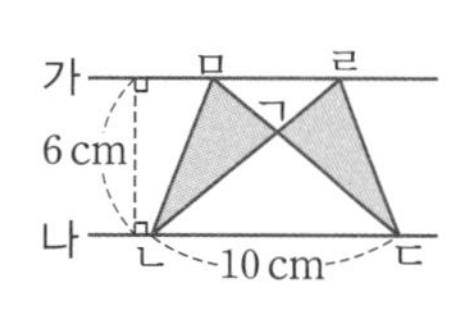

삼각형 ㅁㄴㄷ과 삼각형 ㄹㄴㄷ은 밑변의 길이와 높이가 같으므로 넓이가 같습니다. 또, 삼각형 ㄱㄴㄷ은 두 삼각형의 공통 넓이이므로 색칠한 두 삼각형의 넓이도 서로 같습니다.
색칠한 삼각형 하나의 넓이는
$(10\times6\div2)-21=9$(cm^2)이므로
색칠한 부분의 넓이는 $9\times2=18$(cm^2)입니다.

14 삼각형 ㄱㄴㅁ, 삼각형 ㅁㄴㅂ, 삼각형 ㅂㄴㄷ은 밑변과 높이가 같으므로 넓이가 같습니다.
그러므로 삼각형 ㄱㄴㄷ의 넓이는
$40\times3=120$(cm^2)입니다.
따라서 변 ㄱㄴ은 $120\times2\div20=12$(cm)입니다.

15 정사각형 1개의 넓이는 $288\div18=16$(cm^2)이므로 정사각형의 한 변의 길이는 4 cm입니다.
따라서 바깥 둘레의 길이는 $4\times28=112$(cm)입니다.

16

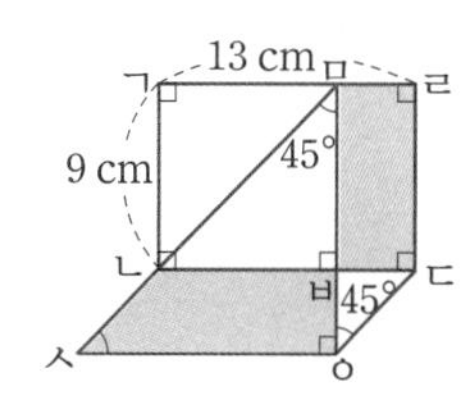

삼각형 ㅁㄴㅂ은 이등변삼각형이므로 선분 ㅁㅂ, 선분 ㄴㅂ은 9 cm, 선분 ㅂㄷ은 $13-9=4$(cm)입니다.
그러므로 사각형 ㅁㅂㄷㄹ의 넓이는
$4\times9=36$(cm^2)입니다.
삼각형 ㅁㅅㅇ도 이등변삼각형이므로 각 ㄴㅅㅇ은 45°가 되어 사각형 ㄴㅅㅇㄷ은 평행사변형입니다. 사각형 ㄴㅅㅇㅂ은 사다리꼴이므로 넓이는 $(9+13)\times4\div2=44$(cm^2)입니다.
따라서 색칠한 부분의 넓이는 $36+44=80$(cm^2)입니다.

17

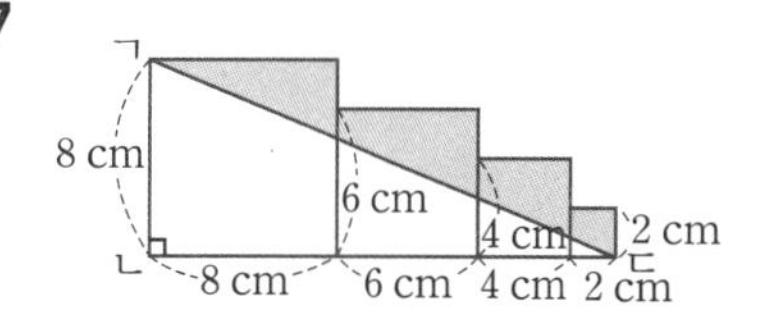

4개의 정사각형의 넓이의 합은
$(8\times8)+(6\times6)+(4\times4)+(2\times2)=120$(cm^2)이고
삼각형 ㄱㄴㄷ의 넓이는 $20\times8\div2=80$(cm^2)이므로 색칠한 부분의 넓이는 $120-80=40$(cm^2)

입니다.

18

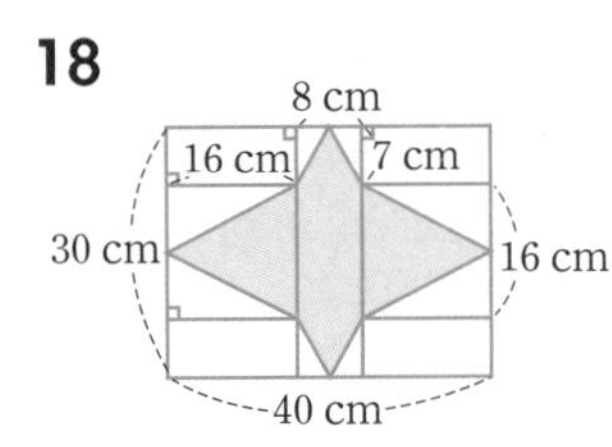

색칠한 도형은 좌우, 상하로 대칭이므로 넓이는 $\{(8\times7\div2)\times2\}+\{(16\times16\div2)\times2\}+(8\times16)=440$ (cm^2)입니다.

19

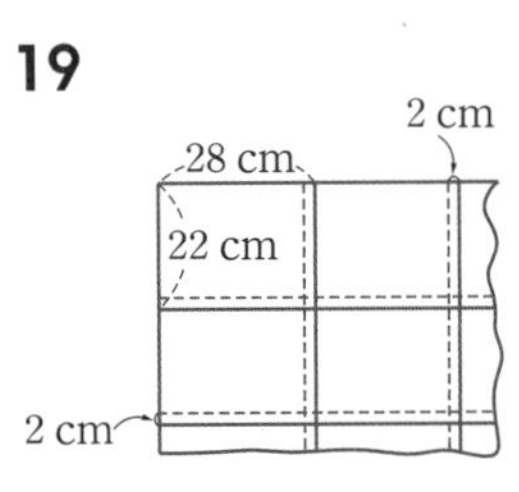

이어 붙인 종이의 가로는 $28\times3-2\times2=80(cm)$, 세로는 $22\times4-2\times3=82$ (cm)이므로 넓이는 $80\times82=6560(cm^2)$ 입니다.

20 ①과 ②의 한 변의 길이의 합은 22 cm이고, ①, ②, ③의 한 변의 길이의 합은 30 cm이므로 ③의 한 변의 길이는 $30-22=8(cm)$입니다. 따라서 색칠한 정사각형의 한 변의 길이는 $22-8\times2=6(cm)$이므로 색칠한 정사각형의 넓이는 $6\times6=36(cm^2)$입니다.

왕중왕문제 140~145

1 88 cm　**2** $15.5\ cm^2$
3 $75\ cm^2$　**4** $4.41\ cm^2$
5 둘레 : 178 m, 넓이 : $780\ m^2$
6 2 cm　**7** $1.5\ cm^2$
8 $16.5\ cm^2$　**9** 18배
10 (1) $144\ cm^2$　(2) $216\ cm^2$
11 $16\ cm^2$
12 (1) $45\ cm^2$　(2) $270\ cm^2$
13 $10\ cm^2$　**14** $22.5\ cm^2$
15 $160\ cm^2$　**16** $62.5\ cm^2$
17 (1) $48\ cm^2$　(2) 2 cm
18 풀이 참조　**19** 15초
20 $\frac{5}{17}$ cm

[풀이]

1 도형의 가로만의 길이 : $21\times2=42(cm)$
도형의 세로만의 길이 : $(3+12+8)\times2=46(cm)$
따라서 $42+46=88(cm)$입니다.

2 오른쪽 도형에서 점선 부분은 평행사변형이고, 그 안의 삼각형의 넓이는 평행사변형의 넓이의 $\frac{1}{2}$입니다.

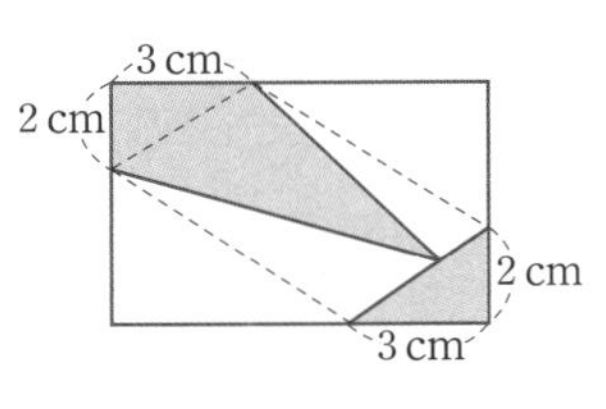

$2\times3+\{5\times8-(2\times3+3\times5)\}\times\frac{1}{2}=15.5(cm^2)$

3

$(180-30)\div2=75(cm^2)$

4 정사각형 ㅁㅂㄴㄹ의 한 변을 □ cm라고 하면
$20.4\times8.5\times\frac{1}{2}=22.1\times5.1\times\frac{1}{2}+20.4\times\square\times\frac{1}{2}$
$+8.5\times\square\times\frac{1}{2}$
$60.69=(20.4+8.5)\times\square$
$\square=2.1(cm)$
따라서 정사각형의 넓이는 $2.1\times2.1=4.41(cm^2)$입니다.

5

선분 ㄱㄴ의 길이 : $18-9=9(m)$
선분 ㄷㄹ의 길이 : $14-(18+9-24)=11(m)$
(도형의 둘레의 길이)
$=42\times2+27\times2+9\times2+11\times2$
$=84+54+18+22=178(m)$
(도형의 넓이)
$=42\times27-(9\times20+9\times8+3\times12+6\times11)$
$=1134-354$
$=780(m^2)$

6 높이가 주어지지 않은 도형의 넓이는 윗변의 길이와 아랫변의 길이의 합을 도형의 넓이라 가정하고 구하면 편리합니다.
전체 넓이는 $3+12=15$이므로
나의 넓이는 $15\div3=5$입니다.
따라서, ㉠의 길이는 $5-3=2(cm)$입니다.

7 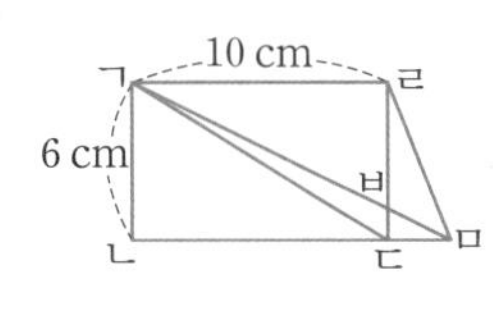

왼쪽 도형에서 삼각형 ㄱㄷㅁ과 삼각형 ㄹㄷㅁ의 넓이가 같으므로 삼각형 ㄱㄷㅂ과 삼각형 ㄹㅂㅁ의 넓이도 같습니다.

변 ㅂㄷ의 길이는 $6\times2\div10=1.2$(cm)이고

변 ㄷㅁ의 길이는 $6\times2\div(6-1.2)=2.5$(cm)이므로

삼각형 ㄷㅁㅂ의 넓이는

$1.2\times2.5\div2=1.5$(cm^2)입니다.

8 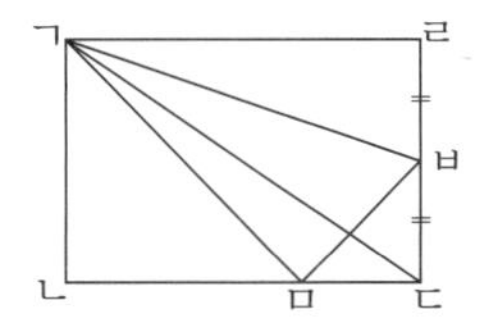

대각선 ㄱㄷ을 그으면 (삼각형 ㄱㄴㄷ의 넓이)=(삼각형 ㄱㄷㄹ의 넓이)=24 cm^{2}입니다.

삼각형 ㄱㄹㅂ의 넓이는 12 cm^{2}이므로

삼각형 ㄱㄷㅂ의 넓이는 12 cm^{2}입니다.

따라서 점 ㅂ은 변 ㄹㄷ을 이등분 한다는 것을 알 수 있습니다.

삼각형 ㄱㄴㅁ의 넓이는 15 cm^{2}이므로

삼각형 ㄱㅁㄷ의 넓이는 9 cm^{2}입니다.

따라서 삼각형 ㅁㅂㄷ의 넓이는 $9\div2=4.5$(cm^2)

이므로 삼각형 ㄱㅁㅂ의 넓이는

$48-(15+12+4.5)=16.5$(cm^2)입니다.

9 삼각형 ㄱㄴㄷ의 넓이를 1이라 하면

삼각형 ㅁㅂㄷ의 넓이는 $4\times2=8$

삼각형 ㄱㅂㄹ의 넓이는 $3\times2=6$

삼각형 ㅁㄴㄹ의 넓이는 $3\times1=3$

따라서 삼각형 ㅁㅂㄹ의 넓이는 $1+8+6+3=18$

이므로 18배입니다.

10 (1) 삼각형 ㄱㅂㅁ의 넓이가 96 cm^{2}이므로

변 ㅂㄴ은 $96\times2\div16=12$(cm)가 됩니다.

따라서 삼각형 ㄹㅂㄴ의 넓이는

$12\times24\div2=144$(cm^2)입니다.

(2) 삼각형 ㄹㅅㄷ의 넓이는 삼각형 ㄹㅁㄷ의 넓이에서 삼각형 ㄹㅁㅅ의 넓이를 뺀 값입니다.

삼각형 ㄹㅁㄷ의 넓이는

$24\times24\div2=288$(cm^2)이고,

삼각형 ㄹㅁㅅ의 넓이는 삼각형 ㄹㅁㄴ의 넓이에서 24 cm^{2}를 뺀 값이므로

$(8\times24\div2)-24=72$(cm^2)입니다.

따라서 삼각형 ㄹㅅㄷ의 넓이는

$288-72=216$(cm^2)입니다.

11 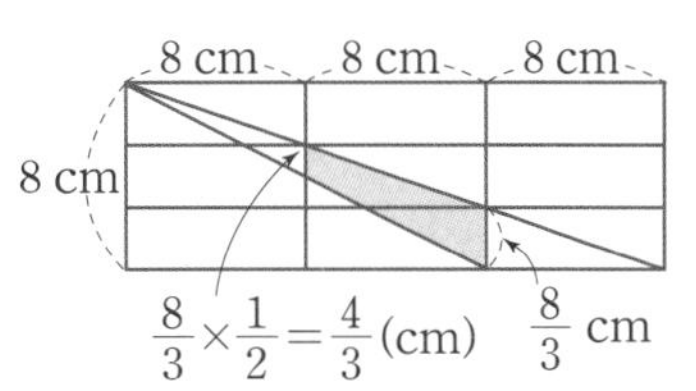

$\left(\frac{4}{3}+\frac{8}{3}\right)\times8\div2=16$(cm^2)

12 (1) ㉮와 ㉯의 합은 ㉰와 ㉱의 합과 같습니다.

㉰의 넓이를 □ cm^{2}라 하면 ㉮=□+45이고, ㉯의 넓이는 36 cm^{2}이므로

□+45+36=□+㉱, ㉱=81 cm^{2}입니다.

따라서 ㉱는 ㉯보다 $81-36=45$(cm^2) 더 넓습니다.

(2) ㉱의 넓이가 81 cm^{2}이므로 ㉱의 높이는

$81\times2\div18=9$(cm)이고,

㉯의 넓이가 36 cm^{2}이므로 ㉯의 높이는

$36\times2\div12=6$(cm)입니다.

따라서 평행사변형 전체의 높이는

$9+6=15$(cm)이므로 평행사변형의 넓이는

$18\times15=270$(cm^2)입니다.

13 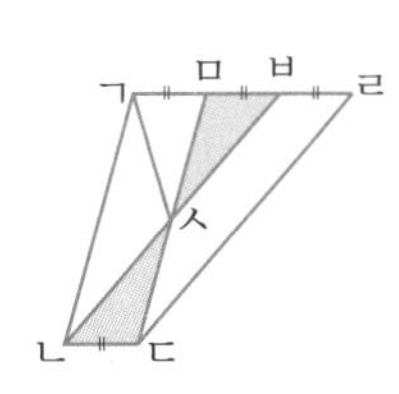

삼각형 ㄱㄴㅂ과 평행사변형 ㄱㄴㄷㅁ의 넓이가 같으므로 삼각형 ㅁㅅㅂ과 삼각형 ㅅㄴㄷ의 넓이는 같습니다. 또 삼각형 ㄱㅅㅁ과 삼각형 ㅁㅅㅂ의 넓이가 같으므로 색칠한 부분의 넓이는 $20\div2=10$(cm^2)입니다.

14 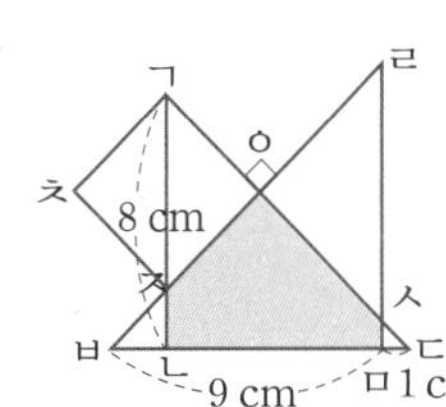

삼각형 ㄱㄴㄷ과 삼각형 ㄹㅁㅂ은 한 각이 직각인 이등변 삼각형이므로 선분 ㄷㅁ과 선분 ㅅㅁ의 길이는 1 cm입니다. 선분 ㄴㅁ은 7 cm, 선분 ㅈㄴ과 선분 ㅂㄴ은 각각 $9-7=2$(cm)이므로 선분 ㄱㅈ은 $8-2=6$(cm)입니다.

사각형 ㄱㅊㅈㅇ은 마름모이므로 삼각형 ㄱㅈㅇ의 넓이는 $6\times6\div2\div2=9$(cm^2)이고, 삼각형 ㅅㅁㄷ의 넓이는 $1\times1\div2=0.5$(cm^2)입니다.

따라서 색칠한 부분의 넓이는

$(8\times8\div2)-9-0.5=22.5$(cm^2)입니다.

15 $(12\times12+10\times10+8\times8)$

$-(5\times4\times2+6\times6\times2+2\times4\times2+4\times5)$

$=160(cm^2)$

16

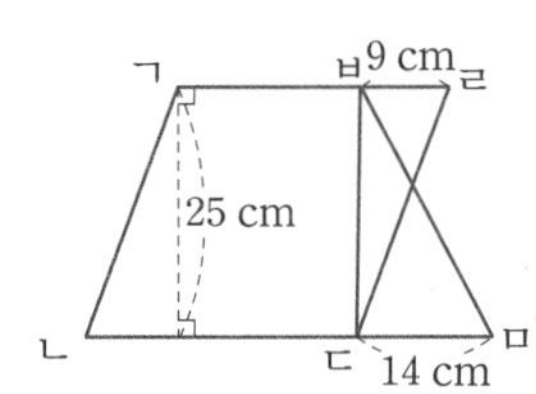

삼각형 ㅂㄷㅁ과 삼각형 ㄷㄹㅂ의 넓이를 비교합니다.

$(14\times25\div2)-(9\times25\div2)=62.5(cm^2)$

17 (1) (㉠의 넓이)+(㉡의 넓이)=$64(cm^2)$

−) (㉢의 넓이)+(㉡의 넓이)=$16(cm^2)$

(㉠의 넓이)−(㉢의 넓이)=$48(cm^2)$

(2) (㉠의 넓이)=(㉢의 넓이)×5 ⋯ ①

(㉠의 넓이)−(㉢의 넓이)=$48(cm^2)$ ⋯ ②

①과 ②식에서

(㉢의 넓이)×5−(㉢의 넓이)=$48(cm^2)$

(㉢의 넓이)×4=$48(cm^2)$

(㉢의 넓이)=$12(cm^2)$

㉡의 넓이가 $16-12=4(cm^2)$이므로

㉡의 한 변의 길이는 2 cm입니다.

18 만든 정사각형의 넓이가 $12\times9-8\times1=100(cm^2)$ 이므로 만든 정사각형의 한 변의 길이는 10 cm입니다. 이로부터 가로를 2 cm 줄이고 세로를 1 cm 늘려야 합니다.

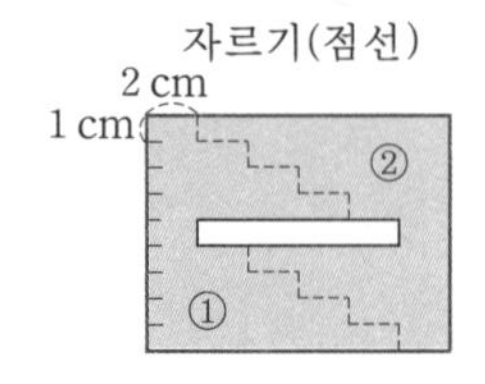

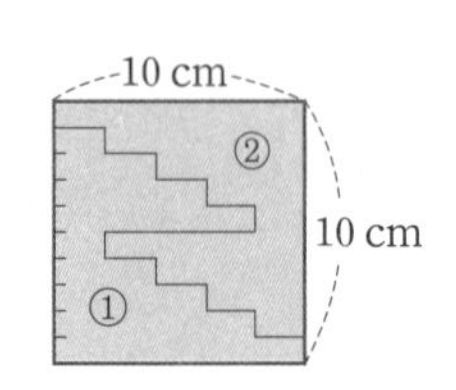

19

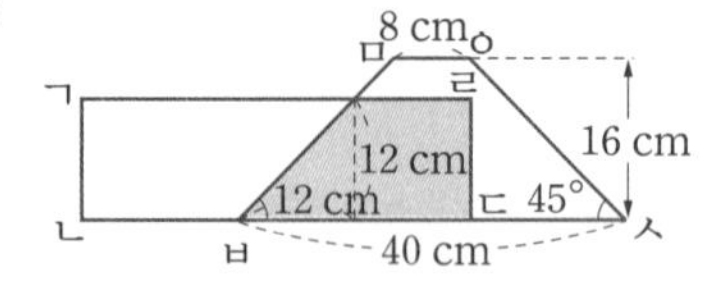

사다리꼴 ㅁㅂㅅㅇ의 넓이가

$(8+40)\times16\div2=384(cm^2)$이므로

겹쳐진 부분의 넓이는 $384\times\frac{1}{2}=192(cm^2)$입니다.

겹쳐진 사다리꼴의 윗변과 아랫변의 길이의 합은

$192\times2\div12=32(cm)$이므로

아랫변의 길이는 $(32+12)\div2=22(cm)$입니다.

따라서 걸린 시간은 $(8+22)\div2=15$(초) 후입니다.

20

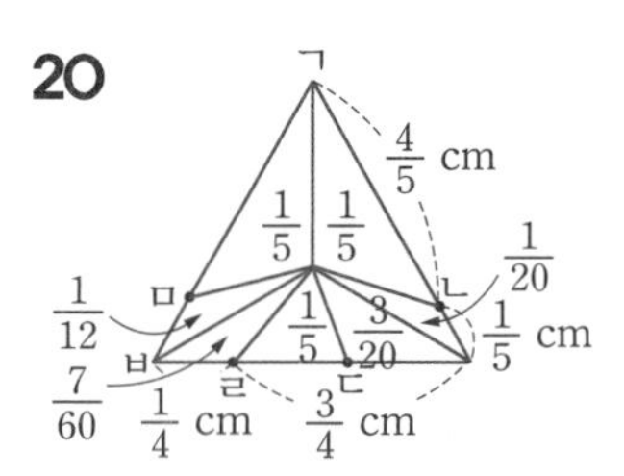

높이가 같은 두 삼각형의 넓이는 밑변의 길이에 따라 넓이가 결정됩니다.
전체 넓이를 1이라 가정하면 각각의 넓이는 왼쪽과 같습니다.

$\frac{1}{5}=\frac{12}{60}$, $\frac{1}{12}=\frac{5}{60}$이므로 선분 ㅁㅂ의 길이는

$\frac{5}{17}(cm)$입니다.

2. 수의 범위와 어림하기

search 탐구 147

풀이

115, 116, 117, 159, 160, 120, 132, 144, 156, 120, 132, 144, 156, 156

답 156

EXERCISE 1

1 6개

2 695명 초과 701명 미만

[풀이]

1 2로도 나누어떨어지고 9로도 나누어떨어지는 수는 18로 나누어떨어지는 수입니다.

$50\div18=2\cdots14$, $150\div18=8\cdots6$

따라서 $18\times3=54$, $18\times4=72$, ⋯, $18\times8=144$로 모두 6개입니다.

2 유승이네 학교 학생 수는 $139\times5+1=696$(명)부터 $140\times5=700$(명)까지이므로 695명 초과 701명 미만입니다.

search 탐구 148

풀이

49001, 50000, 49001, 49999, 999

답 999

EXERCISE 2

1 974400 **2** 3999

3 부족할 경우 : 49권, 남을 경우 : 50권

[풀이]

1 만들 수 있는 가장 큰 수는 974310이므로 올림하여 백의 자리까지 나타내면 974400입니다.

2 버림하여 몇천으로 나타낼 때 3000이 되는 자연수는 3000부터 3999까지입니다.

3 십의 자리에서 반올림하여 1200이 되는 수는 1150 이상 1250 미만의 범위에 있는 수입니다.
따라서 부족할 경우 1249−1200=49(권)
남을 경우 1200−1150=50(권)입니다.

왕 문제 149~154

1 ㉠, ㉡	**2** 10500원
3 2199800	**4** 10개
5 8개	**6** 999개
7 4개	**8** 24000원
9 25698자루	**10** 142
11 가장 작은 수 : 98, 가장 큰 수 : 107	
12 8700	**13** 50
14 4명	**15** ④
16 503000	**17** 5010000
18 149, 150, 151	**19** 38448권
20 (1) 15개	(2) 12개

[풀이]

1 ㉠ 3.38 ➡ 3.4　　㉡ 3.43 ➡ 3.4
㉢ 3.48 ➡ 3.5　　㉣ 3.55 ➡ 3.6
㉤ 3.67 ➡ 3.7

2 추가 요금을 낸 횟수는 (200−60)÷30=4⋯20에서 5번입니다.
(주차 요금)=3000+1500×5=10500(원)

3 ㉠ 2200000　㉡ 2190800　㉢ 2191000
㉠+㉡−㉢=2200000+2190800−2191000
=2199800

4 가장 작은 수 : 6995, 가장 큰 수 : 7004
따라서 (7004−6995)+1=10(개)입니다.

5 $0.5=\frac{1}{2}$, $0.8=\frac{4}{5}$이므로 $\frac{1}{2}$보다 크고 $\frac{4}{5}$보다 작은 수들 중에서 분모가 10보다 작은 기약분수는 $\frac{2}{3}$, $\frac{3}{4}$, $\frac{3}{5}$, $\frac{4}{7}$, $\frac{5}{7}$, $\frac{5}{8}$, $\frac{5}{9}$, $\frac{7}{9}$로 8개입니다.

6 가장 작은 수 : 39001, 가장 큰 수 : 39999
따라서 (39999−39001)+1=999(개)입니다.

7 만들 수 있는 두 자리 수 중 6의 배수는 24, 36, 42, 48, 54, 84입니다.
이 수 중 30 초과 60이하인 수는 36, 42, 48, 54로 4개입니다.

8 500×29=14500(원)
100×86=8600(원)
50×12=600(원)
10×48=480(원)
따라서 모두 24180원이고 1000원짜리 24장으로 24000원을 바꿀 수 있습니다.

9 야구장에 온 관람객은 12750명부터 12849명까지입니다.
따라서 볼펜은 최소한 12849×2=25698(자루)를 준비해야 합니다.

10 • 4명씩 앉을 경우 : 4×18=72(명)
마지막 의자에 한 명이 앉을 경우 :
72−3=69(명)
• 6명씩 앉을 경우 : 6×12=72(명)
마지막 의자에 한 명이 앉을 경우 :
72−5=67(명)
따라서 두 조건을 만족하는 학생 수는 69명 이상 73명 미만입니다.
➔ ㉠+㉡=69+73=142

11 일의 자리에서 반올림하여 120이 되는 수는 115부터 124까지입니다.
따라서 가장 작은 수는 115−17=98,
가장 큰 수는 124−17=107입니다.

12 올림 : 8601부터 8700까지
버림 : 8700부터 8799까지
반올림 : 8650부터 8749까지
따라서 항상 8700이 되는 자연수는 8700입니다.

13 십의 자리에서 반올림하여 3000이 되는 수는 2950 이상 3050 미만인 수입니다.
(자연수라는 조건이 없으므로 2950 이상 3049 이하라고 하면 안 됩니다.)

또, 버림하여 천의 자리까지 나타내어 2000이 되는 경우는 2000 이상 3000 미만인 수입니다.
따라서 두 조건을 모두 만족하는 수는
2950 이상 3000 미만인 수입니다.
즉, ㉠=2950, ㉡=3000이므로 ㉠과 ㉡의 차는 3000−2950=50입니다.

14 무게가 2 kg 초과 5 kg 이하인 소포를 가진 사람은 지혜, 가영, 석기, 신영으로 모두 4명입니다.

15 ① 3225÷100=32 ⋯ 25 ➡ 32묶음
② 82÷3=27 ⋯ 1 ➡ 28개
③ 289÷10=28 ⋯ 9 ➡ 29회
④ 328÷12=27 ⋯ 4 ➡ 27타
⑤ 632÷20=31 ⋯ 12 ➡ 31상자

16 50만에 가장 가까운 수는 502479이므로 올림하여 천의 자리까지 나타내면 503000입니다.

17 500만에 가장 가까운 수는 5012349이므로 천의 자리에서 반올림하면 5010000이 됩니다.

18 일의 자리에서 반올림하여 600이 되는 수는 595에서 604까지입니다. 이 중 4로 나누어떨어지는 수는 596÷4=149, 600÷4=150, 604÷4=151입니다. 따라서 어떤 수가 될 수 있는 자연수는 149, 150, 151입니다.

19 한 상자 속의 공책 수 : 12×12=144(권)
38548÷144=267 ⋯ 100이므로 267상자를 만들 수 있습니다.
따라서 공책 수는 267×144=38448(권)입니다.

20 가장 적을 때의 입장객 수 : 1245명
가장 많을 때의 입장객 수 : 1254명
준비한 기념품 수 : 3750개
(1) 3750−1245×3=15(개)
(2) 1254×3−3750=12(개)

왕중왕 문제 155~160

1 ㉢, ㉠, ㉡, ㉣
2 십의 자리의 숫자 : 5, 백의 자리의 숫자 : 8
3 백의 자리, 만의 자리의 숫자 : 5
천의 자리의 숫자 : 7
4 1599 **5** 210
6 최소 : 157개, 최대 : 260개
7 480000
8 3249개 **9** 24개
10 5.2 kg 초과 8.2 kg 이하
11 11735 **12** 4분 30초
13 가 : 3400, 나 : 2349 **14** 2.464
15 185
16 갑 : 반올림, 을 : 올림, 병 : 버림
17 36500 **18** 147

[풀이]

1 ㉠ 53049÷41=1293 ⋯ 36 ¤ 1294대
㉡ 634×2=1268 ¤ 1268자루
㉢ 42371÷30=1412 ⋯ 11 ¤ 1412개
㉣ 1245

2 십의 자리에서 반올림하여 34900이 되는 수는 34850부터 34949까지이고, 일의 자리에서 반올림하여 34850이 되는 수는 34845부터 34854까지입니다.
따라서 두 가지를 모두 만족시키는 수는 34850부터 34854까지이므로 십의 자리의 숫자는 5, 백의 자리의 숫자는 8입니다.

3 끝의 3자리가 0이 되려면 백의 자리에서 반올림을 하여야 합니다. 또 백의 자리의 숫자 5가 반올림하여 올려지므로 천의 자리의 숫자는 7이고, 만의 자리의 숫자는 5입니다.

4 반올림하여 백의 자리까지 나타낼 때 2700이 되는 자연수는 2650부터 2749까지이고, 반올림하여 백의 자리까지 나타낼 때 1200이 되는 자연수는 1150부터 1249까지입니다. 따라서 두 수의 차 중 가장 큰 수는 2749−1150=1599입니다.

5 ㉮는 ㉰보다 25 큰 수이므로 ㉰의 수의 범위에 25를 더하면 ㉮의 수의 범위는 383+25=408 이상 415+25=440 미만인 수입니다.

㉮＝㉯×8, ㉮÷8＝㉯이므로 ㉯의 수의 범위는 408÷8＝51 이상 440÷8＝55 미만인 수입니다.
따라서 ㉯가 될 수 있는 수는 51, 52, 53, 54이므로 합을 구하면 210입니다.

6 782÷5＝156 … 2이므로 참가한 학교 수는 최소 157개이고 782÷3＝260 … 2이므로 참가한 학교 수는 최대 260개입니다.

7 ㉠㉡㉢827을 천의 자리에서 반올림하면 650000이므로 ㉠은 6입니다.
또한 ㉢이 5보다 작으면 ㉡은 5이고 ㉢이 5보다 크면 ㉡은 4입니다.
㉢㉠㉡827을 천의 자리에서 반올림하면 760000이므로 ㉢은 7입니다.
따라서 ㉠＝6, ㉡＝4, ㉢＝7이므로 ㉡㉢㉠827은 476827이고 천의 자리에서 반올림하면 480000입니다.

8 지난해 생산한 인형의 수의 범위는 49500개부터 50499개까지이고, 올해 생산한 인형의 수의 범위는 47250개부터 47349개까지입니다.
따라서 지난해 50499개, 올해 47250개일 때, 차가 50499－47250＝3249(개)로 가장 큽니다.

9 만의 자리의 숫자가 6인 경우 천의 자리에는 2 또는 3이 올 수 있습니다.
62□□□ ➔ 62753, 62735, 62573, 62537, 62375, 62357
63□□□ ➔ 63752, 63725, 63572, 63527, 63275, 63257
만의 자리의 숫자가 5인 경우 천의 자리에는 6 또는 7이 올 수 있습니다.
56□□□ ➔ 56732, 56723, 56372, 56327, 56273, 56237
57□□□ ➔ 57632, 57623, 57362, 57326, 57263, 57236
따라서 구하는 수는 모두 24개입니다.

10 59.2 kg은 57 kg 이상 60 kg 미만에 속하므로 라이트급입니다.
라이트급에서 두 체급을 낮추면 밴텀급이고 밴텀급은 51 kg 이상 54 kg 미만입니다.
따라서 59.2－51＝8.2(kg)이고 59.2－54＝5.2(kg)이므로 권투 선수가 감량해야 하는 몸무게의 범위는 5.2 kg 초과 8.2 kg 이하입니다.

11 올림 : 2341부터 2350까지
버림 : 2340부터 2349까지
반올림 : 2345부터 2354까지
따라서 어떤 수가 될 수 있는 수는
2345, 2346, 2347, 2348, 2349이므로
2345＋2346＋2347＋2348＋2349＝11735입니다.

12 지구에서 화성까지의 거리를 올림하여 백만의 자리까지 나타내면 81000000 km, 빛이 1초에 가는 거리를 반올림하여 만의 자리까지 나타내면 300000 km입니다.
따라서 빛이 화성에서 지구까지 오는 데에는 81000000÷300000＝270(초) ➔ 4분 30초가 걸립니다.

13 어림한 두 수의 합이 5700, 차가 1100이므로 가를 어림한 수는 3400, 나를 어림한 수는 2300임을 알 수 있습니다. 가의 범위는 3301부터 3400까지이고, 나의 범위는 2250부터 2349까지이므로 가, 나가 될 수 있는 가장 큰 수는
각각 3400, 2349입니다.

14 소수 둘째 자리에서 반올림해서 24.6이 되는 수는 24.55부터 24.64까지입니다. 이 수는 어떤 수에 10배 한 수이므로 1000배 한 수는 2455부터 2464까지입니다.
따라서 2455÷14＝175 … 5, 2464÷14＝176이므로 2464÷1000＝2.464입니다.

15 ㉯＝㉮＋8, ㉰＝㉯－4＝㉮＋4이므로
세 수의 합 ㉮＋㉯＋㉰＝3×㉮＋12입니다.
세 수의 합은 565, 566, 567, 568, 569 중 하나이므로 ㉮×3은 553, 554, 555, 556, 557 중 하나입니다.
㉮×3은 3의 배수이므로 ㉮×3＝555에서
㉮＝185입니다.

16 갑, 을, 병은 각각 올림, 버림, 반올림 중 각각 한 가지 방법으로 나타낸 것입니다. ㉠과 ㉡에서 병은 항상 작은 수가 나오므로 버림에 의해서, 을은 항상 큰 수가 나오므로 올림에 의해서 어림한 것입니다. 따라서 갑은 반올림에 의해서 어림한 것입니다.

17 어떤 수가 될 수 있는 수의 범위는
갑 : 17500에서 18499까지
을 : 18001에서 19000까지

병 : 18000에서 18999까지
어떤 자연수가 될 수 있는 수의 범위는 18001에서 18499까지이고, 이 중 가장 큰 수는 18499, 가장 작은 수는 18001입니다.
따라서 $18499+18001=36500$입니다.

18 7로 나눈 후 일의 자리에서 반올림하여 20이 되는 수는 15부터 24까지이므로 어떤 수가 될 수 있는 수는 $15\times7=105$부터 $24\times7=168$까지입니다. 3으로 나눈 후 일의 자리에서 반올림하여 50이 되는 수는 45부터 54까지이므로 어떤 수가 될 수 있는 수는 $45\times3=135$부터 $54\times3=162$까지입니다. 따라서 135부터 162까지의 수 중에서 3과 7로 나누어떨어지는 수는 147입니다.

1. 평균과 가능성

search 탐구 163

풀이

(1) 1460, 3660, 12840 (2) 12840, 2568
(3) 12840, 161

답 (1) 12840 (2) 2568 (3) 161

EXERCISE 1

1 94, 552 **2** 38 kg
3 95 km

[풀이]

1 합계 : $92\times6=552$(점)
수학 점수 : $552-(96+92+94+88+88)=94$(점)

2 $(39+42+31+35+40+34+36+38+37+48)\div10$
$=380\div10=38$(kg)

별해

몸무게가 가장 가벼운 사람을 기준으로 하여 남은 양의 평균을 구하여 더합니다. 가장 가벼운 사람이 31 kg이므로
$31+(8+11+0+4+9+3+5+7+6+17)\div10$
$=38$(kg)

3 $380\div4=95$(km)

search 탐구 164

풀이

10, 6, 3, 10, 6, 3, 13, $\frac{13}{20}$

답 $\frac{13}{20}$

EXERCISE 2

1 $\frac{2}{5}$ **2** $\frac{1}{6}$

[풀이]

1 ㉮ 주머니에서 흰공이 나올 가능성은 $\frac{4}{5}$이고, ㉯ 주머니에서 흰공이 나올 가능성은 $\frac{2}{5}$이므로 흰공이 나올 가능성의 차는 $\frac{4}{5}-\frac{2}{5}=\frac{2}{5}$입니다.

2 나오는 경우를 모두 생각해 보면
(그림면, 1), (그림면, 2), (그림면, 3),
(그림면, 4), (그림면, 5), (그림면, 6),
(숫자면, 1), (숫자면, 2), (숫자면, 3),

(숫자면, 4), (숫자면, 5), (숫자면, 6)
의 12가지가 나올 수 있는데 (숫자면, 3보다 작은 수)가 나오는 경우는 2가지이므로 가능성은
$\frac{2}{12}=\frac{1}{6}$입니다.

왕 문제 165~170

1 영수, 3쪽　　**2** 405
3 $\frac{11}{36}$
4 3.5, 8.2, 11.1, 5.8, 2.4, 5, 146.2
5 0.48　　**6** 4450원
7 수학 : 86점, 사회 : 73점
8 22　　**9** 5명
10 6.7점　　**11** 8.67점
12 98점
13 5월 : 94개, 8월 : 76개
14 6번　　**15** (1) 34　(2) 40
16 33.35 kg　　**17** $\frac{1}{3}$
18 $\frac{5}{9}$
19 ㉮ 20 L, ㉯ 18 L, ㉰ 13 L
20 1회 : 74점, 2회 : 90점, 3회 : 97점

[풀이]

1 영수 : $259\div7=37$(쪽)
효근 : $306\div9=34$(쪽)
영수가 효근이보다 하루에 3쪽씩 더 읽은 셈입니다.

2 (㉠+㉡)$=120\times5=600$
(㉢+㉣)$=150\times4=600$
(㉠+㉢)$=130\times3=390$
(㉡+㉣)$\div2=(600+600-390)\div2=405$

3 두 주사위를 던져 나올 수 있는 경우는 (1, 1), (1, 2), … (6, 5), (6, 6)까지 $6\times6=36$(가지)입니다.
이 중 두 눈의 합이 6인 경우는 (1, 5), (2, 4), (3, 3), (4, 2), (5, 1)로 5가지이고 7인 경우는 (1, 6), (2, 5), (3, 4), (4, 3), (5, 2), (6, 1)로 6가지입니다.
따라서 나온 눈의 합이 6 또는 7이 나올 가능성은
$\frac{5+6}{36}=\frac{11}{36}$입니다.

4 평균을 구할 때 모든 수를 더하여 총 개수로 나누는 방법 외에 기준을 정하여 많고 적음을 비교하여 구하는 방법도 있습니다.
$140+(3.5+8.2+11.1+5.8+2.4)\div5$
$=140+6.2=146.2$(cm)

5 (3의 배수)$=48\div3=16$(장)
(4의 배수)$=48\div4=12$(장)
(12의 배수)$=48\div12=4$(장)
(3 또는 4의 배수가 될 가능성)
$=\frac{16+12-4}{50}=\frac{24}{50}=0.48$

6 $(4700\times2-500)\div2=4450$(원)

7 $79.4\times5-(84+72+80+3+82)=76$
이것은 $70+6$이므로 사회 점수의 십의 자리의 숫자는 7이고 수학 점수의 일의 자리의 숫자는 6입니다.
수학 : $80+6=86$(점), 사회 : $70+3=73$(점)

8 $5\times26-4\times27=22$

9 $1+1+1+2=5$(명)

10 $(3\times2+4+5\times5+6\times11+7\times9+8\times6+9\times4+10\times2)\div40=6.7$(점)

11
(점)
수학 / 국어: 3, 4, 5, 6, 7, 8, 9, 10 (점)

수학과 국어 점수의 합이 16점과 같거나 높은 학생들을 찾습니다.

(수학 성적의 평균)
$=\frac{7\times2+8\times2+9\times2+10\times3}{9}$
$=8.666\cdots$ ➔ 8.67점

12 $90\times5-88\times4=98$(점)

13 (5월과 8월의 달걀 생산량의 합)
$=85\times5-(88+89+78)=170$(개)
5월 생산량 : $(170+18)\div2=94$(개)
8월 생산량 : $94-18=76$(개)

14 $(85-73)\div(75-73)=6$(번)

15 ㉠＋㉡＋㉢＋㉣＝38×4＝152
㉠＋㉡＝42×2＝84
㉡＋㉢＋㉣＝36×3＝108
(1) ㉢과 ㉣의 평균 : (152－84)÷2＝34
(2) ㉡＝(84＋108)－152＝40

16 (전체 평균)
＝(34.4×5＋32.6×7)÷12＝33.35(kg)

17 2개의 동전을 꺼낼 때 금액의 합은 110원, 510원, 600원으로 3가지이므로 금액의 합이 600원이 될 가능성은 $\frac{1}{3}$입니다.

18 만들 수 있는 두 자리 수는 다음과 같습니다.
12, 13, 14, ⋯, 19(8가지)
21, 23, 24, ⋯, 29(8가지)
31, 32, 34, ⋯, 39(8가지)
⋮
91, 92, 93, ⋯, 98(8가지)
} 8×9＝72(가지)
이 중에서 50보다 큰 수는 십의 자리 숫자가 5, 6, 7, 8, 9일 때 각각 8가지씩이므로 5×8＝40(가지)입니다.
따라서 두 자리 수가 50보다 클 가능성은 $\frac{40}{72}=\frac{5}{9}$입니다.

19 ㉮, ㉯, ㉰ 3개의 물통에 있는 물의 평균 양
51÷3＝17(L)
처음 ㉮ 물통의 물의 양 : 17＋3＝20(L)
처음 ㉯ 물통의 물의 양 : 17＋1＝18(L)
처음 ㉰ 물통의 물의 양 : 17－(3＋1)＝13(L)

20 1회＋2회 : 82×2＝164(점)
1회＋2회＋3회 : 87×3＝261(점)
3회 : 261－164＝97(점)
1회 : 97－23＝74(점)
2회 : 164－74＝90(점)

왕중왕 문제 171~176

1 효근 : 45.5 kg, 한초 : 37.1 kg, 영수 : 46.9 kg
2 4.8 km
3 갑 : 2500원, 을 : 6000원, 병 : 6500원
4 웅이, 2점
5 2500원
6 $\frac{1}{9}$
7 (나) 상점, 9원
8 48명
9 70점
10 국어, 12점
11 $\frac{1}{2}$
12 12분 30초
13 10명
14 25, 29
15 81점
16 $\frac{4}{5}$
17 15개
18 8번
19 $\frac{19}{22}$
20 $\frac{1}{6}$

[풀이]

1 (효근＋한초)＝41.3×2＝82.6(kg)
(한초＋영수)＝42×2＝84(kg)
＋) (영수＋효근)＝46.2×2＝92.4(kg)
(효근＋한초＋영수)×2＝259(kg)
(효근＋한초＋영수)＝129.5(kg)
(효근)＝129.5－84＝45.5(kg)
(한초)＝129.5－92.4＝37.1(kg)
(영수)＝129.5－82.6＝46.9(kg)

2 거리를 4와 6의 최소공배수인 12 km로 가정하면
올라갈 때 걸린 시간은 12÷4＝3(시간)
내려올 때 걸린 시간은 12÷6＝2(시간)
따라서 24 km를 가는 데 5시간 걸렸으므로 한 시간에 24÷5＝4.8(km)를 걸은 셈입니다.

3 (갑, 을, 병이 받은 용돈의 합)
＝5000×3＝15000(원)

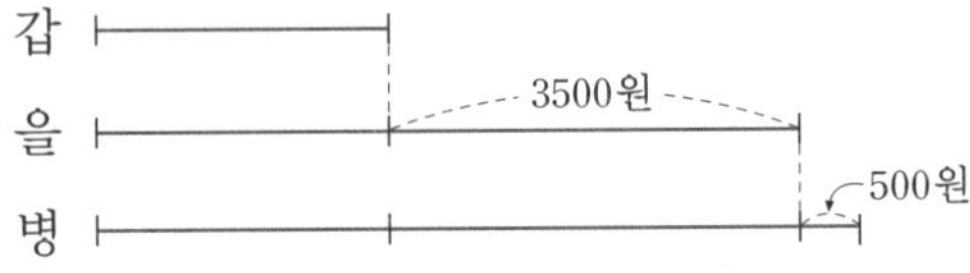

병 : (15000＋4000＋500)÷3＝6500(원)
을 : 6500－500＝6000(원)
갑 : 6000－3500＝2500(원)

4 (4회까지 지혜의 점수 합)＝82×4＝328(점)
(4회까지 웅이의 점수 합)＝79.25×4＝317(점)
4회까지는 지혜가 11점 더 높았으나 5회까지는 웅이가 21－11＝10(점) 더 높습니다.
따라서 평균은 웅이가 10÷5＝2(점) 더 높습니다.

5 (가의 1 kg)＝12000÷4＝3000(원)
(나의 1 kg)＝7500÷3＝2500(원)
(다의 1 kg)＝12000÷6＝2000(원)
1 kg당 평균 가격 : (3000＋2500＋2000)÷3
＝2500(원)

6 세 사람이 가위바위보를 하여 나오는 모든 경우는 $3\times3\times3=27$(가지)입니다.
그런데 유승이가 대표로 뽑힌 경우는 유승이만 이기는 경우이므로
(유승, 석기, 지혜)라고 할 때 (가위, 보, 보), (바위, 가위, 가위), (보, 바위, 바위)로 3가지입니다. 따라서 한 번의 가위바위보로 유승이가 대표로 뽑힌 가능성은 $\frac{3}{27}=\frac{1}{9}$입니다.

7 (가) 상점의 공 1개의 값 :
$990\times10\div11=900$(원)
(나) 상점의 공 1개의 값 :
$(990\times10-990)\div10=891$(원)
따라서 (나) 상점이 1개당 $900-891=9$(원) 더 쌉니다.

8 $\{(200+2)-(3\times1+2\times2+1\times3)\}\div4$
$=192\div4=48$(명)

9 네 번째 시험의 국어 점수 :
$76\times5-(60+80+80+100)=60$(점)
네 번째 시험의 수학 점수 : $60+20=80$(점)
따라서 네 번째 시험의 평균 점수는
$(60+80)\div2=70$(점)입니다.

10 국어의 평균 점수 : 76점
수학의 평균 점수 : $(40+60+60+80+80)\div5$
$=64$(점)
국어의 평균이 12점 더 높습니다.

11 만들 수 있는 분수는 $4\times3=12$(가지)입니다.
이 중에서 1보다 작은 분수는 $\frac{3}{4}$, $\frac{3}{6}$, $\frac{3}{7}$, $\frac{4}{6}$, $\frac{4}{7}$, $\frac{6}{7}$의 6가지이므로 1보다 작은 분수가 될 가능성은 $\frac{6}{12}=\frac{1}{2}$입니다.

12 $3+4+6=13$(문제)를 푸는 데
$\frac{3}{4}+\frac{5}{6}+1\frac{1}{8}=2\frac{17}{24}$(시간)이 걸렸으므로
한 문제를 푸는 데는
$2\frac{17}{24}\div13=\frac{5}{24}$(시간)$=\left(\frac{5}{24}\times60\right)$분
$=12.5$(분)$=12$분 30초가 걸렸습니다.

13 (40점 또는 60점을 받은 학생 수)
$=50-(11+9+8+4+3)$
$=15$(명)
위의 15명의 점수의 총합은
$34.4\times50-(50\times11+30\times9+20\times8+10\times4)$
$=700$(점)
따라서 40점을 받은 학생 수는
$(60\times15-700)\div(60-40)=10$(명)

14 2번 문제를 맞춘 학생은 30명입니다.
60점(5명) : 1번+2번+3번
50점(11명) : 2번+3번
40점(10명) : 1번+3번
30점(9명) : 1번+2번 또는 3번
20점(8명) : 2번
10점(4명) : 1번
30점을 받은 학생 중 1번+2번으로 30점을 받은 학생은 $30-(5+11+8)=6$(명)이므로
3번을 맞추어 30점을 받은 학생은 3명입니다.
1번을 맞춘 학생 수 : $5+10+6+4=25$(명)
3번을 맞춘 학생 수 : $5+11+10+3=29$(명)

15 9번과 10번 학생의 점수의 합:
$91\times10-93\times8=166$(점)
10번 학생의 점수 : $(166-4)\div2=81$(점)

16 5개 중에서 3개를 선택하는 방법은
(4, 5, 6), (4, 5, 7), (4, 5, 10), (4, 6, 7), (4, 6, 10), (4, 7, 10), (5, 6, 7), (5, 6, 10), (5, 7, 10), (6, 7, 10)의 10가지입니다.
이 중에서 삼각형이 만들어지지 않는 경우는 (4, 5, 10), (4, 6, 10)의 2가지이므로 삼각형이 만들어지는 경우는 $10-2=8$(가지)입니다.
따라서 삼각형이 만들어질 가능성은 $\frac{8}{10}=\frac{4}{5}$입니다.

17 먹은 4개의 복숭아의 평균 무게는
$(114+119+115+121)\div4=117.25$(g)이므로
남은 복숭아의 개수는
$(120-117.25)\times4\div(121-120)=11$(개)입니다.
따라서 처음 복숭아의 개수는 $11+4=15$(개)입니다.

18 사탕이 모두 12 g일 때, 사탕 전체의 무게는
$(1+2+3+4+5+6+7+8+9+10)\times12=660$(g)
입니다. 따라서 20 g인 사탕이
$(724-660)\div(20-12)=8$(개)이므로 8번 상자입니다.

19 A → B → E : $3\times1=3$(가지)

A → B → D → E : $3\times1\times1=3$(가지)

A → B → C → D → E : $3\times2\times4\times1=24$(가지)

A → C → D → E : $3\times4\times1=12$(가지)

A → C → D → B → E : $3\times4\times1\times1=12$(가지)

A → C → B → D → E : $3\times2\times1\times1=6$(가지)

A → C → B → E : $3\times2\times1=6$(가지)

따라서 전체 경우는

$3+3+24+12+12+6+6=66$(가지),

D를 거쳐서 가는 경우는

$3+24+12+12+6=57$(가지)이므로

가능성은 $\frac{57}{66}=\frac{19}{22}$입니다.

20 5명이 일렬로 서는 방법은 모두

$5\times4\times3\times2\times1=120$(가지)입니다.

웅이, 예슬, 한별이가 순서대로 서면 지혜와 효근이는 그림에서 ㉠부분에 설 수 있습니다.

㉠ 웅이 ㉠ 예슬 ㉠ 한별 ㉠

지혜와 효근이가 이웃해서 서는 경우 :

$4\times2=8$(가지)

지혜와 효근이가 이웃하지 않게 서는 경우 :

$4\times3=12$(가지)

따라서 가능성은 $\frac{8+12}{120}=\frac{1}{6}$입니다.

V 규칙성과 대응

1. 규칙과 대응

search 탐구 179

풀이

13, 8, 13, 13, 21

답 $\frac{13}{21}$

EXERCISE 1

1 15156　　**2** $\frac{3}{899}$

3 9

[풀이]

1 6 9 15 24 36 51 …
(+3, +6, +9, +12, +15)

(101번째 수)

$=6+\{3+6+9+\cdots+(101-1)\times3\}$

$=6+(3+6+9+\cdots+300)$

$=6+\frac{(3+300)\times100}{2}$

$=6+15150=15156$

2 분자는 1, 2, 3이 반복되는 규칙이 있고, 분모는 6씩 커지는 규칙이 있습니다. 150번째 분수는 분자는 3이고, 분모는 $6\times150-1=899$이므로 $\frac{3}{899}$입니다.

3 $\underline{7}$, $7\times7=4\underline{9}$, $7\times7\times7=34\underline{3}$,

$7\times7\times7\times7=240\underline{1}$, $7\times7\times7\times7\times7=1680\underline{7}$, …

이와 같이 일의 자리의 숫자는 7, 9, 3, 1이 반복됩니다.

$250\div4=62\cdots2$이므로 일의 자리의 숫자는 9가 됩니다.

search 탐구 180

풀이

306, 17

답 17

EXERCISE 2

1 78개　　**2** 210개

3 2700개

[풀이]

1 검은색 바둑돌이 4개씩 늘어나므로

$3+7+11+15+19+23=78$(개)가 됩니다.

2 색칠한 삼각형의 개수가 다음과 같이 늘어납니다.

1 (+2) 3 (+3) 6 (+4) 10 ⋯

따라서 20번째에서 색칠한 삼각형의 개수는
$1+2+3+\cdots+19+20=210$(개)입니다.

3 안쪽 정삼각형부터 30번째 정삼각형까지 3×1, 3×3, 3×5, ⋯ , 3×59(개)이므로 찍힌 점은 모두
$3\times(1+3+5+\cdots+59)$
$=3\times\dfrac{(1+59)\times30}{2}=3\times900=2700$(개)
입니다.

왕 문제 181~186

1 1230	**2** 210번
3 (1) 67 (2) 4	**4** 월요일
5 400개	**6** 13501
7 643	**8** 20
9 (1) 56번째 (2) 8 (3) 4번 (4) 5400	
10 870	**11** 165개
12 118째 번	**13** (1) 45 (2) 6, 13
14 125000	**15** 185
16 229, 213	**17** 320개
18 1열	**19** 5003째 번
20 130번 째	

[풀이]

1 $210=205+5\times1$, $6=0+6\times1$이고, 두 수의 차가 204, 203, 202, ⋯로 1씩 줄어들고 있으므로 205번째에서 두 수의 차가 0이 됩니다.
➔ $205+5\times205=1230$

2 학생 수가 21명이므로 모든 사람과 악수를 하려면 한 사람당 20번의 악수를 해야 합니다.
따라서 21명이 악수를 한 횟수는 모두
$21\times20\div2=210$(번)입니다.

3 규칙을 살펴보면 앞의 수를 뒤의 수만큼 곱한 후 뒤의 수를 더합니다.
(1) (3☆1)☆3
=(3+1)☆3
=4☆3
$=4\times4\times4+3$
$=67$
(2) (□☆2)☆2=326
□☆2=A라 하면,
A☆2=326
$A\times A+2=326$
$A=18$
□☆2=18
□×□+2=18
□=4

4 $365\div7=52\cdots1$
일요일이 53번 있었으므로 그 해는 일요일로 시작해 일요일로 끝났다는 것입니다. 다음 해는 월요일로 시작하여 월요일로 끝나므로 마지막 날은 월요일입니다.

5 1, 1, 2, 3, 5, 8, 13, 21, 34, 55, 89, 144, 233, 377, 610, ⋯으로 5개의 수마다 5의 배수가 있습니다. 따라서 $2002\div5=400\cdots2$이므로 5의 배수는 400개입니다.

6 000부터 999까지 숫자 0, 1, 2, ⋯, 9는 각각 300번씩 나옵니다.
$(0+1+2+\cdots+9)\times300+1=13501$

7 21 (+2) 23 (×3) 69 (+2) 71 (×3) 213 (+2) 215 (×3) (645) (+2) 647 (×3) 1941 (+2) 1943 (×3) 5829
따라서 규칙에 맞지 않는 수는 643입니다.

8 $1+2+3+\cdots+19=190$
따라서 191번째부터 210번째까지 숫자 20이 나열되므로 205번째 수는 20입니다.

9 (1, 2, 3, 4), (2, 3, 4, 5), (3, 4, 5, 6), ⋯ 규칙을 살펴보면 4개씩 묶음으로 묶을 때 묶음의 같은 위치에 있는 수는 1씩 큰 수가 됨을 알 수 있습니다.
(1) 처음으로 17이 나오는 경우는 4개씩 묶은 묶음의 앞수가 14이므로 17은 처음부터 $4\times14=56$(번째)입니다.
(2) $29\div4=7\cdots1$이므로 8번째 묶음의 맨 앞수인 8입니다.
(3) 1, 2, 3을 제외한 모든 수는 4번씩 나옵니다.
(4) $200\div4=50$이므로 4개씩 50묶음입니다. 묶음의 수의 합은 4씩 커지고 처음 묶음의 수의 합이 10이므로 50번째 묶음의 수의 합은 $10+4\times49=206$입니다.

따라서 200번째 수까지의 합은

$(10+206)\times 50\times \frac{1}{2}=5400$ 입니다.

10 각 행의 수의 개수는 1, 3, 5, 7, …로 늘어납니다.
따라서 29행의 마지막 수는

$1+3+5+\cdots+57=\frac{(1+57)\times 29}{2}=841$ 이므로

30행의 29번째 수는 $841+29=870$ 입니다.

11

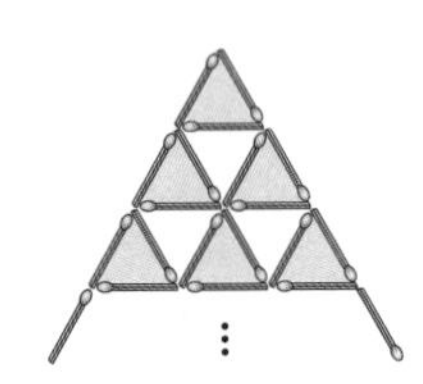

색칠된 삼각형의 개수를 먼저 구하면
$1+2+3+\cdots+10=55$(개) 입니다.
따라서 성냥개비의 수는
$55\times 3=165$(개)입니다.

12 (0, 0) ➔ 1개

(1, 0) (1, 1) ➔ 2개

(2, 0) (2, 1) (2, 2) ➔ 3개

⋮

(13, 0) (13, 1) (13, 2) … (13, 13) ➔ 14개

(14, 0) (14, 1) (14, 2) … (14, 12) ➔ 13개

따라서 (14, 12)는 $1+2+3+\cdots+14+13=118$ (째 번)입니다.

13 (1) [7, 5]는 위에서 7번째, 왼쪽에서 5번째 수입니다. 위에서 7번째 수 중 첫 번째 수는 $7\times 7=49$ 이므로 [7, 5]$=49-4=45$ 입니다.

(2) $12\times 12=144$ 이므로 수 150은 왼쪽에서 13번째 수이며, 왼쪽에서 13번째 수 중 위에서 첫 번째 수는 145이므로 150은 위에서 6번째 수입니다.
따라서 [6, 13]$=150$

14 행이 늘어날수록 수의 합이 50씩 커집니다.

1부터 50까지의 합은 $\frac{50\times 51}{2}=1275$ 이므로

$1275\times 50+50\times(1+2+3+\cdots+49)$

$=63750+61250$

$=125000$

15 더한 수의 개수만큼을 두 번 곱하는 규칙입니다.
이때, 왼쪽 식의 마지막 홀수는 $3=2\times 2-1$, $5=3\times 2-1$, $7=4\times 2-1$, … 의 규칙이 있으므로 $\square=93\times 2-1=185$ 입니다.

16 직사각형의 가운데 수를 □라 하면 직사각형 안의 9개 수의 합은

$(\square-8)+(\square-7)+(\square-6)+(\square-1)+\square+(\square+1)+(\square+6)+(\square+7)+(\square+8)=9\times\square$

$9\times\square=1989$, $\square=221$

가장 큰 수 : $221+8=229$

가장 작은 수 : $221-8=213$

17

…

5 12 19 26 33 …

+7 +7 +7 +7

따라서 작은 삼각형을 182개 만들려면

$182=2+4\times 45$ 이므로

성냥개비는 $5+7\times 45=320$(개) 필요합니다.

18 1열 : 16으로 나누면 나누어떨어지는 수

2열 : 16으로 나누면 2 또는 14가 남는 수

3열 : 16으로 나누면 4 또는 12가 남는 수

4열 : 16으로 나누면 6 또는 10이 남는 수

5열 : 16으로 나누면 8이 남는 수

$2000\div 16=125$ 이므로 2000은 1열에 위치합니다.

19 나열된 분수들을 분모가 같은 분수끼리 묶으면

$\left(\frac{1}{2}\right)$, $\left(\frac{1}{3}, \frac{2}{3}\right)$, $\left(\frac{1}{4}, \frac{2}{4}, \frac{3}{4}\right)$, $\left(\frac{1}{5}, \frac{2}{5}, \frac{3}{5}, \frac{4}{5}\right)$, …

이며 분자들은 1, 2, 3, …순으로 차례로 커집니다.

따라서 분모가 101인 분수의 묶음은

$1+2+3+\cdots+99=(1+99)\times 99\div 2=4950$(째 번) 후부터 시작되고 분자가 53이므로

$4950+53=5003$(째 번) 수입니다.

20 꼭짓점 ㅁ에서 50번째 수는 $4+5\times 49=249$,
꼭짓점 ㄷ에서 80번째 수는 $2+5\times 79=397$
이므로 $249+397=646$은 꼭짓점 ㄴ에서
$646\div 5=129\cdots 1$ 이므로 $129+1=130$(번째) 수입니다.

왕중왕문제 187~192

1 토요일	**2** 10개
3 2	**4** 8
5 89가지	**6** 663
7 1, 3, 6	**8** 49725
9 약지	**10** 1830개
11 110 m	

12 A : $\frac{996}{1991}$ L, B : $\frac{995}{1991}$ L

13 3945행 1949열 **14** 10번째

15 1309 **16** 421

17 130 **18** 149병

19 14개 **20** 221

[풀이]

1 2021년 1월 1일부터 2033년 1월 1일까지는 정확히 12년입니다. 4의 배수인 2024년, 2028년, 2032년은 윤년이므로 366일씩이고 나머지는 평년으로 365일씩이므로 날 수는
$366\times3+365\times9=4383$(일)입니다.
2021년 1월 1일이 금요일이고 $4383\div7=626\cdots1$이므로 2033년 1월 1일은 토요일입니다.

2 4786□7□$=4786000+$□7□
4786000은 8로 나누어떨어지므로 □7□가 8로 나누어떨어지면 됩니다.
8의 배수 중 십의 자리의 숫자가 7인 경우는 072, 176, 272, 376, 472, 576, 672, 776, 872, 976으로 10개입니다.

별해
8의 배수는 끝의 세 자리 수가 8의 배수이면 되므로 □7□가 8로 나누어떨어지는 경우를 찾아 봅니다.

3 $421200=24\times25\times26\times27$이므로
(㉠ ∗ 3) ∗ $4=24\times25\times26\times27$
㉠ ∗ $3=24$입니다.
$24=2\times3\times4$이므로
㉠ ∗ $3=2\times3\times4$에서
㉠ $=2$입니다.

4 $7^1=\underline{7}$, $7^2=4\underline{9}$, $7^3=34\underline{3}$, $7^4=240\underline{1}$, ⋯
$3^1=\underline{3}$, $3^2=\underline{9}$, $3^3=2\underline{7}$, $3^4=8\underline{1}$, ⋯
$100\div4=25$이므로
7^{100}의 일의 자리의 숫자는 1이고
$99\div4=24\cdots3$이므로
3^{99}의 일의 자리의 숫자는 7입니다.
따라서 $7^{100}+3^{99}$의 일의 자리의 숫자는
$1+7=8$입니다.

5

단의 수	1	2	3	4	5	6	⋯
방법 수	1	2	3	5	8	13	⋯

위에서 $1+2=3$, $2+3=5$, $3+5=8$과 같이 앞의 두 수를 더한 수가 방법의 수가 되는 규칙이 있습니다.
따라서 ⋯, 8, 13, 21, 34, 55, 89이므로 10개의 단이 있는 계단을 올라가는 방법은 89가지입니다.

6 (1, 1989, 1988), (1, 1987, 1986), (1, 1985, 1984), ⋯
$1991\div3=663\cdots2$
663번째 묶음의 마지막 수는 1989번째 수로
$1988-2\times662=664$이므로
1990번째 수는 1, 1991번째 수는 663입니다.

7 $7\times13=91$이므로 일의 자리의 숫자는 1입니다.
$7\times12+9=93$이므로 십의 자리의 숫자는 3입니다.
$7\times11+9=86$이므로 백의 자리의 숫자는 6입니다.

8 $3^2+6^2+9^2+\cdots+75^2$
$=3^2\times(1^2+2^2+3^2+\cdots+25^2)$
$=9\times5525=49725$

9 8로 나누어 1이 남는 수는 엄지 위에 위치합니다.
8로 나누어 2 또는 0이 남는 수는 식지 위에 위치합니다.
8로 나누어 3 또는 7이 남는 수는 중지 위에 위치합니다.
8로 나누어 4 또는 6이 남는 수는 약지 위에 위치합니다.
8로 나누어 5가 남는 수는 소지 위에 위치합니다.
$1950\div8=243\cdots6$이므로 1950은 약지 위에 위치합니다.

10

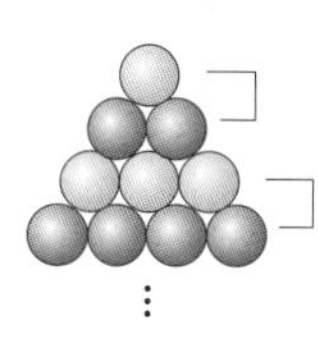

두 줄씩 묶어 비교해 보면 검은색 구슬이 1개씩 더 많습니다. 검은색 구슬이 30개 더 많았으므로 모두
$30\times2=60$(줄)을 놓은 것입니다.
따라서 바둑돌은 모두
$1+2+3+\cdots+60=61\times60\div2=1830$(개)입니다.

11

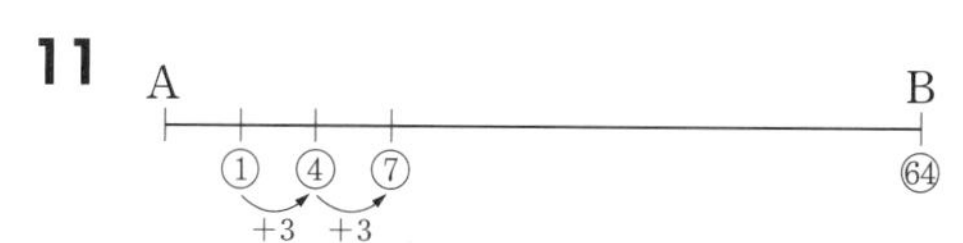

$1+3\times$□$=64$, □$=21$
따라서 A부터 B까지의 거리는

$5\times(21+1)=110$(m)입니다.

12 A 1 — $\frac{1}{2}$ — $\frac{2}{3}$ — $\frac{1}{2}$ — $\frac{3}{5}$ — $\frac{1}{2}$ …

↓$\frac{1}{2}\times$A ↑$\frac{1}{3}\times$B ↓$\frac{1}{4}\times$A ↑$\frac{1}{5}\times$B ↓$\frac{1}{6}\times$A

B 0 — $\frac{1}{2}$ — $\frac{1}{3}$ — $\frac{1}{2}$ — $\frac{2}{5}$ — $\frac{1}{2}$ …

위에서 홀수째 번 시행에서는 두 용기의 물의 양이 같아짐을 알 수 있습니다.
1990은 짝수이므로 위에 나타난 규칙에 따라 1990째 번 시행을 하면
B 용기에는 $\frac{1}{2}\times\frac{1990}{1991}=\frac{995}{1991}$(L)의 물이 남게 되고
A 용기에는 $\frac{996}{1991}$L의 물이 남게 됩니다.

13 1행에서 분모와 분자의 합은 2,
2행에서 분모와 분자의 합은 3,
3행에서 분모와 분자의 합은 4이므로
각 행에서 각 수의 분모와 분자의 합은 행의 수에 1을 더한 것입니다.
따라서 $\frac{1997}{1949}$은 $1997+1949-1=3945$(행),
1949열에 위치합니다.

14 위에서부터 번호가 붙은 정육면체의 수를 세어 더해 보면 2개씩 증가하는 규칙이 있습니다.
$1+3+5+7+9+11+13+15+17+19=100$이므로 100번이 적힌 정육면체는 위에서 10번째 층에 있습니다.

15 ( ) 안의 왼쪽에 있는 수를 나열하면 1, 2, 3, 1, 2, 3, … 입니다.
$30\div3=10$이므로 30째 번 묶음의 왼쪽에 있는 수는 3입니다.
( ) 안의 오른쪽에 있는 수를 나열하면 1, 4, 10, 19, 31, …이므로 30째 번 묶음의 오른쪽에 있는 수는
$1+3+6+9+12+\cdots+87=1+(3+87)\times29\div2$
$=1306$입니다.
따라서 두 수의 합은 $3+1306=1309$입니다.

16 꺾이는 점의 수를 차례로 나열하면
2, 3, 5, 7, 10, 13, 17, 21, 26, …
이 중 짝수째 번으로 꺾이는 점의 수는 다음과 같습니다.

3	7	13	21	31
(2째 번)	(4째 번)	(6째 번)	(8째 번)	(10째 번)

따라서 40째 번으로 꺾이는 점의 수는
$3+(4+6+8+10+\cdots+40)=421$입니다.

17 각 행의 1열의 수는 1부터 행의 수까지의 합이므로 10행 1열의 수는 $1+2+\cdots+10=55$입니다.
따라서 10행 7열의 수는 $55+(10+11+12+13+14+15)=130$입니다.

18 $170=8\times21+2$이므로 돈을 내고 사야 할 주스를 ○, 돈을 내지 않고 빈 병 8개와 바꾸어 마실 주스를 ×라 하고 그림으로 나타내어 보면

1회 ○○○○○○○○ ➡ 8병
2회 × ○○○○○○○
3회 × ○○○○○○○
⋮ ⋮
21회 × ○○○○○○○ (2회~21회) ➡ (7×20)병
22회 × ○ ➡ 1병

돈을 낸 것은 $8+7\times20+1=149$(병)입니다.

19 돌이 각 변에 2개씩 있을 때, 전체는 16개입니다. 이때, 변은 모두 19개이므로 각 변에 돌을 하나씩 더 늘릴 때마다 전체의 돌은 19개씩 늘어납니다.
따라서 한 변에 늘린 바둑돌의 개수는
$(244-16)\div19=12$(개)입니다.
그러므로 한 변에 놓인 돌의 개수는 처음의 2개와 합하여 14개입니다.

20 5행을 정리하면 다음과 같습니다.

	1열	2열	3열	4열	5열
1행					25
2행					24 ↑
3행					23 ↑
4행					22 ↑
5행	17 →	18 →	19 →	20 →	21 ↑

1행의 홀수열의 수는 다음과 같습니다.

1열	3열	5열	…
1	9	25	
1×1	3×3	5×5	

따라서 1행 15열의 수는 $15\times15=225$이고, 5행 15열의 수는 4 작은 수이므로 $225-4=221$입니다.

2. 단위량의 모임을 이용하여 해결하기 (단위산)

search 탐구 193

풀이

30, 240, 240, 40000, 40000, 2400000

답 2400000

EXERCISE

1 60일 **2** 50000원
3 2800000원

[풀이]

1 $5\times12=60$(일)

2 $3000000\div60=50000$(원)

3 $50000\times7\times8=2800000$(원)

왕 문제 194~197

1 120 t	**2** 9일
3 6000 m^2	**4** 14일
5 3명	**6** 20일
7 18번	**8** 5명
9 10번	**10** 55일
11 12일	**12** 35일

[풀이]

1 $30\div(2\times5)\times(2+3)\times8=120$(t)

별해

$30\times\frac{40}{10}=120$(t)

2 $648\div\{768\div(8\times12)\times9\}=9$(일)

3 $1500\div(2\times5)\times5\times8=6000$($m^2$)

4 끝마칠 수 있는 날 수를 □로 놓으면,
$7\times18=(7+2)\times\square$, $\square=14$
따라서 14일입니다.

5 일할 사람 수를 □명이라 하면
$15\times30=\square\times(30-5)$, $\square=18$
따라서 $18-15=3$(명)입니다.

6 전체 일의 양은 $5\times12\times3=180$이므로
$180\div9=20$(일) 만에 끝낼 수 있습니다.

7 말 2마리로 30번 운반하는 짐의 양은 소 3마리로 30번 운반하는 짐의 양과 같습니다.
그러므로 $3\times30=5\times\square$에서 $\square=18$(번)입니다.

8 줄이고 일한 사람 수를 □로 놓으면,
$20\times18=\square\times(18+6)$, $\square=15$
따라서 부족한 사람은 $20-15=5$(명)입니다.

9 대형 트럭 3대로 □번을 옮긴다고 할 때,
대형 트럭 3대로 옮기는 짐의 양은 소형 트럭 6대로 옮기는 짐의 양과 같으므로
$6\times\square=5\times12$에서 $\square=10$입니다.

10 일의 총량은 $8\times40=320$이고 15일 동안 한 일의 양은 $8\times15=120$입니다.
따라서 $(320-120)\div(8-3)=40$(일)이므로
$15+40=55$(일)이 걸렸습니다.

11 필요한 전체 생산량을 $8\times15\div2\times3=180$으로 생각하면 남은 생산량은 $180\times\frac{1}{3}=60$입니다.
따라서 앞으로 $60\div5=12$(일) 더 걸립니다.

12 전체 생산량을 $40\times15\div3\times8=1600$으로 볼 때,
나머지 생산량은 $1600\times\frac{5}{8}=1000$이므로
나머지 생산량을 생산하는 데 필요한 날 수는 $1000\div50=20$(일)입니다.
따라서 처음부터 $15+20=35$(일) 걸립니다.

왕중왕 문제 198~201

1 27일	**2** 2마리
3 1시간 36분	**4** 7시간 30분
5 2일	**6** 16명
7 48개	**8** 54분
9 10명	**10** 20일
11 15명	**12** 240명

[풀이]

1 일의 총량은 $10\times25=250$이고 17일 동안 한 일의 양은 $10\times17=170$입니다.
따라서 $(250-170)\div(10-2)=10$(일)이므로
$17+10=27$(일)이 걸렸습니다.

2 소 1마리는 1일에 $4000 \div (2 \times 8) = 250(m^2)$의 밭을 갑니다.
따라서 $6000 \div 6 \div 250 = 4$(마리)이므로
소는 $4 - 2 = 2$(마리) 더 필요합니다.

3 좌석에 앉아서 갈 수 있는 총 시간은
$32 \times 2 = 64$(시간)이므로 $64 \div 40 = 1.6$(시간)입니다.
따라서 한 사람당 1시간 36분씩 앉으면 됩니다.

4 오전 7시부터 오후 5시까지는 10시간입니다.
교통 정리를 하는 총 시간은 $10 \times 3 = 30$(시간)이므로 $30 \div 4 = 7.5$(시간)입니다.
따라서 한 사람당 7시간 30분씩 하면 됩니다.

5 일의 총량은 $8 \times 15 = 120$이므로 나머지 일은
$(120 - 8 \times 5) \div (8 + 2) = 8$(일) 만에 끝납니다.
따라서 예정보다 $15 - (5 + 8) = 2$(일) 더 빨리 끝납니다.

6 일의 총량은 $12 \times 12 = 144$이므로
나머지 일을 3일 동안 끝내려면
$(144 - 12 \times 5) \div 3 = 28$(명)이 일을 해야 하므로
$28 - 12 = 16$(명)을 더 일하도록 하여야 합니다.

7 ㉮ 톱니바퀴는 1분 동안 $120 \div 5 = 24$(번)회전하며, ㉯ 톱니바퀴는 1분 동안 $96 \div 8 = 12$(번)회전하므로 톱니의 수의 비는 ㉮ : ㉯ = 1 : 2입니다.
따라서 ㉯의 톱니 수는 $24 \times 2 = 48$(개)입니다.

8 그네를 타는 총 시간은 $90 \times 3 = 270$(분)이므로
한 사람당 $270 \div 5 = 54$(분)씩 타면 됩니다.

9 1명이 하루에 일하는 양을 1로 하면 전체 일이 양을 $12 \times 30 = 360$입니다.
따라서 $360 \div (30 + 6) = 10$(명)이 일을 한 셈입니다.

10 일의 총량을 $8 \times 25 = 200$으로 생각하면 10일 동안 한 일의 양은 $6 \times 10 = 60$이므로 남은 일의 양은 $200 - 60 = 140$이고 남은 일을 하는 데 걸린 날 수는 $140 \div (6 + 8) = 10$(일)입니다. 따라서 걸린 날 수는 $10 + 10 = 20$(일)입니다.

11 일의 총량은 $5 \times 20 = 100$이고
나머지 일은 $100 \times \frac{1}{20} = 5$이므로
8일간 한 일의 양은 $100 - 5 = 95$입니다.
따라서 처음 3일 동안 한 일의 양은
$95 - 5 \times 10 = 45$이므로
처음 3일 동안 $45 \div 3 = 15$(명)이 일을 하였습니다.

12 남아 있는 일의 양은 총량의 $\frac{3}{4}$이므로
$300 \times 120 \times \frac{3}{4} = 27000$입니다.
이 일을 $120 - (30 + 40) = 50$(일) 만에 끝내야 하므로 $27000 \div 50 = 540$(명)이 일을 해야 합니다.
따라서 더 필요한 사람은 $540 - 300 = 240$(명)입니다.

3. 합이 일정함을 이용하여 해결하기 (합일정산)

search 탐구 202

풀이

2, 2400, 2400, 8200, 8200, 5800 / 7000, 7000, 8200, 7000, 5800

답 8200, 5800

EXERCISE

1 6400 L　**2** 1200 L
3 8분

[풀이]

1 $(5200 + 7600) \div 2 = 6400$(L)

2 $7600 - 6400 = 1200$(L)

3 $1200 \div 150 = 8$(분)

왕 문제 203~206

1 11분　**2** 1200원
3 한솔 : 7800원, 한별 : 5000원
4 29개　**5** 10000원
6 ㉮ : 3 L, ㉯ : 2 L, ㉰ : 7 L
7 3000원　**8** 11 L
9 7750명　**10** 2400원
11 6 L　**12** 0.8 L

[풀이]

1 두 기름 탱크의 기름의 합은
$1850 + 1080 = 2930$(L)이므로 기름 탱크 B는
$2930 \div 2 = 1465$(L)가 되어야 합니다.
따라서 $(1465 - 1080) \div 35 = 11$(분) 동안 옮겨 넣었습니다.

2 연필 한 자루의 값은 $(3600+3600)\div24=300$(원)입니다.
한초는 자기가 가져야 할 연필 수보다
$8-(8\div2)=4$(자루) 더 가진 셈이므로
석기에게 $300\times4=1200$(원)을 주면 됩니다.

3 한솔이는 처음에 한별이보다 $1400\times2=2800$(원) 더 가지고 있었으므로 처음에 한솔이는
$(12800+2800)\div2=7800$(원), 한별이는
$12800-7800=5000$(원) 가지고 있었습니다.

4 바둑돌의 총합은 $137+95=232$(개)이므로
용희가 가영이에게 바둑돌을 준 뒤에
용희는 $(232-16)\div2=108$(개),
가영이는 $108+16=124$(개)가 됩니다.
따라서 용희는 가영이에게 $137-108=29$(개) 주었습니다.

5 형은 처음에 동생보다 $2500\times2=5000$(원) 더 갖고 있던 셈이고, 동생이 형에게 2500원을 주면 또 $2500\times2=5000$(원) 차이가 생기므로 총 10000원의 차이가 됩니다.
따라서 형의 돈이 동생의 5배가 된 때의 동생의 돈은 $10000\div(5-1)=2500$(원),
형의 돈은 $2500\times5=12500$(원)이므로 처음에 형은 $12500-2500=10000$(원)을 가지고 있었습니다.

6 세 컵의 물의 양이 같아지면 각각의 컵의 물은
$12\div3=4$(L)가 되므로
㉰ 컵에는 $4+2+1=7$(L), ㉯ 컵에는 $4-2=2$(L),
㉮ 컵에는 $4-1=3$(L)씩 들어 있습니다.

7 율기가 한솔이에게 200원을 주기 전에 율기는 한솔이보다 $200\times2+600=1000$(원)이 더 많았습니다.
따라서 두 사람의 돈의 합은
$1000\times(2+1)=3000$(원)입니다.

8 $72\div3-5-8=11$(L)

9 작년에 ㉮ 도시의 인구는 $126000\times\frac{5}{9}=70000$(명),
인구 이동 뒤의 ㉮ 도시의 인구는
$(126000-1500)\div2=62250$(명)입니다.
따라서 $70000-62250=7750$(명) 이동하였습니다.

10 처음에 율기가 가져야 할 연필 수는
$36\times\frac{9}{20}=16\frac{1}{5}$(자루),
상연이가 가져야 할 연필 수는
$36\times\frac{11}{20}=19\frac{4}{5}$(자루)이지만 여의치 않으므로
율기는 16자루, 상연이는 20자루를 갖기로 한 것입니다.
$16\frac{1}{5}-16=\frac{1}{5}$(자루)가 40원에 해당하므로
연필 한 자루의 값은 $40\times5=200$(원)입니다.
따라서 연필 한 타의 값은
$200\times12=2400$(원)입니다.

11 두 물탱크에 들어 있는 물은 모두
$32+40=72$(L)이고,
물탱크 ㉯에서 ㉮로 물을 옮기고 난 뒤에 ㉯의 물은 $(72-4)\div2=34$(L)가 됩니다.
따라서 물탱크 ㉯에서 ㉮로 $40-34=6$(L)를 옮겼습니다.

12 두 통에 들어 있는 포도 주스는 모두
$8.8+5.6=14.4$(L)이므로 가 통에서 나 통으로 포도 주스를 옮기고 난 뒤에 가 통의 포도 주스는 $(14.4+1.6)\div2=8$(L)가 됩니다.
따라서 가 통에서 나 통으로 포도 주스를
$8.8-8=0.8$(L) 옮겼습니다.

왕중왕 문제 207~210

1 30개	**2** ㉮ : 30개, ㉯ : 20개
3 2개	
4 형 : 12000원, 나 : 2400원	
5 ㉮ : 27개, ㉯ : 63개	**6** 2500원
7 7번	**8** 36000원
9 24000원	**10** 48개
11 55 L	**12** 2500원

[풀이]

1 파란 주머니 속의 구슬 수는 처음에는 노란 주머니 속의 구슬 수보다 $5\times2=10$(개) 많았습니다.
이 상태에서 노란 주머니에서 파란 주머니로 구슬을 10개 옮긴다면 $10\times2=20$(개)의 차이가 더 발생하므로 총 $10+20=30$(개)의 차이가 생깁니다.
따라서 처음의 파란 주머니 속의 구슬은
$30\div(4-1)\times4-10=30$(개)입니다.

2 ㉮가 낸 돈은 $22400+1600=24000$(원)이고 ㉯가 낸 돈은 $17600-1600=16000$(원)이므로 배 한 개

의 값은 $(24000-16000)\div10=800$(원)입니다.
따라서 ㉮는 $24000\div800=30$(개)
㉯는 $16000\div800=20$(개)의 배를 가졌습니다.

3 영수의 밤은 동민이에게 6개를 받아 18개가 되었고, 동민이는 $18-4=14$(개)가 되었습니다.
영수는 $(18+14)\times\frac{5}{8}=20$(개)를 가져야 하므로 동민이는 영수에게 $20-18=2$(개) 더 주어야 한다.

4 처음에 내가 가진 돈을 □원이라 하면 형이 가진 돈은 □×5(원)입니다.
$(□+1200)\times3=□\times5-1200$
$□\times3+3600=□\times5-1200$
$□\times2=4800$
$□=2400$(원)
따라서 나는 2400원, 형은 12000원을 가지고 있었습니다.

5 ㉯에서 ㉮로 바둑돌을 옮기기 전 ㉯ 주머니에는 ㉮ 주머니보다 $13\times2+10=36$(개) 더 많았습니다.
㉯ 주머니의 바둑돌 수의 $\frac{4}{7}$가 36개이므로
㉮ 주머니에는 $36\div4\times3=27$(개),
㉯ 주머니에는 $36\div4\times7=63$(개)가 있었습니다.

6 형과 동생의 금액의 합을 ④+⑤=⑨로 생각하면, 형이 동생에게 500원을 주고 남은 돈은 ④이고, 동생에게 500원을 받았을 때의 돈은 ⑨$\times\frac{2}{3}$=⑥이 됩니다.
따라서 ⑥−④=②가 $500+500=1000$(원)에 해당하므로 ①은 $1000\div2=500$(원)에 해당합니다.
따라서 형은 현재 $6\times500-500=2500$(원)을 가지고 있습니다.

7 놀이가 끝났을 때 ㉮의 구슬은
$(120+16)\div2=68$(개),
㉯의 구슬은 $120-68=52$(개)입니다.
㉮는 처음에 있던 구슬보다 $68-60=8$(개) 늘어난 셈이므로 ㉮는 ㉯보다 $8\div2=4$(번) 더 이긴 것입니다.
따라서 ㉮는 ㉯를 $(10+4)\div2=7$(번) 이겼습니다.

8 돼지 저금통의 돈과 주머니의 돈의 합을 선분도로 나타냅니다.

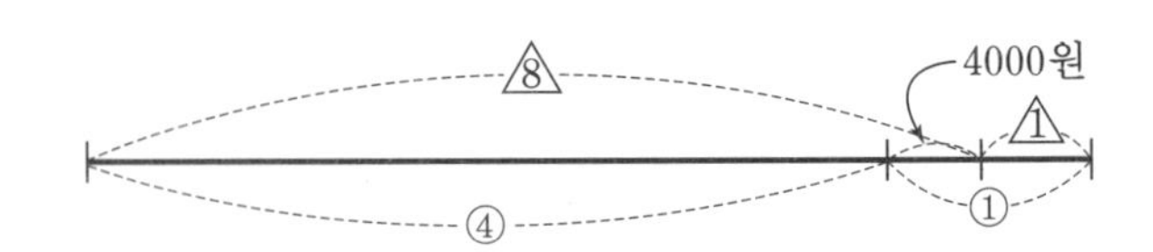

위 선분도에서 4000원은 전체의 $\frac{1}{5}-\frac{1}{9}=\frac{4}{45}$이므로
전체는 $4000\div4\times45=45000$(원)입니다.
따라서 돼지 저금통에 들어 있는 돈은
$45000\times\frac{4}{5}=36000$(원)입니다.

9 한솔이는 처음에 유승이보다 $2000\times2=4000$(원) 더 갖고 있던 셈이고, 유승이가 한솔이에게 2000원을 주면 처음 차이보다 $2000\times2=4000$(원)의 차이가 더 생기므로 총 8000원의 차이가 생깁니다.
따라서 한솔이의 돈이 유승이의 돈의 2배가 될 때의 유승이의 돈은 $8000\div(2-1)=8000$(원),
한솔이의 돈은 $8000\times2=16000$(원)이 되므로
두 사람이 갖고 있는 돈의 합은
$8000+16000=24000$(원)입니다.

10 상연이가 석기에게 12개를 주면 두 사람이 갖고 있는 구슬의 수가 같아지므로 상연이는 처음에 석기보다 $12\times2=24$(개)의 구슬을 더 갖고 있던 셈입니다. 또, 석기가 상연이에게 12개를 주면 처음 차이보다 $12\times2=24$(개)의 차이가 더 생기므로 총 $24+24=48$(개)의 차이가 생깁니다.
따라서 상연이의 구슬 수가 석기의 구슬 수의 5배가 될 때의 석기의 구슬 수는
$48\div(5-1)=12$(개), 상연이의 구슬 수는
$12\times5=60$(개)이므로 상연이는 구슬을
$60-12=48$(개) 갖고 있습니다.

11 A 물통과 B 물통에 들어 있는 물의 합을 선분도로 나타내어 봅니다.

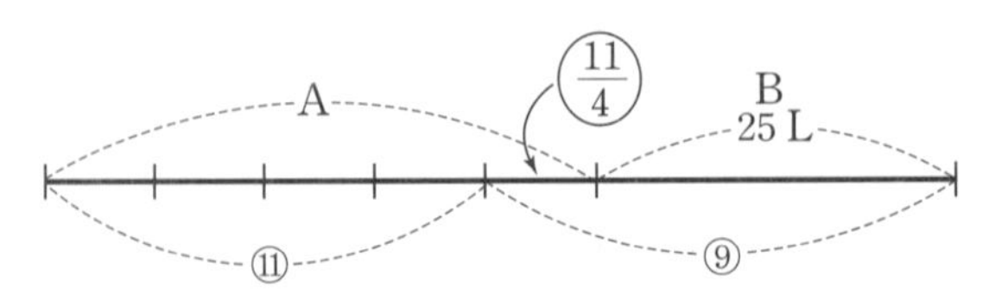

A의 한 칸의 크기는 ⑪ $\div4=\left(\frac{11}{4}\right)$이므로
⑨$-\left(\frac{11}{4}\right)=\left(\frac{25}{4}\right)$는 25 L에 해당합니다.
따라서 ①은 $25\div25\times4=4$(L)이므로
A는 $4\times\left(11+\frac{11}{4}\right)=55$(L)입니다.

12 규형이와 동민이의 돈의 합은 항상 일정합니다.

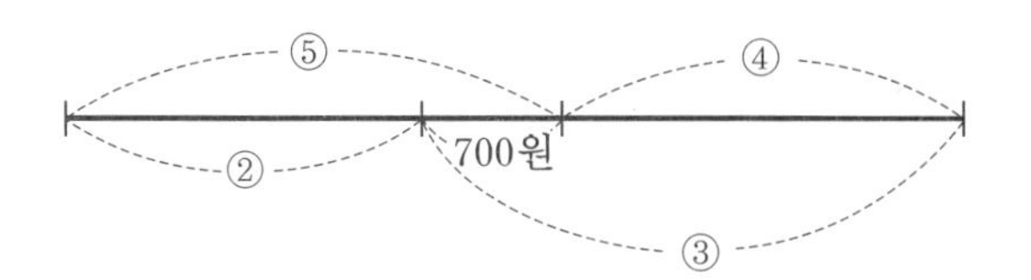

선분도에서 전체 금액의 $\frac{5}{9}-\frac{2}{5}=\frac{7}{45}$은 700원을 뜻하므로 전체 금액은 $700\div7\times45=4500$(원) 입니다.

따라서 규형이는 $4500\times\frac{5}{9}=2500$(원)을 가지고 있습니다.

4. 한쪽을 다른 쪽으로 바꾸어 해결하기 (가정산)

search 탐구 211

풀이

50, 150, 150, 200, 200, 350

답 350, 200

EXERCISE

1 33500, 3, 2000
2 배구공 : 4500원, 축구공 : 10000원

[풀이]

2 배구공 : $(33500-2000)\div(3+4)=4500$(원)
축구공 : $4500\times2+1000=10000$(원)

왕 문제 212~215

1 800원
2 ㉮ 물건 : 12개, ㉯ 물건 : 12개
3 1800원
4 63000원
5 8100원
6 24000원
7 2300원
8 7200원
9 2160원
10 420원
11 700원
12 800원

[풀이]

1 공책 8권의 값은 형광펜 2자루의 값과 $400\times2=800$(원)의 합이므로
(공책 8권의 값)+(형광펜 5자루의 값)
=(형광펜 7자루의 값)$+800=10000-3600$입니다.
따라서 형광펜 1자루의 값은
$(6400-800)\div7=800$(원)입니다.

2 ㉯ 물건 1개의 가격을 ②로 하면 ㉮ 물건 1개의 가격은 ③이므로 ㉮ 물건 20개의 가격은
20× ③ = 60입니다.
㉮ 물건 1개의 가격과 ㉯ 물건 1개의 가격의 합은 ③+②=⑤이므로 ㉮ 물건과 ㉯ 물건은 각각 $60\div5=12$(개)씩 살 수 있습니다.

3 사과 1개는 배 1개의 값의 $\frac{3}{5}$이므로 사과 1개의 값을 ③, 배 1개의 값을 ⑤로 놓으면,
사과 3개와 배 2개의 값은 ③×3+⑤×2=⑲입니다.
따라서 사과 1개의 값은
$(11400\div19)\times3=1800$(원)입니다.

4 어린이 1명의 입장료는 ②, 어른 1명의 입장료는 ③으로 놓으면, 2×③+3×②=⑫가 36000원이므로 어른 1명의 입장료는
$36000\div12\times3=9000$(원)입니다.
따라서 어른 7명의 입장료는
$9000\times7=63000$(원)입니다.

5 (배 1개의 값)+(감 2개의 값)
$=22500\div5=4500$(원)입니다.
감 1개의 값을 ①로 하면 배 1개의 값은 ③이므로 ③+②=⑤가 4500원을 뜻하고
감 1개의 값은 $4500\div5=900$(원), 배 1개의 값은 $900\times3=2700$(원)입니다.
따라서 배 3개의 값은 $2700\times3=8100$(원)입니다.

6 포도 1 kg의 값은 복숭아 2개의 값보다 1600원 더 싼 셈이므로
복숭아 1개의 값은 $(8000+1600)\div3=3200$(원),
포도 1 kg의 값은 $8000-3200=4800$(원)입니다.
따라서 포도 5 kg의 값은 $4800\times5=24000$(원)입니다.

7 양파 4 kg과 소고기 2 kg의 값은
$40000-800=39200$(원)이므로
양파 2 kg과 소고기 1 kg의 값은
$39200\div2=19600$(원)입니다.
문제의 조건에서 양파 1 kg의 값을 ①로 하면 소고기 1 kg의 값은 (⑥+1200원)이 되므로

선분도로 나타내면 다음과 같습니다.

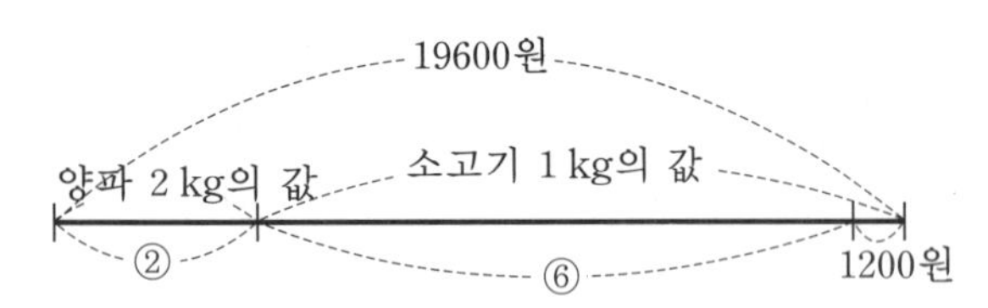

따라서 양파 1 kg의 값은
(19600−1200)÷(2+6)=2300(원)입니다.

8 사과 1개의 값을 ②라 하면 배 1개의 값은 ③입니다.
5×②+7×③=㉛은 12400원을 뜻하므로
①의 값은 12400÷㉛=400(원)입니다.
따라서 같은 사과 3개와 배 4개의 값은
(3×2+4×3)×400=7200(원)입니다.

9 공책 5권의 값은 연필 8자루의 값보다 1200원 더 비싼 셈입니다.
연필 1자루의 값을 ①로 하면 공책 5권의 값은
(⑧+1200원)이므로
공책 3권의 값은 ($\frac{24}{5}$(원 표시)+720원)입니다.

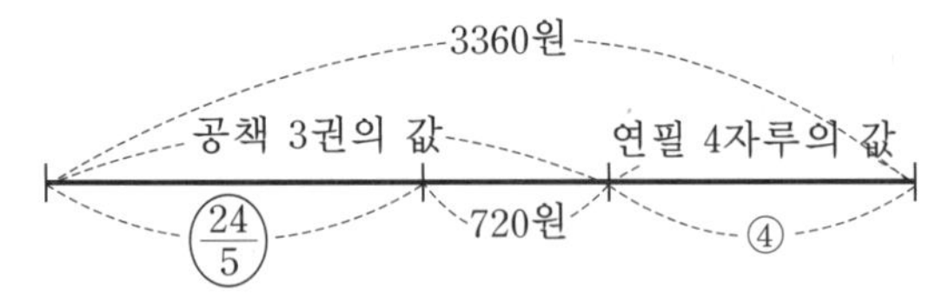

따라서 연필 1자루의 값은
$(3360-720)\div\left(\frac{24}{5}+4\right)=300$(원)이므로
공책 3권의 값은 $300\times\frac{24}{5}+720=2160$(원)입니다.

10 연필값은 볼펜값의 $\frac{7}{10}$이므로 연필 1자루의 값을 ⑦, 볼펜 1자루의 값을 ⑩으로 놓으면,
연필 1타와 볼펜 5자루의 값은
⑦×12+⑩×5=(134)이므로
연필 1자루의 값은 8040÷134×7=420(원)입니다.

11 연필 6자루의 값은 지우개 3×3=9(개)의 값보다 680×3=2040(원) 더 비싼 셈입니다.
지우개 1개의 값을 ①로 하여 선분도를 나타내면,

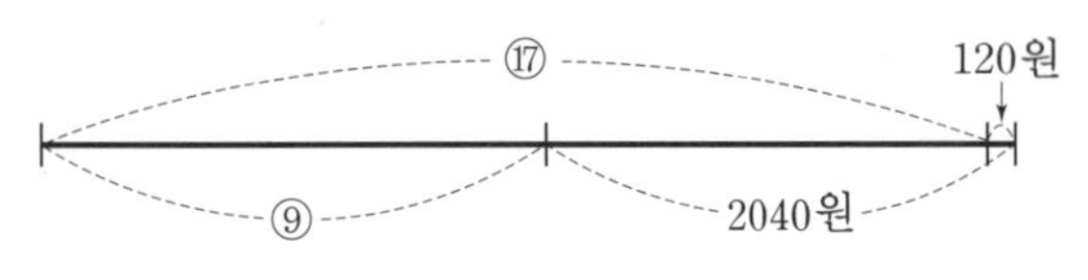

따라서 지우개 1개의 값은
(2040−120)÷(17−9)=240(원), 연필 1자루의 값은 (240×3+680)÷2=700(원)입니다.

12 공책 2권의 값이 연필 5자루의 값보다 100원 더 비싸므로 공책 4권의 값은 연필 10자루의 값보다 200원 더 비쌉니다.
선분도를 이용하여 나타내면

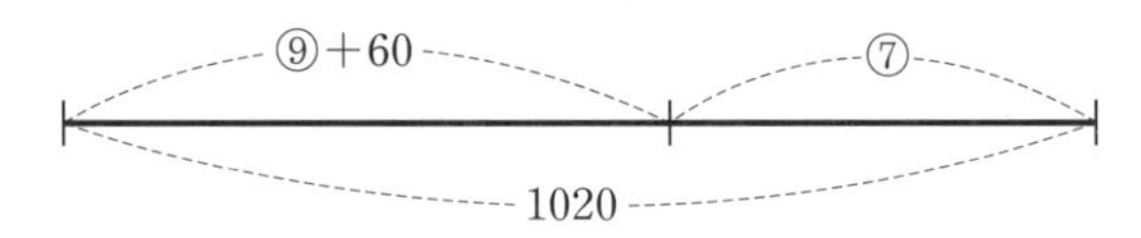

따라서 공책 1권의 값은
(8600+200)÷(7+4)=800(원)입니다.

왕중왕문제 216~219

1 200	**2** 160원
3 32000원	
4 A : 800원, B : 600원, C : 500원	
5 600원	**6** 1300원
7 120	**8** 15000원
9 16분	**10** 5분
11 22일	**12** 25분

[풀이]

1 ㉯를 ①로 놓으면 ㉮는 (③+20)이므로 ㉮의 3배는 (⑨+60)입니다.
선분도로 나타내면 다음과 같습니다.

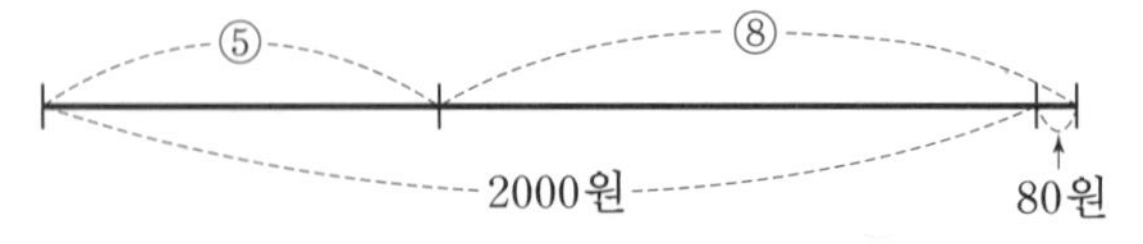

따라서 ㉯는 (1020−60)÷(9+7)=60이므로
㉮는 60×3+20=200입니다.

2 도화지 1장의 값을 ①로 하면 공책 1권의 값은 (④−40원)이므로 공책 2권의 값은 (⑧−80원)입니다.

⑤ ⑧ 2000원 80원

따라서 도화지 1장의 값은
(2000+80)÷(5+8)=160(원)입니다.

3 A상자 1개에 들어 있는 사과의 수는 B상자 2개에 들어 있는 사과의 수보다 10개 더 적은 셈입니다.

B상자 1개의 사과 수를 ①로 하면, A상자 1개의 사과 수는 (②−10개), A상자 5개의 사과 수는 (⑩−50개)입니다.

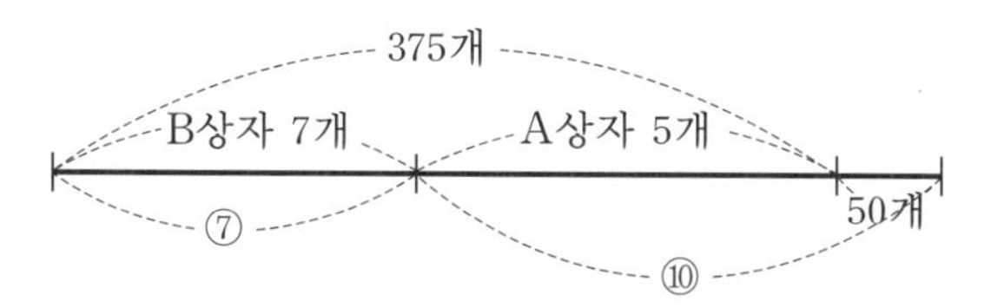

따라서 B 상자 1개의 사과 수는
(375+50)÷(7+10)=25(개),
A 상자 1개의 사과 수는 2×25−10=40(개)이므로
300000÷375×40=32000(원)입니다.

4 B의 가격을 ①이라 하면 A의 가격은 ($\frac{4}{3}$),
C의 가격은 ($\frac{5}{6}$)입니다.
($\frac{4}{3}$)+①×3+($\frac{5}{6}$)×5=($\frac{17}{2}$)이고 이것은 5100원에 해당되므로
①=5100÷17×2=600(원)이고
B 물건 1개의 값은 600(원),
A 물건 1개의 값은 $600\times\frac{4}{3}$=800(원),
C 물건 1개의 값은 $600\times\frac{5}{6}$=500(원)입니다.

5

사과 1개의 값
감 1개의 값 120원 감 1개의 값 120원 감 1개의 값 120원

위 선분도에서 사과 1개의 값은 감 3개의 값보다 360원 더 비싼 셈입니다.
따라서 감 1개의 값을 ①로 하면 사과 1개의 값은 (③+360원)이 되며, 이 내용을 선분도로 나타내면 다음과 같습니다.

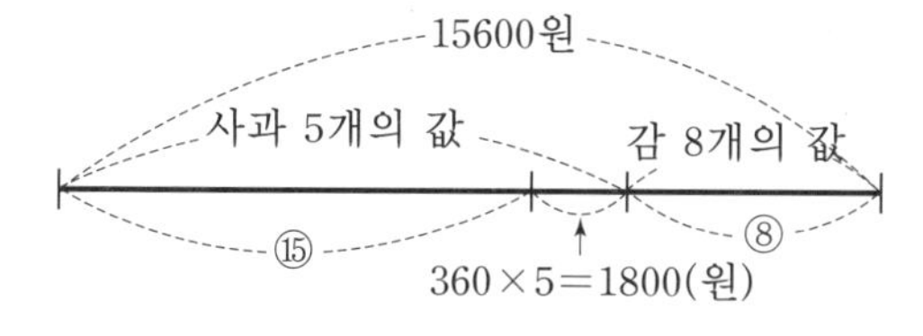

그러므로 감 1개의 값은
(15600−1800)÷(15+8)=600(원)입니다.

6 물건 ㉯ 1개의 값을 ①로 하면, 물건 ㉮ 1개의 값은 (④+2800원)이고,
물건 ㉮ 3개의 값은 (⑫+8400원)입니다.

⑱ 600원
⑫ 8400원

따라서 물건 ㉯ 1개의 값은
(8400−600)÷(18−12)=1300(원)입니다.

7 C를 ①로 놓으면, B는 (①+35),
A는 (①+100)입니다.
이때, B의 3배는 (③+105), C의 2배는 ②,
A의 2배는 (②+200)입니다.

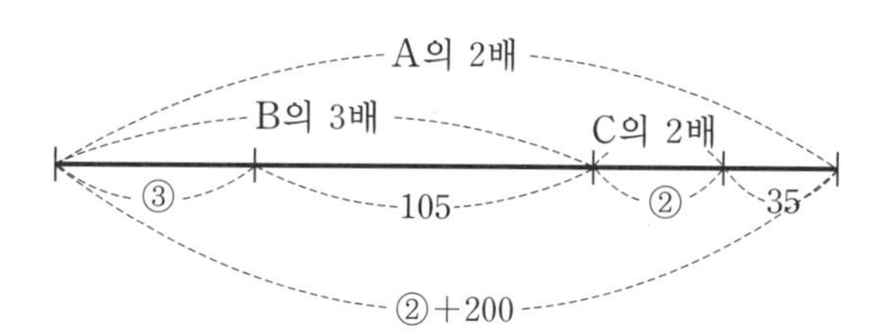

따라서 C의 값은 (200−105−35)÷3=20이므로
A의 값은 20+100=120입니다.

8 감 1개의 값을 ①로 놓으면, 참외 1개의 값은 (②+300원)입니다.
또, 문제의 조건에서 참외 3개와 감 5개의 값의 차이는 20400−18750=1650(원)입니다.

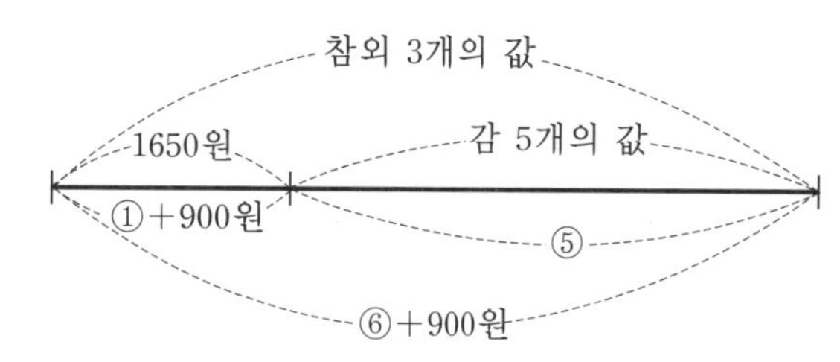

따라서 감 1개의 값은 1650−900=750(원),
수박 1통의 값은 18750−750×5=15000(원)입니다.

9 36분 동안 매분 120 m의 빠르기로 조깅을 한 것으로 가정하면 간 거리는 120×36=4320(m)이지만 실제는 4800 m이므로 매분 150 m의 빠르기로 조깅을 한 시간은
(4800−4320)÷(150−120)=16(분)입니다.
따라서 A 지점에서 B 지점까지 가는 데 걸린 시간은 16분입니다.

10 13분 동안 매분 80 m의 빠르기로 걸은 것으로 가정하면 걸은 거리는 80×13=1040(m)이지만 실제는 1000 m이므로 매분 72 m의 빠르기로 걸은 시간은 (1040−1000)÷(80−72)=5(분)입니다.
따라서 효근이가 은행에서 가영이네 집까지 걷는 데 걸린 시간은 5분입니다.

11 30일 동안 1320원씩에 먹은 것으로 가정하면 지불할 돈은 $1320\times30=39600$(원)이지만 실제는 37080원을 지불하였으므로 1200원씩에 먹은 날수는 $(39600-37080)\div(1320-1200)=21$(일)입니다.
따라서 $21+1=22$(일)부터 가격이 올랐습니다.

12 ㉯ 기계는 1분당 $24\times1.5=36$(개)의 제품을 생산합니다. 40분 동안 ㉯ 기계를 가동시킨 것으로 가정하면 제품은 $36\times40=1440$(개)이지만 실제는 1140개이므로 ㉮ 기계를 가동시킨 시간은 $(1440-1140)\div(36-24)=25$(분)입니다.

5. 수량의 증감에 따른 변화를 배수 관계로 해결하기 (배수산)

search 탐구 220

풀이
1200, 1600, 1600, 800, 800, 2000, 2000, 1200
답 2000, 1200

EXERCISE

1 3 L **2** 5 L

[풀이]

1 $1.5\times2=3$(L)

2

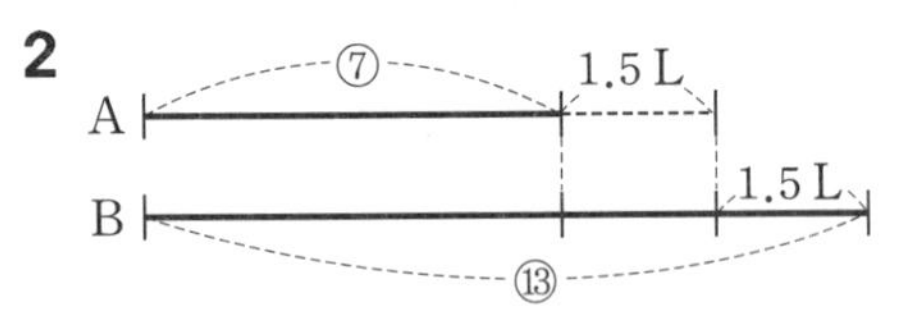

$\{3\div(13-7)\}\times7+1.5=5$(L)

왕 문제 221~224

1 율기 : 7권, 예슬 : 7권
2 A : 1 L 700 mL, B : 1 L 700 mL
3 석기 : 30개, 한초 : 30개
4 14개
5 율기 : 1900원, 석기 : 1600원
6 ㉮ : 725 mL, ㉯ : 625 mL
7 21개 **8** 3450원
9 2500원 **10** 4배
11 250원 **12** 210장

[풀이]

1 변화 후의 두 수량의 차는 $3+5=8$(권)이므로 예슬이는 $8\div(5-1)=2$(권)을 갖게 됩니다.
따라서 처음에 두 사람은 각각 $2+5=7$(권)씩 갖고 있었습니다.

2 변화 후의 두 수량의 차는 $800+1200=2000$(mL)이므로 B 수조에는 $2000\div(5-1)=500$(mL) 남게 됩니다.
따라서 처음에 두 수조에는 각각 $500+1200=1700$(mL)씩 들어 있었습니다.
즉, 1 L 700 mL입니다.

3 변화 후의 두 수량의 차는 $18\times2=36$(개)이므로 석기는 $36\div(4-1)=12$(개) 남았습니다.
따라서 처음에 두 사람은 각각 $12+18=30$(개)씩 갖고 있었습니다.

4 선분도를 그려 보면 다음과 같습니다.

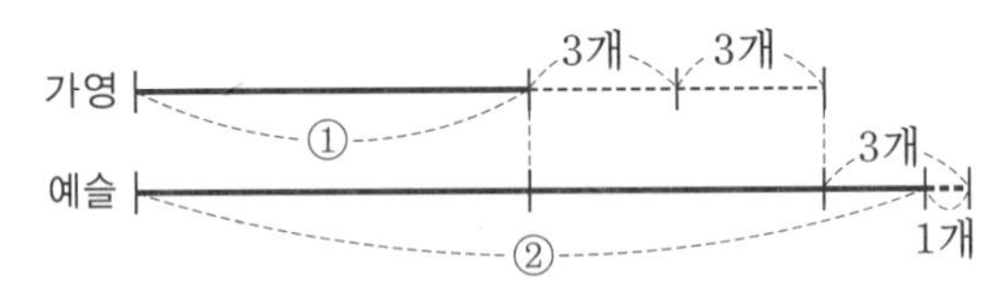

위에서 변화 후의 가영이의 사탕 수는 $8\div(2-1)=8$(개)이므로
처음 1봉지에 들어 있는 사탕 수는 $8+3+3=14$(개)입니다.

5 변화 후의 두 수량의 차는 $1200\times2-300=2100$(원)이므로 율기의 남은 돈은 $2100\div(4-1)=700$(원)입니다.
따라서 처음에 율기는 $700+1200=1900$(원), 석기는 $1900-300=1600$(원)을 갖고 있었습니다.

6 변화 후의 두 수량의 차는 $500\times2-100=900$(mL)이므로 ㉮의 남은 물의 양은 $900\div(5-1)=225$(mL)입니다.
따라서 처음에 ㉮의 물의 양은 $500+225=725$(mL), ㉯의 물의 양은 $725-100=625$(mL)입니다.

7 변화 후의 두 수량의 차는 $15-3\times2=9$(개)이므

로 한별이의 구슬은 9÷(2−1)=9(개)가 되었습니다.
따라서 한별이는 처음에 9−3=6(개) 있었으므로 동민이는 6+15=21(개) 있었습니다.

8 변화 후의 두 사람이 가지고 있는 돈의 차는 1800×2+600=4200(원)이므로 예슬이의 남게 되는 돈은 4200÷(5−1)=1050(원)입니다.
따라서 예슬이는 처음에 1050+1800=2850(원)이므로 가영이는 처음에 2850+600=3450(원)을 가지고 있었습니다.

9 율기는 동민이의 돈의 5배이므로 동민이가 500원을 받을 때 율기는 500×5=2500(원)을 받아야 합니다.

10 어제 나는 동생이 갖고 있던 돈의 4배를 가지고 있었고, 나는 오늘 동생의 2000÷500=4(배)를 사용하였으므로 나의 남은 돈은 동생의 남은 돈의 4배입니다.

11

예슬이가 갖게 된 전체 돈의 5배는 동민이가 갖게 된 전체 돈과 같은 셈이므로 예슬이는 처음에 (3000−500×5)÷(5−3)=250(원)을 갖고 있었습니다.

12 선분도를 그려보면 다음과 같습니다.

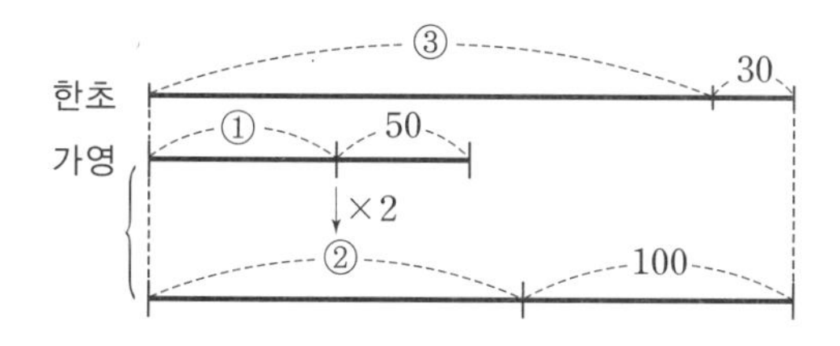

따라서 가영이는 처음에
(100−30)÷(3−2)=70(장) 가지고 있었으므로
한초는 70×3=210(장) 가지고 있었습니다.

왕중왕 문제 225~228

1 17번	**2** 144개
3 30상자	**4** 2400원
5 18개	
6 가영 : 2400원, 영수 : 2300원	
7 150 cm	**8** 90개
9 25개	**10** 14개
11 ㉮ : 56개, ㉯ : 28개	**12** 6개

[풀이]

1 선분도를 그려 보면 다음과 같습니다.

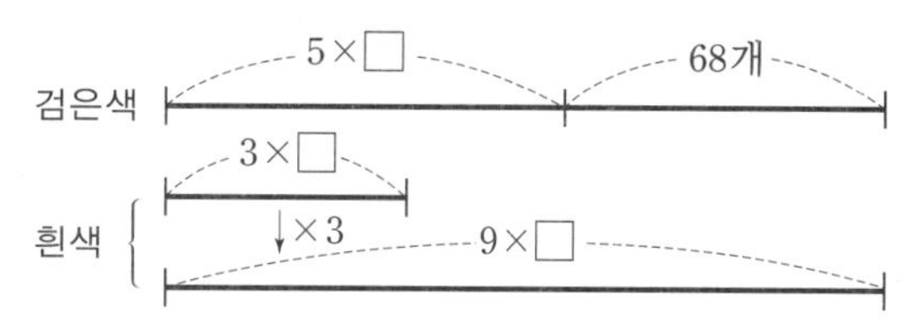

따라서 꺼낸 횟수를 □로 하면
□=68÷(9−5)=17(번)입니다.

2 노란 구슬을 4배로 늘려 한 사람당 6×4=24(개)씩 나누어 준 것으로 생각해 봅니다.
따라서 학생 수는 54÷(24−15)=6(명)이므로 파란 구슬은 15×6+54=144(개)입니다.

3 ㉮는 ㉯ 상자 수의 3배이므로 남은 상자 수도 ㉮가 ㉯의 3배입니다.
따라서 ㉯에서 90÷3=30(상자)를 꺼내야 합니다.

4 처음에 영수가 가진 돈을 ①이라 하면 한초가 가진 돈은 ④입니다.
(①+1200)×2=④+1200
②+2400=④+1200
④−②=2400−1200에서
①=1200÷2=600입니다.
따라서 처음에 영수는 600원,
한초는 600×4=2400(원)을 가지고 있었습니다.

5

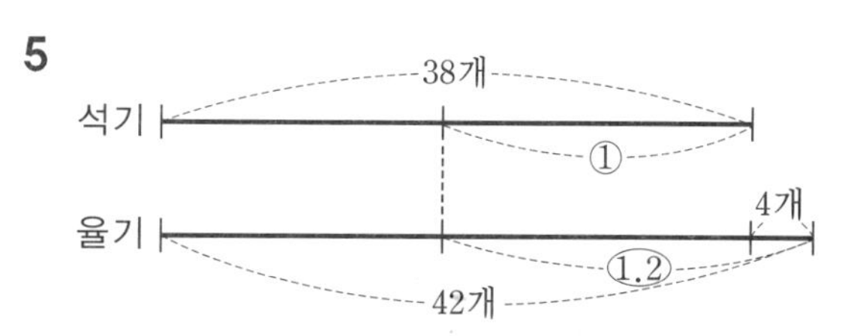

석기와 율기는 각각 같은 개수만큼의 사탕을 먹었으므로 사탕 개수의 차는 42−38=4(개)로서 변함이 없습니다.

따라서 사탕을 먹은 뒤의 석기의 사탕 수는
4÷(1.2−1)=20(개)이므로 38−20=18(개) 먹은 셈입니다.
따라서 각각 18개씩 먹었습니다.

6

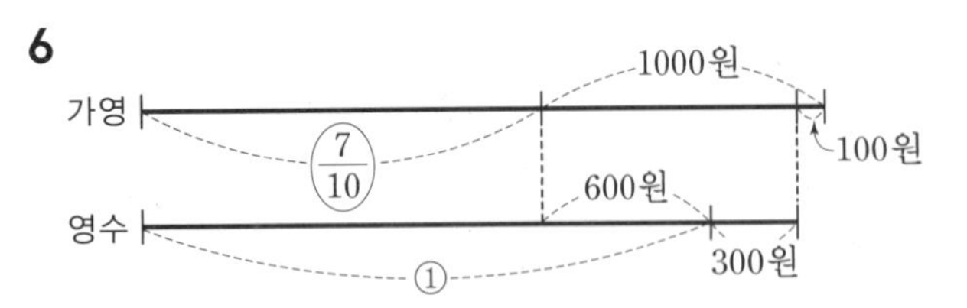

변화 후의 영수의 돈은 가영이보다
1000−100−300=600(원) 더 많아졌고
600원은 영수의 남은 돈의 $\frac{3}{10}$에 해당되므로
영수의 남은 돈은 600÷3×10=2000(원)입니다.
따라서 처음에 영수는 2000+300=2300(원),
가영이는 2300+100=2400(원)을 갖고 있었습니다.

7 동생의 키를 ①로 하여 선분도를 그려 봅니다.

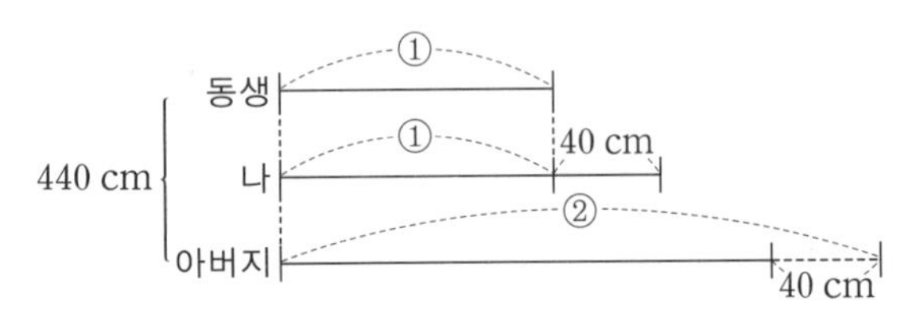

위 선분도에서 ①+①+②=④에 해당하는 것이
440−40+40=440(cm)이므로 동생의 키는
440÷4=110(cm), 나의 키는 110+40=150(cm)입니다.

8 한초의 바둑돌 수를 ③으로 놓아 선분도를 그려 봅니다.

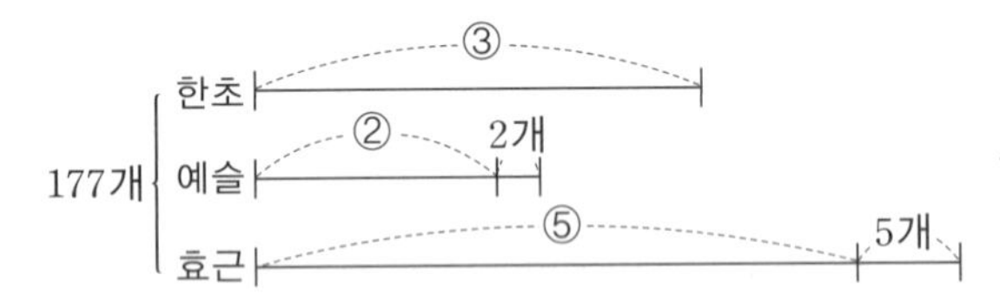

위 선분도에서 ③+②+⑤=⑩은
177−(2+5)=170(개)에 해당하므로
효근이는 170÷10×5+5=90(개)입니다.

9 노란 풍선과 파란 풍선의 개수의 합은
120÷2=60(개)입니다.

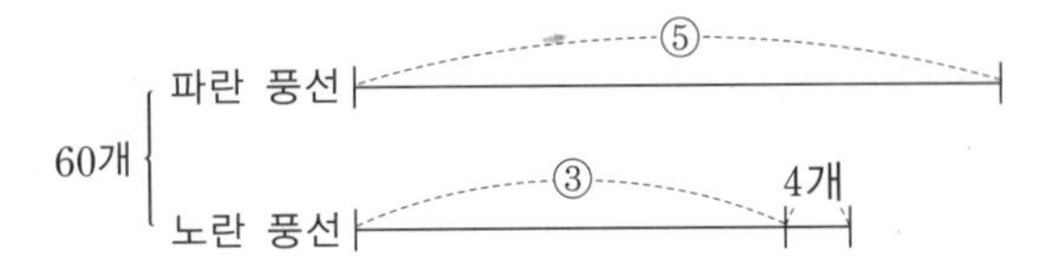

따라서 노란 풍선의 개수는
{(60−4)÷(5+3)}×3+4=25(개)입니다.

10 귤의 개수를 ①로 하면 귤을 사는데 든 돈은
200×①=(200), 사과의 개수는
(②+2개)이므로 사과를 사는데 든 돈은
800×②+800×2=(1600)+1600원입니다.

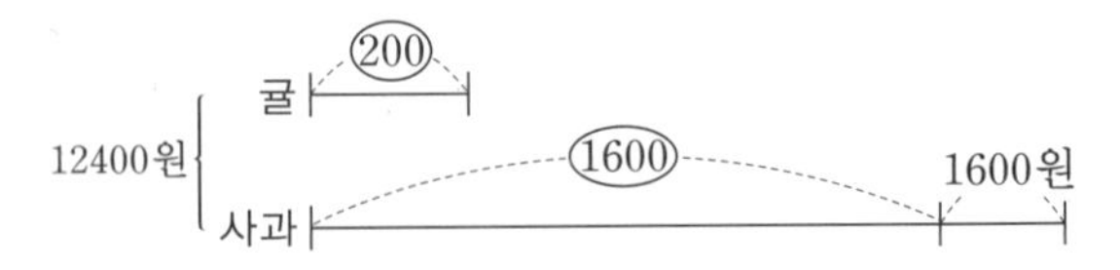

따라서 ①=(12400−1600)÷((200)+(1600))=6
이므로 귤의 개수는 6개, 사과의 개수는
6×2+2=14(개)입니다.

11 ㉮와 ㉯의 개수를 같게 생각하면
㉯는 8×2=16(개)씩 넣을 때 4×2=8(개) 남습니다.
따라서 봉지의 개수는
(20−8)÷(16−12)=3(개)이므로 사탕 ㉮의 개수는 12×3+20=56(개),
사탕 ㉯의 개수는 8×3+4=28(개)입니다.

12 처음 동민이의 사탕 수를 1로 놓으면,
처음에 동민 : 한초 : 석기=1 : 2 : 6이었습니다.

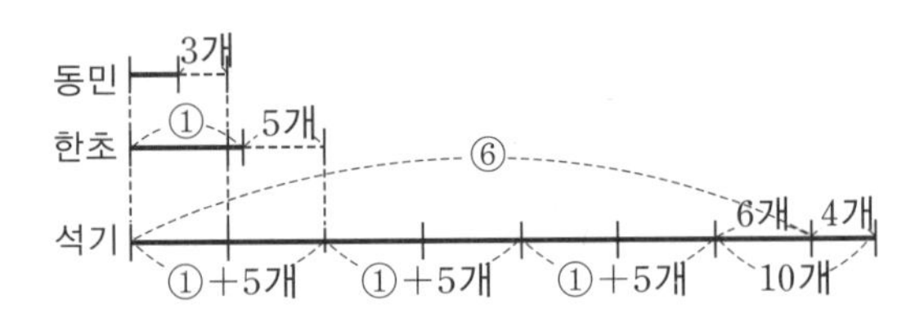

한초가 사탕을 먹은 뒤의 남은 개수를 ①로 놓으면 한초는 처음에 (①+5)개를 갖고 있던 셈입니다.
위 선분도에서 ⑥=③+5×3+6이 성립하므로
①=7입니다.
따라서 한초가 처음에 7+5=12(개)갖고 있었으므로 동민이는 12÷2=6(개) 갖고 있었습니다.